A

Bíblia do Ayurveda

A Bíblia do Ayurveda

Anne McIntyre

O guia definitivo para a cura ayurvédica

Tradução
CLAUDIA GERPE DUARTE
EDUARDO GERPE DUARTE

Título original: *The Ayurveda Bible*.

Publicado pela primeira vez na Grã-Bretanha em 2012 por Godsfield, uma divisão da Octopus Publishing Group Ltd., Endeavour House, 189 Shaftesbury Avenue, WC2H 8JY, Londres.

1ª edição 2016.

1ª reimpressão 2018.

Texto de acordo com as novas regras ortográficas da língua portuguesa.

Dados Internacionais de Catalogação na Publicação (CIP)
(Câmara Brasileira do Livro, SP, Brasil)

McIntyre, Anne
A Bíblia do ayurveda : o guia definitivo para a cura ayurvédica / Anne McIntyre ; tradução Claudia Gerpe Duarte, Eduardo Gerpe Duarte. – São Paulo : Pensamento, 2015.

Título original : The ayurveda Bible.
ISBN 978-85-315-1910-9

1. Medicina alternativa 2. Medicina ayurveda
I. Título.

15-07947 CDD-615.53

Índice para catálogo sistemático:
1. Medicina ayurvédica : Medicina alternativa 615.53

Direitos de tradução para o Brasil adquiridos
com exclusividade pela
EDITORA PENSAMENTO-CULTRIX LTDA.,
que se reserva a propriedade literária desta tradução.
Rua Dr. Mário Vicente, 368
04270-000 – São Paulo – SP
Fone: (11) 2066-9000 – Fax: (11) 2066-9008
http://www.editorapensamento.com.br
E-mail: atendimento@editorapensamento.com.br
Foi feito o depósito legal.

Sumário

Introdução

Este livro é uma introdução prática e de fácil acompanhamento ao Ayurveda, o sistema de cura natural tradicional da Índia. O Ayurveda é uma antiga filosofia que se baseia em um profundo entendimento das verdades eternas a respeito do corpo, da mente e do espírito humanos, cuja popularidade está crescendo rapidamente no Ocidente. Ela nos oferece conselhos a respeito de como podemos permanecer saudáveis e recuperar o equilíbrio quando ficamos doentes. Este livro é ideal para qualquer pessoa que deseje descobrir como o Ayurveda pode ajudá-la na sua vida, bem como para praticantes que queiram aumentar o seu repertório de cura.

A flor de lótus é a flor nacional da Índia, e as suas pétalas representam as oito ramificações do Ayurveda.

A parte 1 deste livro, "Entenda o Ayurveda", define o Ayurveda e descreve a sua história, situando-o no contexto mais amplo do desenvolvimento da filosofia médica no Oriente e da sua influência sobre a medicina no Ocidente. O Ayurveda sobreviveu ao longo de milênios, até agora, em grande medida como uma tradição ininterrupta; dois dos seus mais importantes valores são a atemporalidade e a aplicação a todas as facetas da vida do dia a dia atual, relevante exatamente como em todos os séculos anteriores. Essa parte do livro passa então a explicar a filosofia e a cosmologia do Ayurveda e explora detalhadamente os seus princípios fundamentais. Descreve e explica as doutrinas básicas da teoria ayurvédica, as quais é importante que você compreenda antes de pensar em fazer um tratamento. E inclui os cinco elementos, os três *doshas* (*tridoshas*) e os seus subtipos, os sete

Estas receitas ayurvédicas tradicionais foram escritas em folhas de palmeira.

Shirodhara é um dos melhores tratamentos ayurvédicos para acalmar a mente.

dhatus, os *malas*, os vinte atributos e os *srotas*.

A parte 2 do livro, "Como manter a saúde e o bem-estar", descreve os três *gunas*, as energias primordiais do universo que afetam essencialmente a mente, e recomenda um estilo de vida para aprimorar a paz e a alegria interiores. Essa parte explica o que você faz para avaliar a sua constituição ayurvédica e o equilíbrio dos seus três *doshas* e inclui um questionário. Em seguida, o livro explica a função vital de *Agni*, o fogo digestivo, na saúde e na prevenção da doença, explicando ainda como os seis sabores dos alimentos e das ervas podem ser usados como recursos de prevenção e de tratamento.

A parte 3, "Diagnóstico e tratamento ayurvédicos", examina primeiro as causas e os estágios da doença de uma perspectiva ayurvédica e, depois, a arte do diagnóstico em todas as suas formas, incluindo o diagnóstico da língua e do pulso. Essa parte do livro explora a variedade de tratamentos que você pode usar em casa para equilibrar os *doshas* e tratar os *dhatus*, bem como a importância da desintoxicação para restabelecer a saúde do corpo e da mente.

Por último, a parte 4, "Recursos do tratamento ayurvédico", contém uma lista abrangente de cinquenta das ervas ayurvédicas mais comumente usadas e disponíveis, seguida por detalhes de fórmulas e preparados ayurvédicos bastante conhecidos. Essa

As ervas são usadas tanto frescas quanto secas numa ampla variedade de formulações.

parte descreve o *Panchakarma*, as práticas profundas e meticulosas do Ayurveda, e termina com uma discussão do *Rasayana*, a ciência ayurvédica do rejuvenescimento.

Venho utilizando o Ayurveda na minha prática como especialista em ervas medicinais há mais ou menos vinte anos. À medida que o meu conhecimento do Ayurveda aumentava, ia constatando que ele é um recurso inestimável para ajudar a mim mesma e aos outros a entender como evitar e tratar os problemas de saúde.

A abordagem ayurvédica enfatiza a importância de lidarmos com as causas da saúde e da doença, em vez de com os milhares de sintomas da doença que procedem dessas causas. É uma abordagem simples sem ser simplista e que pode ser compreendida por qualquer pessoa que deseje maximizar o seu potencial de cura entendendo a si mesma e o universo à sua volta.

PARTE 1

ENTENDA O AYURVEDA

A primeira parte do livro explora a longa história do Ayurveda e como o estilo de vida defendido pela grande sabedoria desse antigo sistema de conhecimento pode ajudá-lo a obter saúde e longevidade por meio de uma união do equilíbrio físico, emocional e espiritual. Ela explica a filosofia básica do Ayurveda e depois trata detalhadamente de seus princípios fundamentais.

Capítulo 1: A história e a filosofia do Ayurveda

Acredita-se que o Ayurveda, o tradicional sistema de cura da Índia, seja o mais antigo sistema médico completo sobrevivente no mundo. À medida que uma visão mais global da medicina, da filosofia e da espiritualidade vem se desenvolvendo, a popularidade do Ayurveda tem crescido vertiginosamente no Ocidente.

Na realidade, o Ayurveda é muito mais do que um sistema de medicina; ele abarca a ciência médica, a filosofia, a psicologia, a alquimia e o entendimento espiritual, bem como a astrologia e a astronomia. Entre os seus recursos estão a orientação quanto ao estilo de vida, a fitoterapia, a nutrição, a desintoxicação, a massagem e outros tipos de trabalho com o corpo, além de práticas espirituais. Ele se baseia no conhecimento e no entendimento acumulado ao longo de milênios e, no entanto, é extremamente atualizado e oferece um tratamento prático e eficaz para muitos distúrbios modernos que afetam tanto a mente quanto o corpo. Testes clínicos estão sendo realizados nas principais instituições ayurvédicas em busca de tratamentos que sejam seguros e eficazes. Isso significa que a antiga sabedoria que resistiu à prova do tempo durante um sem-número de gerações está cada vez mais sendo confirmada pelas pesquisas modernas.

O Ayurveda abarca a massagem e outros tipos de trabalho com o corpo, bem como práticas espirituais.

Um pouco de história

A antiga filosofia do Ayurveda se baseia em um profundo entendimento de verdades eternas a respeito do corpo, da mente e do espírito humanos. Tem havido muita especulação a respeito das suas origens, que podem recuar a 5 mil anos ou mais.

A antiga literatura preservada pelos monges budistas fornece evidências de que o Ayurveda evoluiu como uma tradição médica e filosófica a partir da profunda sabedoria de profetas ou videntes espiritualmente iluminados, os *rishis*, que viviam nas regiões mais distantes do Himalaia, no norte da Índia. A sua sabedoria – que abrangia o Ayurveda, o yoga e a meditação – era transmitida oralmente de mestre para discípulo e foi, com o tempo, registrada na poesia sanscrítica conhecida como Vedas (mais especificamente, o Rig Veda e o Atharva Veda). Esses textos condensaram o conhecimento histórico, religioso, filosófico e médico da época, formando os alicerces da cultura e da religião indianas, particularmente do hinduísmo, do qual se originou e se diversificou toda a cultura indiana.

Os primeiros médicos

Por volta de 800 a.C., a primeira escola médica ayurvédica foi fundada por um famoso médico chamado Punarvasu Atreya. Atreya e os seus discípulos registraram o conhecimento médico em tratados que iriam, por sua vez, influenciar Charaka, erudito que viveu e pregou por volta de 700 a.C. Os seus textos, contidos no *Charaka Samhita*, descrevem 1.500 plantas, identificando 350 como valiosos medicamentos. O texto principal ainda é considerado o mais importante do Ayurveda, sendo constantemente consultado tanto no

AS OITO RAMIFICAÇÕES DO AYURVEDA

O símbolo do Ayurveda é a bela flor de lótus, com oito pétalas representando as oito ramificações do Ayurveda como descritas no *Atharva Veda*, que são as seguintes:

- ***Kayachikitsa*** – medicina interna
- ***Salya tantra*** – cirurgia
- ***Salakya tantra*** – tratamento de ouvidos, nariz, garganta, olhos e dentes
- ***Agada tantra*** – toxicologia, o estudo dos venenos
- ***Bhuta vidya*** – psiquiatria, o tratamento das doenças mentais
- ***Bala tantra*** – ginecologia, obstetrícia e pediatria
- ***Rasayana tantra*** – a ciência do rejuvenescimento
- ***Vajikarana tantra*** – afrodisíacos para aumentar o vigor e estender a vida.

ensino quanto na prática do Ayurveda nos dias de hoje.

A segunda obra mais importante é o Sushrita Samhita, escrito um século depois, que forma a base da cirurgia moderna e é consultado até hoje. O Astanga Hridayam é uma compilação mais concisa de textos anteriores que data de cerca de mil anos atrás.

Influências ayurvédicas

O Ayurveda tem exercido forte influência em muitos sistemas de medicina, desde a antiga medicina grega no Ocidente à Medicina Tradicional Chinesa no Oriente. Todas as formas de filosofia da Índia (incluindo a dos jainistas e siques) têm os mesmos princípios básicos, que estão em harmonia com a formação espiritual do Ayurveda. Acredita-se também que o sistema de medicina chinês, o tibetano e o islâmico (Unani Tibb) tenham as suas raízes no Ayurveda.

O Buda, que nasceu por volta de 550 a.C., era um seguidor do Ayurveda, de modo que a disseminação do budismo por meio dos monges no Tibete, na China, na Mongólia, na Coreia e no Sri Lanka nos séculos seguintes foi acompanhada por uma crescente prática do Ayurveda. As antigas civilizações eram ligadas umas às outras por rotas comerciais e por guerras. Os comerciantes árabes disseminaram o conhecimento das plantas indianas nas suas Matérias Médicas, e esse conhecimento foi passado adiante para os gregos e romanos, cujas filosofias e práticas iriam, com o tempo, formar a base da medicina europeia.

O Ayurveda sobreviveu, predominantemente, como uma tradição oral ininterrupta até os nossos dias, apesar de uma série de obstáculos. Dois dos seus principais valores são a atemporalidade e a aplicação a todas as facetas do dia a dia da vida atual, da mesma maneira como ele era aplicado em todos os séculos anteriores.

Depois da ascensão do império mongol no século XVI, a dominância da medicina Unani Tibb (islâmica) levou à repressão parcial do Ayurveda na Índia. No século XIX, os ingleses o descartaram como nada mais do que uma superstição nativa e, em 1833, fecharam todas as escolas ayurvédicas e proibiram a prática do Ayurveda. Por conseguinte, grandes centros de aprendizado indiano se desintegraram, e o conhecimento ayurvédico se recolheu às aldeias e aos templos.

A renascença ayurvédica

No começo do século XX, no entanto, alguns médicos indianos e cidadãos ingleses esclarecidos começaram a reavaliar o Ayurveda, e quando a Índia se tornou independente, em 1947, ele havia recuperado a reputação de sistema de cura válido. Hoje em dia, o Ayurveda viceja na Índia ao lado do Unani Tibb e da medicina alopática (convencional) ocidental, e é ativamente incentivado pelo governo indiano como uma alternativa barata para os medicamentos ocidentais.

Em anos recentes, o Ayurveda tem atraído cada vez mais a atenção de cientistas médicos no Japão e no Ocidente, e a Organização Mundial da Saúde resolveu promover a sua prática em países em desenvolvimento. A sua popularidade está aumentando diariamente no Ocidente à medida que um número cada vez maior de pessoas reconhece o seu imenso valor – não apenas na prevenção e no tratamento das doenças, mas também pela receita abrangente de um estilo de vida melhor e mais saudável, que lida com todas as facetas da nossa existência: a mente, o corpo e o espírito.

O Ayurveda tem uma receita abrangente para um estilo de vida melhor e mais saudável.

A filosofia ayurvédica

O termo Ayurveda deriva dos vocábulos sânscritos *ayur*, que significa "vida" ou "longevidade", e *veda*, que significa "conhecimento", "sabedoria" ou "ciência espiritual"; por conseguinte, o Ayurveda é um corpo completo de conhecimento e profunda sabedoria a respeito de como viver para obter saúde (*Swasthya*) e longevidade por meio de uma união do equilíbrio físico, emocional e espiritual a fim de alcançar *Moksha* (iluminação).

De acordo com o Ayurveda, há uma verdade fundamental, um estado de consciência pura além da palavra e do pensamento, no qual existe bem-aventurança, amor, compaixão e liberação. Isso é *Moksha*, ou iluminação, e alcançá-la é a meta da vida. Sem *Moksha* como a nossa meta suprema, a vida é essencialmente um estado de sofrimento causado pelo ego, que ativa um fluxo de *Karma*, ou ação e reação (causa e efeito), atando-nos ao processo de renascimento e à experiência de repetida tristeza.

No coração do Ayurveda reside o entendimento de que tudo é Um – o que quer dizer que tudo está relacionado, e não isolado. O corpo afeta a mente, e vice-versa; os sentimentos e os pensamentos têm efeitos físicos, assim como os distúrbios do corpo afetam o nosso estado psicológico.

Princípios cósmicos

O Ayurveda e o yoga compartilham um entendimento especial da evolução cósmica proveniente da filosofia da criação e manifestação *Sankhya*. *Sankhya* é uma das seis escolas clássicas da filosofia indiana, como delineada e explicada pelo grande vidente Kapila, que é mencionado na literatura védica, do Rig Veda ao Bhagavad Gita.

O Bhagavad Gita faz referência a Kapila, o grande vidente que delineou a filosofia Sankhya.

Sankhya significa "sistema de enumerologia", porque ele classificou a sua teoria da evolução em 24 princípios cósmicos (*Tattvas*), da esfera não manifestada da existência pura ao mundo manifestado. Embora eles pareçam ser sequenciais, na realidade todos ocorrem simultaneamente. *Purusha*, ou consciência pura, é relacionado como o 25º princípio; ele é descrito aqui em primeiro lugar porque forma a base dos 24 princípios seguintes e transcende todos eles.

Purusha (consciência pura)

De acordo com *Sankhya*, a origem de todos os aspectos da existência é a consciência pura – a suprema inteligência que tudo permeia, que está além do tempo e do espaço, que não tem qualidades, forma, início ou fim –, conhecida como *Purusha*. *Purusha* é a percepção pura passiva, e dentro de nós é o observador silencioso, o ser residente ou "Atman", o eu interior ou superior. Dentro desse estado sutil de quietude surge o desejo de experimentar a si mesmo, o que causa a manifestação da energia física primordial conhecida como *Prakruti*, e essa é a origem do mundo manifestado. *Purusha* é considerada uma energia masculina, enquanto *Prakruti* é a semente feminina que encerra o potencial de tudo na criação. Juntas, essas energias se unem para criar o movimento que faz com que a "dança da criação" tenha início.

De acordo com o Ayurveda, tudo o que existe no macrocosmo possui o seu equivalente no microcosmo do nosso universo interior.

1 *Prakruti* (natureza primordial)

Prakruti significa literalmente "o primeiro poder da ação", pois ela é a força criativa atrás de tudo no universo. Sendo o útero da criação, *Prakruti* também se chama *Pradhana* (a primeira substância), já que ela é a essência não manifestada de toda a substância no universo, tanto grosseira quanto sutil. O Ayurveda não separa o mundo exterior do interior.

Tudo o que existe no macrocosmo tem o seu equivalente no microcosmo do universo interior do ser humano.

2 *Mahat* (inteligência cósmica)

Prakruti dá origem à consciência cósmica, conhecida como *Mahat*, que é a inteligência universal ou cósmica que forma a base de tudo na criação.

Mahat significa literalmente "o grande", pois é a mente divina cuja inteligência cria as grandes leis e os princípios que governam a vida. Trata-se das formas arquetípicas por trás do mundo manifestado. Dentro do indivíduo, *Mahat* se torna *Buddhi*, a nossa sabedoria interior – a parte que mantém a objetividade, que não é afetada pelas exigências da vida cotidiana ou pelo *Ahamkara*, o sentimento de "seidade", a consciência de que eu sou. *Buddhi* nos dá a nossa inteligência inata, que nos habilita a perceber a verdade, distinguir o certo do errado, o real do irreal e o eterno do temporário.

3 *Ahamkara* (ego)

Ahamkara significa literalmente "o criador do eu", pois o ego é, na verdade, um processo, e não uma realidade intrínseca. Esse processo envolve a identificação com diferentes aspectos do mundo criado, como pensar "estou com frio" no inverno e se identificar com esse sentimento. Assim sendo, *Ahamkara* é uma série de pensamentos desagregadores, e não uma entidade distinta, apesar do fato de o concebermos como um eu coerente com o qual nos identificamos. Ele é o aspecto que cria a ilusão de sermos separados da consciência cósmica, desse modo causando muito sofrimento.

4 *Manas* (mente condicional)

Manas significa "o princípio formulador", proveniente do radical *man*, formar. Ele nos conecta com o mundo exterior por meio dos sentidos. *Manas* é a mente como ela vivencia e registra as percepções e sensações recebidas pelos cinco sentidos, e depois identifica e conceitualiza ideias e emoções. É o funcionamento mental.

5-9 Os cinco *Tanmatras*

Os cinco *Tanmatras* são os "indicadores primordiais" que ilustram a estrutura energética quíntupla do cosmo, a qual tudo permeia na criação. Eles são os cinco sentidos do som, do tato, da visão, do paladar e do olfato que nos habilitam a conectar os cinco órgãos sensoriais com os objetos de experiência. Eles são as formas sutis dos cinco elementos Éter, Ar, Fogo, Água e Terra, antes que a sua diferenciação se manifeste no mundo material. São os seguintes:

- *Shabda Tanmatra* – som
- *Sparsha Tanmatra* – tato
- *Rupa Tanmatra* – visão
- *Rasa Tanmatra* – paladar
- *Gandha Tanmatra* – olfato.

10-14 *Pancha Jnanendriyani* (os cinco órgãos sensoriais)

São os cinco órgãos sensoriais que possibilitam vivenciarmos o mundo exterior. Eles se conectam com os cinco elementos da seguinte maneira:

- Ouvidos, o órgão sensorial do som, ao elemento Éter
- Pele, o órgão sensorial do tato, ao elemento Ar
- Olhos, o órgão sensorial da visão, ao elemento Fogo
- Língua, o órgão sensorial do paladar, ao elemento Água
- Nariz, o órgão sensorial do olfato, ao elemento Terra.

Esses órgãos sensoriais são apenas receptivos, não expressivos. A sua atividade ocorre por intermédio dos órgãos de ação correspondentes. Também existem formas sutis ou internas desses órgãos além das limitações do corpo físico, e a sua ação nos confere a Percepção Extrassensorial (PES).

15-19 *Pancha Karmendriyani* (os cinco órgãos de ação)

Essas estruturas físicas possibilitam que nos comuniquemos e nos manifestemos, e correspondem aos cinco órgãos sensoriais e aos cinco elementos. Eles são expressivos e não receptivos:

- Boca (expressão), corresponde ao Éter e ao som
- Mãos (agarrar), corresponde ao Ar e ao tato
- Pés (movimento), corresponde ao Fogo e à visão
- Pênis (vagina), corresponde à Água e ao paladar
- Ânus (eliminação), corresponde à Terra e ao olfato.

20-24 *Pancha Mahabhuta* (os cinco grandes elementos)

A energia cósmica se manifesta nos cinco elementos, que são a base de toda

A pele é um dos cinco órgãos sensoriais. Ela é o órgão do tato, e está conectada ao elemento ar.

a matéria e se aplicam a toda manifestação, incluindo a mente – a saber, o Éter, o Ar, o Fogo, a Água e a Terra (ver p. 28). Indo do mais sutil para o mais grosseiro, eles representam, respectivamente, os aspectos etérico, gasoso, radiante, líquido e sólido da matéria, que compõem o mundo externo da experiência, incluindo o corpo físico.

Os cinco elementos se manifestam no funcionamento dos cinco sentidos, os quais, por sua vez, nos capacitam a perceber o ambiente no qual vivemos e a interagir com ele. O Éter, o Ar, o

Fogo, a Água e a Terra correspondem à audição, ao tato, à visão, ao paladar e ao olfato, respectivamente.

Os três *gunas*

Prakruti é composta por três qualidades primordiais, ou *gunas*: *Sattva, Rajas* e *Tamas*. Elas são mais sutis do que os cinco elementos que surgem por meio da sua atividade. Elas também precedem os *Tanmatras*.

- De *Sattva* surgem os cinco órgãos sensoriais
- De *Rajas* surgem os cinco órgãos de ação
- De *Tamas* surgem os cinco elementos.

Tudo no universo é uma combinação diferente dos três *gunas*. *Sattva* é a qualidade mais elevada de luz, harmonia, virtude, felicidade, clareza e inteligência; *Rajas* é a qualidade do movimento, da distração, da turbulência e da atividade; e *Tamas* é a qualidade do embotamento, da escuridão, da deterioração, da inércia e do repouso a fim de possibilitar a regeneração. Eles representam o potencial para a diferenciação em *Prakruti*, os fatores causais da criação, enquanto os cinco sentidos (*Tanmatras*) são os fatores sutis e os cinco elementos são os efeitos grosseiros.

Sob a predominância de *Tamas*, os cinco elementos evoluem com diversificação de acordo com os três *gunas*:

- O Éter se origina de *Sattva*
- O Fogo se origina de *Rajas*
- A Terra se origina de *Tamas*
- O Ar é composto por *Sattva* e *Rajas* (luminosidade e movimento)
- A Água contém tanto *Rajas* quanto *Tamas* (movimento e peso)
- A Terra é puro *Tamas*.

O equilíbrio correto dos três *gunas* é chamado de "puro *Sattva*", pois ele ocorre por meio de uma predominância e purificação de *Sattva*.

Os três *doshas*

Os três *doshas*, ou "humores" biológicos que governam a nossa constituição – *Vata*, *Pitta* e *Kapha* –, surgem principalmente por meio dos *Rajas*, já que eles são tipos de energias móveis ou vitais, e cada um deles tem cinco diferentes formas (ver p. 32).

Agni é o deus do fogo com duas cabeças do Rig Veda que revela a verdadeira natureza do nosso próprio ser.

Os *doshas* fornecem a estrutura fisiológica para a interação dos órgãos e elementos que se tornam corpo físico. Os cinco tipos de *Vata* possibilitam a coordenação dos cinco órgãos sensoriais e dos cinco órgãos de ação, o que quer dizer que a ação pode responder ao estímulo sensorial.

As quatro metas da vida

De acordo com a filosofia védica, existem quatro metas legítimas na vida, e todos os seres humanos aspiram a uma ou mais delas: *Kama* (prazer), *Artha* (prosperidade), *Dharma* (carreira) e *Moksha* (iluminação).

- ***Kama***, que significa prazer, é a nossa meta mais básica. Todos temos o desejo de ser felizes e evitar o sofrimento, de desfrutar o mundo da experiência sensorial e a satisfação dos desejos emocionais.

- ***Artha*** diz respeito à aquisição da riqueza e de bens no mundo material. Todos precisamos de bens vitais como comida, roupas e abrigo

O Ayurveda foi registrado na poesia sanscrítica conhecida como Vedas, que até hoje são importantes textos espirituais.

para permanecer vivos. Essa é a meta exterior do princípio do ego (*Ahamkara*).

- ***Dharma***, que significa carreira, se refere à obtenção de *status*, como reconhecimento das nossas aptidões, dons, habilidades ou talentos, para que posssamos desempenhar a nossa função na vida. Essa é a meta interior do princípio do ego.

- ***Moksha*** significa iluminação, felicidade, liberação espiritual e o reconhecimento da nossa verdadeira natureza.

O propósito fundamental na vida é *Moksha*, o verdadeiro conhecimento interior e a liberação com relação ao sofrimento para que possamos alcançar o nosso verdadeiro potencial. *Moksha* é a meta *sátvica* de inteligência ou razão (*Buddhi*), que não é realmente uma meta, mas a nossa verdadeira natureza, à qual podemos chegar por meio da percepção consciente e da renúncia ao ego e à sua incessante busca de metas. As outras três metas surgem de *Rajas* e são externas ou secundárias; quando se tornam um fim em si mesmas, elas dão origem a atitudes, crenças e comportamentos que podem nos predispor ao desequilíbrio e às doenças, tanto físicos quanto mentais. Acredita-se que *Kama* como objetivo principal possa conduzir ao excesso de permissividade e dissipação da energia vital; *Artha* pode conduzir à ganância e à avidez egoísta; *Dharma* pode conduzir à busca da fama, do poder e do controle. *Moksha* representa a liberdade com relação ao apego às três primeiras metas e um estado de paz e alegria interiores.

A META DO AYURVEDA

Por meio da filosofia *Sankhya*, podemos compreender a perspectiva ayurvédica de que o universo é uma manifestação de *Purusha* (inteligência suprema), que evolui e se expressa na matéria (*Prakruti*), a fim de explorar todos os aspectos da experiência inerente dentro de si mesma. Dessa maneira, o universo existe a fim de proporcionar experiência para a consciência. O Ayurveda fornece o caminho que nos leva de volta ao conhecimento do espírito, ou Purusha. Ele abre a nossa percepção consciente e nos ensina que não somos apenas corpo; ele é um instrumento ou veículo para a expressão da consciência. Por meio do conjunto de recursos que nos são oferecidos por esse incrível corpo de conhecimento, temos a oportunidade de entrar em contato com a nossa verdadeira natureza. Enquanto não fizermos isso, estaremos sujeitos ao processo de degeneração que é inerente ao mundo manifestado. Por conseguinte, podemos constatar que a única verdadeira cura para a aflição e a doença é o conhecimento do Ser.

Capítulo 2: Os princípios do Ayurveda

Os seres humanos estão constantemente interagindo com o universo e os seus elementos, e vice-versa. Nós ocupamos espaço, o que nos proporciona um lugar para viver e funcionar de inúmeras maneiras; respiramos ar, bebemos água, nos mantemos aquecidos com calor e luz e consumimos alimentos fornecidos pela terra. Desde que o nosso relacionamento com o universo seja saudável e benéfico, poderemos ter uma ótima saúde. De acordo com o Ayurveda, quando essa interação harmoniosa sucumbe, isso nos predispõe à disfunção e à doença.

Os cinco elementos

O Ayurveda afirma que tudo no universo é composto por energia, e essa energia existe em cinco diferentes estados de densidade, dando origem aos cinco elementos (*Pancha Mahabhuta*), a saber:

- Éter/espaço (*Akasha*)
- Ar/movimento (*Vayu*)
- Fogo/energia radiante (*Teja*)
- Água/fator coesivo (*Jala*)
- Terra/massa (*Prithvi*)

Esses cinco elementos não devem ser interpretados literalmente, e sim como metáforas que nos ajudam a compreender o universo. Eles representam cinco qualidades de energia que podemos reconhecer quando as vivenciamos diariamente nas nossas vidas física, mental e emocional.

Como os cinco elementos foram formados

De acordo com o Ayurveda, originalmente tudo consistia de consciência pura, energia não material. O Éter, o elemento mais sutil, se formou a partir das vibrações cósmicas. Quando ele começou a se mover, criou o elemento ar. O atrito entre os elementos

Os cinco elementos – Éter, Ar, Fogo, Água e Terra – estão representados aqui.

em movimento deu origem ao calor e ao elemento Fogo. O fogo se dissolveu e se liquefez, criando a água, parte da qual, por sua vez, se solidificou, formando a terra.

O corpo humano é igualmente composto por esses cinco elementos, refletindo, portanto, o universo mais amplo – ele é um microcosmo do macrocosmo. Os cinco elementos coexistem em toda parte em todas as coisas, constantemente modificando-se e interagindo, em uma variedade infinita de proporções, e cada um deles tem um leque de diferentes atributos.

O Fogo tem a qualidade do calor e da luz, e é o elemento que governa a percepção e a transformação.

OS CINCO ELEMENTOS E OS SEUS ATRIBUTOS

- O **Éter** significa espaço e possibilita a existência de todas as coisas, incluindo a comunicação entre uma parte e outra do corpo – por exemplo, os espaços sináptico, intracelular, e abdominal –, bem como a autoexpressão.

- O **Ar** é gasoso e possui qualidades aéreas. Ele é leve, límpido, seco e dispersante. Ele governa todo movimento, toda direção e mudança, despertando toda a criação para a vida. O ar está presente nos pulmões e no abdômen, por exemplo, e a qualidade de seu movimento pode ser vista em todos os movimentos do corpo, particularmente nas mensagens que ocorrem em todo o sistema nervoso.

- O **Fogo** possui a qualidade da luz e do calor. Ele é seco e tem movimento ascendente. Governa a percepção e todas as transformações no corpo. É responsável pela temperatura e pela cor do corpo, pelo brilho do rosto e do cabelo, pela luz nos olhos.

- A **Água** é liquidez ou movimento fluente, que confere coesividade e mantém tudo unido. Ela é fria e flui para baixo, e não tem uma forma própria. Está presente em todos os fluidos do corpo, entre eles o sangue, a urina, as fezes, a saliva e o muco.

- A **Terra** é matéria, solidez e estabilidade. Ela é pesada e dura e confere forma e substância ao corpo. Está presente na estrutura física do corpo: órgãos, músculos e ossos, pés e tendões.

Os *doshas*

Como vimos, existem três principais forças vitais ou "humores" derivados dos cinco elementos conhecidos como *doshas* – *Vata, Pitta* e *Kapha* – que são responsáveis por todas as funções do corpo, físicas e psicológicas.

Os *doshas* são criados da seguinte maneira:

- O Éter e o Ar criam o princípio do ar, ***Vata***
- O Fogo e a Água produzem o princípio do fogo, ***Pitta***
- A Terra e a Água produzem o princípio da água, ***Kapha.***

A nossa constituição

Todos nascemos com um equilíbrio particular de *doshas*, o qual cria a nossa constituição e permanece inalterado a vida inteira. O *dosha* (ou *doshas*) predominante determina o nosso físico, as nossas tendências mentais e emocionais e a nossa predisposição para determinados problemas de saúde. Geralmente temos uma predominância de um ou dois dos *doshas*.

A nossa constituição (*Prakruti*) é, em grande medida, determinada quando somos concebidos e depende da constituição dos nossos pais, do equilíbrio dos *doshas* de ambos, do estado mental e emocional deles no momento da concepção e, é claro, do *Karma* deles. As características do(s) nosso(s) *dosha(s)* dominante(s) serão mais visíveis na nossa estrutura física e mental, mas elas estão naturalmente diluídas pelas características dos outros *doshas*.

Para estar vivos e bem-dispostos, precisamos dos três *doshas* e dos cinco elementos. Quando os nossos *doshas* estão em equilíbrio – em outras palavras, quando eles permanecem nas proporções com as quais nascemos –, eles mantêm a saúde e o bem-estar; quando estão desequilibrados, ficamos doentes ou indispostos.

A nossa constituição está relacionada com a constituição dos nossos pais.

Vata

Combinação de Éter e Ar, *Vata* é o princípio do movimento. A palavra *Vata* significa "vento", do radical sanscrítico *va*, que significa soprar, dirigir, mover ou comandar. *Vata* é a nossa força vital (*Prana*), derivada principalmente da respiração.

Vata é a força energizante de tudo no corpo e na mente, e isso se reflete na circulação do sangue e da linfa, bem como em todos os impulsos do sistema nervoso. É a força motivadora por trás dos outros dois *doshas*, que são incapazes de ter movimento sem ela. Por essa razão, os distúrbios de *Vata* tendem a ter implicações muito mais amplas do que aqueles dos outros dois *doshas* e, não raro, afetam a mente e também o corpo inteiro.

Vata controla todo o movimento no corpo:

- O piscar dos olhos
- O movimento do ar entrando e saindo dos pulmões
- As pulsações do coração
- O movimento dos impulsos nervosos através do sistema nervoso
- Os movimentos envolvidos com a digestão e o metabolismo
- A eliminação de resíduos
- A circulação do sangue e da linfa
- O movimento dos nutrientes para dentro das células e o movimento dos resíduos para fora das células
- A homeostase (equilíbrio) de todo o corpo.

QUALIDADES DE *VATA*

- **Seco**
- **Frio**
- **Leve**
- **Irregular**
- **Incisivo**
- **Duro**
- **Móvel**
- **Sutil**
- **Áspero**
- **Límpido**

Vata é uma combinação dos elementos Éter e Ar. Ele é o princípio do movimento, como o vento.

No aspecto mental e no emocional, *Vata* governa:

- O equilíbrio e o bem-estar mentais
- O movimento de ideias na mente
- A inspiração, a criatividade
- A aspiração espiritual
- A adaptabilidade mental
- A compreensão
- O medo, a insegurança, a ansiedade
- A visão e a imaginação.

Os principais locais de *Vata*

Vata é ar contido no espaço (Éter). É encontrado nos espaços vazios do corpo, como o coração, o tórax, o abdômen, a pelve, os poros dos ossos, a medula óssea, o cérebro, a bexiga e os canais sutis do sistema nervoso. O abdômen inferior é o local onde *Vata* se acumula, o que inclui a pelve, os tratos urinário e reprodutivo, o intestino e a região lombar. As coxas e os quadris são o principal local de movimento musculoesquelético do corpo, pelo qual *Vata* é responsável. Os ouvidos e a pele – os órgãos da audição e do tato – também são governados por *Vata*. *Vata* é excretado do corpo por meio de gases e da energia muscular ou nervosa.

A tarefa de *Vata* no corpo é garantir que exista espaço suficiente onde o ar possa entrar e que haja movimento suficiente nesse espaço. O ar só consegue se deslocar livremente através do corpo quando os trajetos estão livres de obstáculos. Os espasmos e o muco, por exemplo, podem obstruir o fluxo do ar através dos pulmões, como ocorre na asma. Se houver espaço demais e movimento insuficiente, pode ocorrer a estase, ou inatividade, como no caso do enfisema e da prisão de ventre.

As pessoas nas quais Vata *predomina tendem a ter um físico estreito e uma compleição leve.*

As pessoas com predominância de *Vata*

Assim como o vento, as pessoas com predominância de *Vata* são instáveis, e a irregularidade aparecerá fortemente na sua constituição física e emocional. Elas podem ser muito altas ou muito baixas, com um físico irregular e uma compleição leve. Elas podem ter dentes tortos ou olhos irregulares (talvez um maior do que o outro) ou o nariz pode não ser reto. O seu peso pode mudar rapidamente e,

quando estão infelizes ou estressadas, podem perder peso com facilidade. Algumas descobrem que é impossível ganhar alguns quilos, ao passo que outras ficam gordas devido ao estresse, a problemas digestivos e por terem uma má alimentação. Elas tendem a ter ossos e articulações proeminentes. O seu apetite é variável: às vezes ficam esfomeadas, enquanto em outras ocasiões ficam simplesmente sem apetite. Como resultado, elas tendem a comer de maneira irregular, pois acham difícil ficar quietas. No entanto, quando não comem regularmente, elas se tornam hipoglicêmicas e podem facilmente se sentir fracas ou achar que vão desmaiar, ficando ainda mais ansiosas.

As pessoas com predominância de *Vata* tendem a sentir frio e podem ter má circulação, e quaisquer sintomas tendem a piorar no tempo frio. Elas adoram o calor e a luz do sol. Como são extremamente ativos e consomem muita energia, os tipos *Vata* tendem a ficar ressecados. Eles podem ter a pele e o cabelo seco, mas a variabilidade que os caracteriza significa que algumas partes da pele podem ser secas, enquanto outras são oleosas. A pele dessas pessoas pode ficar enrugada quando elas ainda são relativamente jovens. Aqueles que têm um *Vata* elevado tendem a sofrer de intestino seco e prisão de ventre. Por causa da digestão irregular, as pessoas de *Vata* podem sofrer de flatulência, distensão abdominal e desconforto e tendem a ter problemas de intestino como a síndrome do intestino irritável. As jovens *Vata* tendem a ter ciclos menstruais irregulares e frequentemente deixam de menstruar em alguns meses devido ao estresse, ao excesso de atividade ou por estarem com o peso abaixo do normal; o seu sangramento tende a ser leve e pode ser acompanhado por cólicas.

As pessoas de *Vata* são ativas e agitadas e acham difícil relaxar. O seu sono tende a ser leve e facilmente perturbado, com muitos sonhos, e elas podem ter pesadelos ou sofrer de insônia. Elas podem ficar excessivamente estimuladas e ir além dos seus recursos de energia. A sua capacidade de resistência tende a ser baixa e elas se cansam com facilidade, mas mesmo assim se obrigam a prosseguir usando a sua energia nervosa até finalmente ficarem exaustas. O exercício vigoroso, como a corrida e a aeróbica, agravará os seus sintomas, embora elas possam temporariamente se sentir melhor depois de fazê-lo. O exercício suave, como o yoga ou o tai chi, é muito mais adequado, porque elas precisam relaxar.

Quando em equilíbrio, aqueles com muito *Vata* na sua constituição são animados, entusiásticos, criativos, cheios de ideias novas e iniciativa, idealistas e visionários. Eles pensam rápido, falam depressa, adoram estar na companhia de outras pessoas e gostam de viagens e de mudança. Eles são bons em começar as coisas, mas não necessariamente em acompanhá-las até o fim. Uma pista da constituição deles pode ser obtida observando-se quantos projetos eles têm em andamento em qualquer ocasião, ou livros inacabados na mesinha de cabeceira! Eles estão propensos a ter uma memória fraca, falta de concentração, a ser desorganizados, a sentir medo e ansiedade, e podem sofrer de problemas nervosos como desorientação, ataques de pânico e extremas variações de humor.

CARACTERÍSTICAS DE *VATA*

- **Físico magro, com proporções irregulares**
- **Tendência a ter peso abaixo do normal ou perder peso quando estressado**
- **Pele seca e áspera, que pode rachar com facilidade; cabelo, intestino, articulações etc. secos**
- **Rotina diária irregular**
- **Apetite e digestão irregulares e rápidos**
- **Preferência por alimentos doces, ácidos e salgados, bem como bebidas quentes**
- **Memória irregular: assimila rapidamente as coisas e as esquece com facilidade**
- **Inventivo, cheio de ideias, criativo, tem raciocínio rápido**

- Intuitivo, altamente imaginativo, distraído, sem base
- Animado, excitável, entusiástico, inconstante, impulsivo
- Propenso a sentir ansiedade, medo, insegurança, instabilidade
- Sono leve, tendência à insônia
- Ativo, inquieto, pensa e faz as coisas rapidamente
- Tem ímpetos de energia, com dificuldade para sustentar a concentração e a atividade
- Humor variável, com sentimentos intensos
- Excita-se sexualmente com facilidade e logo fica saciado
- Ganha dinheiro rapidamente e gasta-o com a mesma rapidez
- Sensível ao frio, não raro detesta o vento; os seus sintomas pioram no tempo frio
- Tem sonhos em que está correndo, saltando e voando – com frequência assustadores
- Tendência a ter prisão de ventre, flatulência, distensão abdominal, dores de cabeça, dor nas articulações, tensão e espasmos musculares, regras dolorosas, infertilidade, problemas nervosos, batimento cardíaco irregular, tosse seca, insônia, exaustão.

Pitta

***Pitta* é uma combinação dos elementos Fogo e Água. Ele é o princípio da transformação e do calor porque é responsável por todas as conversões químicas e metabólicas no corpo que criam energia e calor. Todos os processos de *Pitta* envolvem a digestão ou o cozimento, incluindo o "cozimento" dos pensamentos que se transformam em teorias na mente.**

Pitta governa a análise mental, a digestão, a clareza, a percepção e o entendimento. O termo deriva do radical sânscrito *tap*, que significa aquecer, cozinhar ou transformar. *Pitta* digere os nutrientes a fim de fornecer energia para a função celular; os sistemas enzimático e hormonal são o principal campo de atividade de *Pitta*.

No corpo, *Pitta* governa:

- O apetite, a digestão e o metabolismo dos nutrientes
- A sede
- O calor e a cor do corpo
- O brilho da pele e do cabelo e a luz nos olhos.

QUALIDADES DE *PITTA*

- Oleoso
- Quente
- Leve
- Sutil
- Fluente
- Móvel
- Incisivo
- Macio
- Suave
- Límpido
- Fétido

Nos campos mental e emocional, *Pitta* governa:

- A percepção mental
- A crítica, a análise, a diferenciação
- O pensamento penetrante
- A força de vontade, o controle

- O entusiasmo, a alegria e a coragem
- A ambição, a competição
- A impaciência, a irritabilidade e a raiva.

Os principais locais de *Pitta*

O estômago e o intestino delgado são os principais locais de *Pitta*, onde os ácidos digestivos, de natureza ardente, criam um depósito de atividade digestiva. O fígado, a vesícula biliar, o pâncreas e o baço também são a sede de *Pitta*. O sangue, que contém calor, cor e água, é da alçada de *Pitta*. Os olhos são o órgão sensorial que pertence ao elemento Fogo. Entre outros locais estão a pele, o cérebro, o suor e as glândulas sebáceas e o sistema hormonal. *Pitta* é excretado do corpo por meio da bile e do ácido.

Por ser composto de fogo e água, é tarefa de *Pitta* fazer com que dois elementos, por via de regra antagô-

Pitta *é uma combinação de fogo e água, responsável pela digestão, pelo metabolismo e pelo calor.*

A pele das pessoas com predominância de Pitta *tende a ser pálida. Ela se queima com facilidade e frequentemente tem sardas.*

nicos, cooperem. Todo o fogo no corpo, como os ácidos digestivos, está contido na água. Se houver mais fogo do que água, os ácidos irritarão e queimarão o revestimento do estômago ou do intestino, provocando inflamações, gastrite e úlceras. Se houver mais água do que fogo, a água abafará o fogo digestivo e causará indigestão.

As pessoas com predominância de *Pitta*

Fisicamente, as pessoas com predominância de *Pitta* tendem a ter compleição e peso médios, com um físico atraente e bem-proporcionado. Os seus olhos são de tamanho médio, de cor frequentemente clara e bem brilhantes; eles podem ser sensíveis à luz do sol e às substâncias irritantes e ficar facilmente inflamados e lacrimejantes. A sua pele tende a ser quente ao toque e de aparência pálida ou rosada; ela pode ser sensível ao calor, à luz do sol e às substâncias irritantes, e com tendência a ter erupções cutâneas e espinhas; ela se queima com facilidade e apresenta frequentemente verrugas ou sardas. Os tipos *Pitta* podem enrubescer facilmente ou ficar vermelhos de raiva. Eles ficam logo suados, até mesmo no tempo frio, e nunca parecem sentir frio. São mais propensos a não tolerar o calor. Eles podem ter o cabelo louro ou ruivo, fino, frequentemente liso e oleoso, e que fica grisalho cedo na idade adulta. Quase todos os homens que ficam calvos cedo são do tipo *Pitta*, já que os níveis elevados de testosterona associados à calvície são um fenômeno *Pitta*.

As pessoas com um nível *Pitta* elevado geralmente têm bom apetite e adoram comer. Elas odeiam pular refeições e, quando estão com fome, podem ficar irritadas e hipoglicêmicas, com dor de cabeça, tontura, fraqueza e tremores. A sua digestão é boa e o intestino é eficiente, mas, quando ficam zangadas ou agitadas, ou comem um excesso de alimentos condimentados ou fritos, elas podem sofrer de indigestão, azia e fezes soltas, que causam ardência. As jovens tendem a ter um ciclo menstrual regular, mas podem ter um sangramento intenso ou longo com sangue vermelho vivo, precedido pela sensação de calor e tensão pré-menstrual.

Os tipos *Pitta* são bastante metódicos e organizados. Eles podem ser um tanto obsessivos a respeito de horários e tendem a ser perfeccionistas. Não raro, eles acordam e vão dormir na mesma hora todos os dias. Eles dormem bem, a não ser que estejam preocupados a respeito de alguma coisa como o trabalho, uma entrevista ou uma palestra no dia seguinte. Eles são altamente competitivos e o seu principal receio é fracassar. As pessoas *Pitta* são naturalmente inteli-

As pessoas com dominância de Pitta são altamente competitivas e adoram ganhar.

gentes e bastante impetuosas. Podem ser dominadoras, críticas, autocríticas e intolerantes. Podem ter uma baixa autoestima e não têm muita paciência com pessoas tolas e insensatas.

O tempo quente, ficar aquecido demais com exercício vigoroso, os alimentos condimentados e a carne vermelha podem intensificar *Pitta*. A elevação de *Pitta* pode produzir uma sensação de aumento de calor interior e causar febre e inflamação. As pessoas com excesso de *Pitta* estão propensas a ser irritáveis, coléricas, excessivamente críticas e voltadas para a realização, e elas têm a tendência de ser viciadas em trabalho. Vários ácidos ou bile se acumulam nos tecidos, causando fermentação, infecção e distúrbios na pele como herpes, eczema e acne. O sangramento (como no sangramento nasal ou nas regras intensas), a sudorese e a urinação excessivas são frequentes. *Pitta* elevado causa uma coloração amarelada nas fezes, na urina, nos olhos e na pele, suor e urina com odor forte, fome e sede excessivas, sensações de ardência no corpo e dificuldade para dormir.

CARACTERÍSTICAS DE *PITTA*

- Compleição e peso medianos, físico forte e bem constituído
- Feições regulares, corpo bem-proporcionado
- Pele suave, oleosa, clara ou avermelhada, frequentemente com verrugas e sardas, que se queima com facilidade; quente ao toque
- Olhos brilhantes e penetrantes, sensíveis à fumaça e à luz do sol
- Apetite bom e forte, metabolismo rápido
- Boa digestão, com tendência a um nível de glicose baixo no sangue, o que pode causar irritabilidade e dor de cabeça
- Cabelo fino e brilhante, que cai com facilidade e fica grisalho cedo; os homens têm tendência à calvície
- Transpiração profusa, com secreções malcheirosas

- Desejo de comer alimentos doces, salgados, picantes e ácidos, e de tomar bebidas frias
- Altamente inteligente, mente aguçada, boa memória e concentração
- Tende a ser irritável e crítico
- Perfeccionista, organizado e eficiente
- Resoluto, assertivo, ambicioso, competitivo e empreendedor
- Bom em oratória
- Gosta de estar no controle, possui qualidades de liderança, pode ser autoritário
- Fica ansioso com a possibilidade de não fazer as coisas corretamente, de não estar no controle; tem medo de fracassar
- Veemente, romântico, intenso, pode ser obsessivo
- Sexualmente vigoroso, pode ser dominador
- Pode sofrer de falta de autoestima, depressão e ciúme
- Sonhos a respeito de fogo, guerra, agressão e competição
- Gosta de ganhar e gastar dinheiro, adora se vestir ou se cercar de coisas bonitas
- Não gosta do calor intenso, e os seus sintomas frequentemente pioram no tempo quente ou se o local estiver exageradamente aquecido
- Vai tarde para a cama, tende a trabalhar até altas horas; o seu sono tem uma duração média
- Propenso a problemas inflamatórios, sintomas de calor e ardência, infecções e febre, azia e indigestão, úlceras pépticas, intestino solto, olhos inflamados e irritados, problemas visuais, anemia e problemas no fígado ou na vesícula biliar.

Kapha

***Kapha* é uma combinação de terra e água, o principio da energia potencial, do crescimento e da proteção. *Kapha* é responsável pela nutrição do corpo e forma a maior parte da nossa estrutura – os ossos, os músculos, os tecidos, as células e os fluidos corporais.**

No corpo, *Kapha* governa:

- A força e a estabilidade
- O equilíbrio da água do corpo
- A lubrificação das membranas mucosas e das articulações (membranas sinoviais)
- A proteção e o "acolchoamento" do corpo inteiro
- A sustentação e a coesão das estruturas do corpo.

QUALIDADES DE *KAPHA*

- Úmido
- Frio
- Grosseiro
- Denso
- Suave
- Estático
- Embotado
- Maleável
- Turvo
- Pesado

No aspecto psicológico, *Kapha* proporciona:

- Apoio emocional na vida
- Calma e tolerância
- Paciência e capacidade de perdoar
- A capacidade de sentir amor, compaixão e devoção
- Sensação de bem-estar
- Lealdade e afeição

Os principais locais de *Kapha*

O principal local de *Kapha* é o estômago. O peito ou os pulmões, assim como a garganta, a cabeça, as cavidades do corpo e os seios nasais, todos locais *Kapha*, produzem muco. A boca e a língua produzem saliva, outro fluido *Kapha*. A língua é o

Kapha é uma combinação dos elementos Água e Terra e forma a maior parte da nossa estrutura física.

órgão do paladar, o sentido que pertence ao elemento água. O tecido adiposo, o tecido cerebral, as articulações, a linfa, o pâncreas e as cavidades pleurais e pericárdicas também são da alçada de *Kapha*. Essas são as áreas onde os distúrbios de *Kapha* geralmente se manifestam. *Kapha* é excretado do corpo por meio do muco.

Kapha mantém a terra do corpo suspensa na sua água. Ele possibilita que a água e a terra, que normalmente não interagiriam uma com a outra, se combinem adequadamente e permaneçam em equilíbrio. O corpo físico é composto principalmente por água e está contido dentro dos limites da pele e de outros revestimentos teciduais (terra). A terra sozinha é imóvel e, como tal, pode bloquear funções orgânicas e nos predispor à doença; ela só funciona no corpo em uma solução aquosa.

Se o corpo fica sólido demais, com excesso do elemento Terra, surgem problemas como pedras na vesícula e nos rins. Essas pedras são concentrações de terra nas quais a terra secou demais, impedindo que o fluxo livre continuasse. Caso haja um excesso de água e terra insuficiente no sistema, podem surgir distúrbios como o edema.

As pessoas *Kapha*

As pessoas com predominância de *Kapha* tendem a ser resolvidas, física e emocionalmente fortes e resilien-

A coisa de que os tipos Kapha *mais gostam é ficar sentados e relaxar.*

tes. Elas são serenas, afáveis e atenciosas. Tendem a ser meigas, leais e afetuosas, e frequentemente evitam a confrontação. Não gostam de mudança ou dos aspectos imprevisíveis da vida e farão o possível para manter o *status quo*. Elas podem tender à preguiça; a coisa de que elas mais gostam é ficar sentadas, relaxar e fazer o mínimo possível. Exercitar-se frequentemente não é uma coisa natural para elas, embora o exercício vigoroso possa fazer com que elas se sintam muito bem-dispostas e saudáveis.

Fisicamente, as pessoas com predominância de *Kapha* têm a compleição mais forte dos três tipos, e as mulheres *Kapha* tendem a ser as mais férteis. Elas tendem a ter ossos largos, ombros largos e músculos grandes e ganham peso com facilidade. O seu cabelo é grosso e lustroso, os olhos são calmos, grandes e úmidos. Elas têm unhas largas e fortes, lábios cheios e dentes fortes e regulares. O apetite é estável, embora elas com frequência não sintam fome logo que acordam pela manhã, hora em que tendem a se sentir sonolentas. Elas adoram comer e têm uma queda para o que chamamos aqui de "comida reconfortante" ou "comida emocional". A digestão é lenta e preguiçosa, assim como o metabolismo. Elas têm o sono pesado e adoram ficar "enrolando" na cama de manhã. A sua pele é geralmente fria e um tanto pegajosa ao toque, e elas tendem a não apreciar os extremos de temperatura, mas os seus sintomas (como os resfriados e a congestão mucosa) são frequentemente piores no tempo frio e úmido do inverno.

Kapha tende a se acumular durante o tempo frio e úmido no inverno e no início da primavera. Ele é intensificado pela vida sedentária, pela falta de exercício e pela ingestão de um excesso de alimentos doces e carboidratos. *Kapha* promove a estase, o que pode conduzir à inércia. As pessoas com excesso de *Kapha* podem se sentir lentas, pesadas, letárgicas e inativas e costumam acumular mais terra e água – ou seja, a ganhar peso e reter água. Emocionalmente, elas podem se sentir complacentes, gananciosas, materialistas,

As pessoas Kapha *tendem a ter o cabelo grosso e lábios cheios; adoram comer e costumam gostar de "comida reconfortante".*

cobiçosas, apegadas, possessivas e mentalmente passivas, lentas e embotadas. Podem tender a ser cabeçudas, obstinadas e tacanhas e ainda a reprimir quaisquer pensamentos ou emoções desagradáveis ou perturbadores que possam afetar o seu equilíbrio. Elas relutariam em explorar a vida emocional no aconselhamento ou na psicoterapia. Elas podem ficar na fossa e se sentir desmotivadas, especialmente no inverno, e podem sofrer de depressão e do Distúrbio Afetivo Sazonal (DAS), às vezes passando horas sem fazer quase nada.

O excesso de *Kapha* pode predispor a pessoa a estagnação nos tecidos, congestão linfática, celulite, congestão mucosa, problemas respiratórios, palidez, sensação de frio, sonolência e hipotiroidismo. O excesso de *Kapha* é associado a um baixo fogo digestivo, o que causa peso no estômago, náuseas depois da refeição e intestino preguiçoso.

CARACTERÍSTICAS DE *KAPHA*

- Físico grande, ossos pesados, músculos grandes
- Cabelo e pele grossos, lustrosos e oleosos
- Olhos grandes e límpidos, lábios cheios, dentes grandes e fortes
- Compleição e imunidade fortes, boa resistência às doenças
- Energia estável e duradoura – a mais forte de todas as constituições
- Tendência a dormir demais, ser preguiçoso e inativo
- Digestão e metabolismo lentos
- Desejo de alimentos doces, ácidos e salgados
- Propensão para ser gordo e se sentir pesado

- Movimentos lentos e graciosos
- Calmo, complacente, suave, delicado e de ritmo lento
- Metódico, lento e deliberado
- Resiste à mudança, é cabeçudo, tem reações lentas, reprime as emoções difíceis; pode ficar no estado de negação
- Leal e confiável, não é crítico e não gosta de mudança
- Calmo, decidido, afetuoso, se esforça para manter a estabilidade tanto dentro de si quanto à sua volta
- Sensual, mas demora a ficar sexualmente excitado; após despertada, a sua sexualidade é intensa e duradoura
- Aprende devagar e custa a esquecer as coisas
- Tende a ser cobiçoso, ganancioso, possessivo e grudento
- É competente para ganhar dinheiro e economizar
- Sente-se pior no tempo frio e úmido
- Seu sono é longo e profundo; tem dificuldade para acordar pela manhã
- Costuma sonhar com água, natureza, pássaros e suaves imagens românticas
- Tem tendência a ficar resfriado, a ter congestão catarral, asma, letargia, baixa motivação e depressão, congestão linfática, excesso de peso, alergias, colesterol alto e diabetes.

Os relacionamentos e os *doshas*

***Kapha* funciona como suporte e veículo para os outros dois *doshas*, *Vata* e *Pitta*. Atua como uma força conservadora e refreadora sobre eles e sobre o efeito ativo e intenso deles no corpo e na mente, o qual poderia normalmente dispersar e dissipar a energia vital.**

A energia sutil de *Kapha* se chama *Ojas*, que é a reserva de energia primordial no corpo responsável pela nossa força, vitalidade, imunidade e fertilidade. Quando *Kapha* está baixo, por causa de um nível elevado de *Vata* ou de *Pitta* (devido ao estresse, à má alimentação, a uma doença etc.), tanto a imunidade quanto o bem-estar emocional e mental que *Kapha* produz ficam comprometidos. *Vata* e *Kapha* são quase opostos um ao outro no que diz respeito à qualidade:

- ***Kapha*** representa todos os estados potenciais de energia no corpo e permite que a energia seja armazenada
- ***Vata*** representa todos os estados cinéticos de energia no corpo e faz com que a energia armazenada seja liberada

Kapha *governa o primeiro estágio da vida, do nascimento aos 16 anos de idade.*

* ***Pitta*** se equilibra entre a mudança e a estase, entre a estimulação excessiva e a inércia.

Vata e *Kapha* encontram-se perto um do outro no corpo por razões práticas. O coração e os pulmões estão continuamente em movimento, de modo que necessitam de contínua lubrificação. O excesso de movimento exaure o lubrificante, ao passo que o excesso de lubrificante atrapalha o funcionamento dos órgãos. Nas articulações, o líquido sinovial proporciona lubrificação e proteção. O cérebro e a medula espinhal, cujo movimento se manifesta como impulsos nervosos, nadam no fluido cerebrospinal. O muco protege o revestimento do intestino, possibilitando que os alimentos passem livremente por ele.

O ciclo da existência humana

O *dosha Kapha* é responsável pelo crescimento das crianças até a maturidade física, do nascimento aos 16 anos de idade; o *dosha Pitta* é responsável pela manutenção do corpo na maturidade, dos 16 aos 45 anos; e o *dosha Vata* é responsável pelo declínio do corpo, dos 45 anos até a morte. Esses ciclos podem se estender à medida que alcançamos maior longevidade, de modo que o ciclo de *Pitta* poderia continuar em algumas pessoas até os 50 ou 55 anos. Para sermos saudáveis, o equilíbrio dos *doshas* que temos ao nascer precisa ser mantido. Se esse equilíbrio for perturbado pela alimentação, pelas condições atmosféricas ou estações do ano, pelo estilo de vida ou estado mental, o resultado, com o tempo, é uma doença, que pode ser sentida como desconforto físico ou dor ou como sofrimento mental e emocional. O estado de desequilíbrio vigente que faz com que esses sintomas se manifestem é conhecido como *Vikruti*.

No que diz respeito ao tratamento, os tipos *Vata* sensíveis geralmente precisam de doses menores de medicamento e se beneficiam de ervas que aquecem, nutrem e acalmam. Os tipos *Pitta* mais robustos podem receber doses médias e ervas mais refrescantes e desintoxicantes; os tipos *Kapha* que reagem lentamente podem precisar de doses mais elevadas de ervas descongestionantes que aquecem e energizam durante um período mais longo.

Os cinco subtipos dos *doshas*

Existem cinco tipos de cada *dosha*, que residem em diferentes partes do corpo e são responsáveis por diferentes funções vitais. Por meio deles, você pode entender e tratar os *doshas* de maneira mais específica.

Os cinco tipos de *Vata*

As cinco formas de *Vata* têm uma importância primordial, já que *Prana* (o primeiro tipo de *Vata*) é a força vital – a energia motivadora subjacente a todas as atividades. Os nomes em sânscrito são formados adicionando-se diferentes prefixos ao radical *an*, que significa "respirar ou energizar". As formas de *Vata* são também chamadas de *Vayu*, outra palavra que significa "vento".

Métodos terapêuticos como a aromaterapia e o Pranayama *podem ser usados para fortalecer* Prana *quando ele está debilitado.*

Prana Vata

Prana Vata ou *Vayu* – a energia vital cósmica e a nossa força vital – é o principal vento ou energia no corpo e dirige todos os outros tipos de *Vata*. O prefixo *Pra significa* "para dentro" ou "na direção de". Ele está localizado na cabeça, particularmente no cérebro, e se move para dentro e para baixo em direção ao peito e à garganta, governando a inalação e a deglutição. *Prana Vata* governa a consciência, a mente, a cabeça e os sentidos, nos proporciona inspiração na vida e nos conecta ao nosso eu interior e à consciência pura.

O *Prana* traz ar e comida para o corpo e possibilita que assimilemos impressões, sentimentos e informações. Ele governa a nossa capacidade de ser receptivos a formas externas e internas de nutrição, incluindo a nossa conexão interior com a força vital cósmica. Quando *Prana* é suficiente, acredita-se que fiquemos imunes a todas as doenças. Quando ele está debilitado, temos a propensão a ficar doentes, o que pode ser tratado por meio de métodos terapêuticos como o *Pranayama* (exercícios respiratórios) e a aromaterapia, que o fortalece.

Udana Vata

Udana Vata ou *Vayu* é o "ar que se move para cima ou para fora" (*ud* significa "para cima"). Ele reside no peito e está centrado na garganta; governa a exalação e a fala, bem como várias formas de esforço que ocorrem por meio da exalação, incluindo o canto. A sua ação é mover energia do lado de dentro para o lado de fora. Acredita-se que o *Udana Vata* cause a ascensão da nossa mente e do nosso espírito. Ele é responsável pelo entusiasmo, pela boa memória, pela força, pela motivação e pelo esforço e governa as nossas aspirações e a autoexpressão. Ele promove valores mais elevados e, quando plenamente desenvolvido, nos confere o poder de transcender o mundo exterior. Quando debilitado, o *Udana Vata* pode causar problemas na fala, tosse, espirros, bocejos, arrotos e vômito. A prática do yoga promove o desenvolvimento do *Udana Vata.*

Samana Vata

Samana Vata ou *Vayu* significa "ar nivelador". *Sama* significa "equilibrador" ou "nivelador" (como na palavra inglesa "same", que significa o mesmo, igual). A sua função é equilibrar as partes interna e externa, superior e inferior do corpo e as energias no processo da digestão. A nossa mente e as nossas emoções precisam estar em equilíbrio e absorver nutrientes em todos os níveis. Ele tem alguma ação ascendente.

Situado no estômago e no intestino delgado, *Samara Vata* é a força nervosa por trás da digestão, que governa a absorção de energia por meio do sistema digestivo e da assimilação dos nutrientes. Quando a sua função está debilitada, ele causa falta de apetite ou indigestão nervosa.

Vyana Vata

Vyana Vata ou *Vayu* significa "ar difuso" ou "ar disseminante". *Vi* significa "separar". *Vyana Vata* está situado no coração e é circulado por todo o corpo. A sua ação é principalmente voltada para fora, o que possibilita que nos expressemos na ação e liberemos energia. Ele governa o sistema circulatório, o suprimento de sangue para todo o corpo e, especificamente, para os músculos, possibilitando a utilização da energia por meio do esforço muscular. A sua ação ocorre principalmente nos membros, o principal local de movimento no corpo.

O distúrbio de *Vyana Vata* pode causar má coordenação e dificuldade de movimento, particularmente no andar. O excesso de *Vyana Vata* pode propagar ou dispersar excessivamente a nossa energia. Ele é o oposto de *Prana*, cujo movimento é para dentro.

Apana Vata

Apana Vata ou *Vayu* significa "ar que se move para baixo". *Apa* significa "afastar". *Apana Vata* governa a eliminação da energia residual. Ele está situado no abdômen inferior e no cólon e é responsável por todo os impulsos descendentes de eliminação, incluindo a defecação, a urinação, a menstruação, a parturição e o sexo. Quando debilitado, ele afeta essas funções e causa sintomas como a prisão de ventre, a diarreia e regras dolorosas. Ele também governa a absorção da água no intestino grosso, possibilitando que assimilemos com-

Vyana Vata *fornece sangue para os músculos, possibilitando a utilização de energia durante o esforço muscular.*

pletamente a nutrição da digestão da comida, cujo estágio final ocorre no intestino grosso.

Apana Vata sustenta e controla todas as outras formas de *Vata*, e seu desequilíbrio é a base da maioria dos distúrbios de *Vata*. Por conseguinte, o tratamento de *Apana Vata* é a primeira consideração no tratamento de *Vata*, possibilitando que os outros *Vatas* voltem a funcionar normalmente. Os distúrbios de *Vata* são a base fundamental da maioria das doenças e sempre acompanham aqueles de *Pitta* e *Kapha*. Por essa razão, é sempre importante considerar *Apana* no tratamento de qualquer doença. Manter os cinco *Vatas* em equilíbrio e funcionando adequadamente é a chave fundamental para a conservação da saúde. *Apana* é como uma rolha na energia do corpo, que pode ser retirada a fim de deixar a energia residual sair, mas que se não for recolocada escoará *Prana* do corpo.

Os cinco tipos de *Pitta*

Eles são às vezes chamados de *Agnis* (fogos) já que servem para fornecer ou promover o fogo, a digestão, o calor e a transformação em vários níveis do corpo e da mente.

Sadhaka Pitta

Sadhaka significa "o fogo que distingue a verdade da realidade", do radical *sadh*, que quer dizer "consumar" ou "realizar". Ele é o fogo no cérebro e no coração e funciona através do sistema nervoso e dos sentidos, sendo responsável pela inteligência e pela conquista de metas intelectuais e espirituais. No nível material, essas metas podem ser o prazer, a riqueza e o prestígio.

Sadhaka Pitta governa a energia mental, a digestão de impressões, ideias ou crenças e o nosso poder de

O distúrbio de Sadhaka Pitta *pode causar confusão, excesso de análise, baixa autoestima e depressão.*

diferenciação. Ele tem um movimento para dentro e governa a liberação de energia das nossas impressões e experiências de vida no intuito de capacitar a mente. Ele dirige a nossa inteligência interior. Quando está debilitado, sofremos de falta de clareza, confusão, ilusão, insônia, raiva, intolerância, depressão (que pode ser grave) e baixa autoestima.

Alochaka Pitta

Ele governa a percepção visual. Está situado nos olhos e é responsável pela recepção da luz que vem do mundo à nossa volta, a digestão de impressões e a visão. Centrado na pupila, ele possibilita que enxerguemos e conecta os nossos olhos às nossas emoções. Ele tem um movimento ascendente, estimulando-nos a buscar luz, clareza e entendimento para alimentar a mente e a alma. O brilho dos olhos é sinal de uma boa digestão e um bom funcionamento do fígado, de clareza mental e inteligência superior. Quando *Alochaka Pitta* está perturbado podemos sofrer de problemas nos olhos como a conjuntivite e problemas de visão como a fotofobia.

Pachaka Pitta

Situado no intestino delgado, *Pachaka Pitta* governa as enzimas que possibilitam que a digestão tenha lugar. Ele também é responsável pela regulação da temperatura e pela manutenção da boa circulação. Quando ele está elevado demais, pode causar indigestão, hiperacidez e úlceras, e quando está excessivamente baixo, pode causar má absorção e falta de calor corporal.

Pachaka Pitta é a principal forma de *Pitta* e o suporte para todos os outros *Pittas*. Ele é a primeira consideração no tratamento de *Pitta*, visto que a nossa principal fonte de calor é o fogo digestivo, *Agni*. Por meio do seu poder de diferenciação, ele pode separar a parte nutriente da comida da não nutriente, e é responsável pela absorção de nutrientes, bem como pela imunidade local no trato gastrointestinal, destruindo patógenos que entram no corpo com os alimentos.

Brajaka Pitta *é responsável pela tez e pela cor da nossa pele.*

Brajaka Pitta

Brajaka Pitta significa "o fogo que governa o lustre ou a tez" e está situado na pele. Ele é responsável pela temperatura, pela tez e pela cor da nossa pele. Quando exacerbado, causa erupções cutâneas e descoloração. *Brajaka Pitta* governa a absorção de tepidez, do calor e da luz do sol por meio da pele, e sua ação se move para fora, por meio da qual o calor pode ser propagado pela circulação.

Ranjaka Pitta

Ranjaka Pitta significa "o fogo que transmite cor". Ele está situado no fígado, no baço, no estômago e no intestino delgado, e colore o sangue, a bile e as fezes, bem como outros materiais residuais. O seu local principal é o sangue, ao qual ele confere calor e cor. A sua energia se desloca para baixo.

Os cinco tipos de *Kapha*

Eles protegem os nossos órgãos e tecidos do desgaste causado pelo efeito secante de *Vata* e do calor de *Pitta*. Eles ajudam a manter a coesão e a força.

Tarpaka Kapha

Situado no cérebro e no coração na forma do fluido cerebrospinal, *Tarpaka Kapha* proporciona proteção, força, nutrição e lubrificação aos nervos. Ele os protege dos efeitos do estresse, promovendo calma e estabilidade emocional, bem como felicidade e boa memória. A deficiência de *Tarpaka Kapha* pode causar descontentamento, mal-estar, nervosismo e insônia. Ele tem um movimento para dentro, capacitando-nos a sentir a alegria interior de sermos nós mesmos. A meditação favorece a sua secreção.

Bodhaka Kapha

Significa "a forma da água que confere percepção". Ele está situado na boca e na língua como a saliva que nos permite sentir o gosto da comida, parte do primeiro estágio da digestão. Ele também protege a boca da irritação causada por alimentos e bebidas acres e picantes. A perturbação do sentido do paladar frequentemente precede os distúrbios de *Kapha*. Ele tem ação ascendente e governa o sentido do paladar na nossa vida e o refinamento do paladar à medida que evoluímos.

A meditação favorece a secreção de Tarpaka Kapha, *que fornece força e nutrição ao sistema nervoso.*

Kledaka Kapha

Significa "a água que umedece". Ele está situado no estômago como as secreções alcalinas das membranas mucosas e é responsável pelo umedecimento da comida e pelo primeiro estágio da digestão. Ele também protege as delicadas membranas mucosas. A deterioração de *Kledaka Kapha* se manifesta como a secreção irregular dos fluidos estomacais e o excesso de muco.

Sleshaka Kapha

Significa "água que confere lubrificação", do radical *slish*, que quer dizer "ser úmido" ou pegajoso". Ele está localizado nas articulações como fluido sinovial, onde é responsável por mantê-las unidas e por suavizar o movimento evitando atrito. A deterioração do *Sleshaka Kapha* faz o fluido sinovial secar, levando a articulações estalantes e predisposição para artrite. A sua ação é voltada para fora, conferindo-nos força e estabilidade para o movimento físico.

Avalambaka Kapha

Significa "a água que sustenta". Ele está localizado no coração e nos pulmões, onde proporciona lubrificação. O *Avalambaka Kapha* corresponde ao plasma básico, *Rasa* (que é distribuído pela ação dos pulmões e do coração), a partir do qual todo *Kapha* é produzido. Ele é a principal forma de *Kapha* e respalda as ações dos outros *Kaphas*, de modo que ele é o aspecto mais importante de *Kapha* no tratamento das doenças.

O *Avalambaka Kapha* tem ação descendente, e ele dá apoio. Se for excessivo, pode fazer com que nos sintamos pesados e fiquemos propensos a engordar e ter distúrbios pulmonares. A perturbação do *Avalambaka Kapha* está por trás da maior parte da acumulação de muco no corpo. Eliminar o muco do peito é a base para remover *Kapha* do corpo inteiro, incluindo a retenção de água.

Os cinco tipos de Kapha *ajudam a manter coesão e força.*

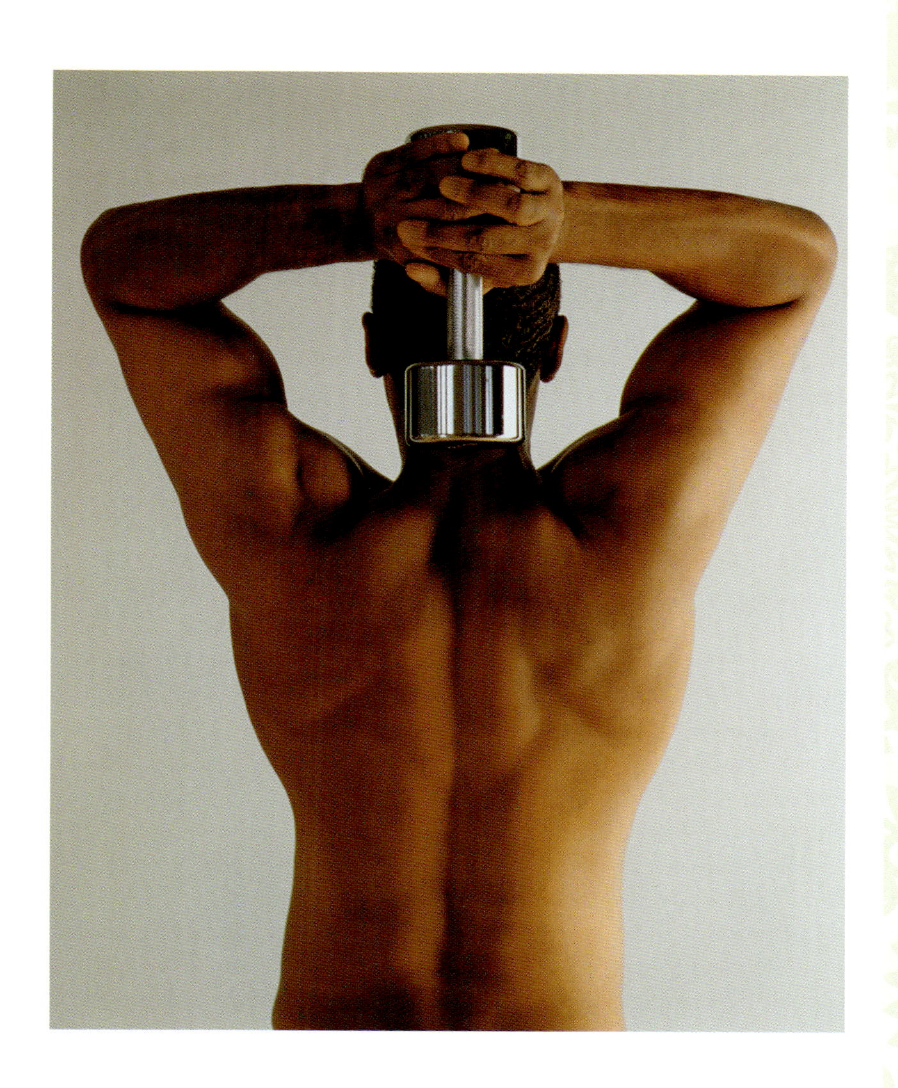

Os sete tecidos

De acordo com o *Ayurveda*, o corpo humano é composto por sete camadas de tecido ou *dhatus* (do radical *dha*, que significa "sustentar"). Enquanto o desequilíbrio dos *doshas* pode nos predispor a ficar doentes, os *dhatus* podem se tornar os locais da doença, e nesse caso são chamados de *dushya*, que significa "aquilo que pode ser estragado". Para que haja saúde e força, os sete *dhatus* precisam estar funcionando idealmente.

Os *dhatus* são formados a partir de nutrientes digeridos, e os produtos residuais do seu metabolismo são eliminados por meio das fezes e da urina. *Rasa* é o primeiro *dhatu* e consiste no plasma básico do corpo, a partir do qual todos os outros tecidos são produzidos. Cada tecido é produzido a partir do outro pela digestão, de modo que cada um se torna alimento para o seguinte; isso significa que existe apenas um tecido no corpo que passa por sete níveis de transformação, o que faz com que problemas em qualquer tecido possam facilmente afetar todo o resto.

Do grosseiro ao mais sutil, os sete *dhatus* são:

- ***Rasa*** (plasma) – composto principalmente de água
- ***Rakta*** (sangue, especificamente a hemoglobina) – composto de fogo e água
- ***Mamsa*** (músculo, esquelético e visceral) – composto primeiro de terra e, em segundo lugar, de água e fogo
- ***Medas*** (gordura ou tecido adiposo) – composto principalmente de água
- ***Asthi*** (osso) – composto de terra e ar

Os sete dhatus *são formados a partir dos nutrientes digeridos*

- ***Majja*** (medula óssea e tecido nervoso) – composto de água e terra
- ***Shukra*** (tecido reprodutivo) – a essência derivada de todos os tecidos.

Por ser a substância básica do corpo, *Kapha* é responsável por todos os *dhatus* de um modo geral, e especificamente por cinco deles: *Rasa* (plasma); *Mamsa* (músculo); *Medas* (gordura); *Majja* (medula óssea); e *Shukra* (tecido reprodutivo). *Pitta* governa *Rakta* (sangue) e *Vata* governa *Asthi* (osso).

Rasa (plasma) é formado diariamente a partir da comida, e o tecido seguinte *Rakta* (sangue) é formado a partir dele. Esse processo dura cinco dias. Cada tecido é formado a partir daquele que o precede, de modo que a formação de *Shukra* (o tecido reprodutivo) leva 35 dias.

Rasa (plasma)

Rasa significa tanto "essência/seiva" quanto "circular". Ele fornece nutrição para os cinco elementos no corpo e alimento para todos os tecidos. *Rasa* é responsável pela hidratação dos tecidos e por manter o equilíbrio eletrólito. Psicologicamente, quando *Rasa* é suficiente nós nos sentimos felizes e contentes, com entusiasmo, vitalidade e compaixão pelos outros. A nossa tez é boa, e a pele e o cabelo são macios e brilhantes. *Rasa* circula por todo o corpo, mas os principais locais são o coração, os vasos sanguí-

neos, o sistema linfático, a pele e as membranas mucosas. *Rasa* (plasma) e *Kapha* estão estreitamente relacionados, já que *Kapha* está contido em *Rasa* (plasma).

O excesso de *Rasa,* proveniente, por exemplo, do calor excessivo, cria um aumento de *Kapha* e a acumulação de saliva e muco, o que pode bloquear canais (*srotas*) e causar perda de apetite e náusea. A deficiência de *Rasa* torna a pele e os lábios ressecados, causa desidratação, cansaço depois de um pequeno esforço, intolerância ao ruído, tremores, palpitações, incômodos e dores

Quando Rakta *é suficiente, a nossa pele é quente e lustrosa*

devido à má nutrição de todos os *dhatus* subsequentes.

Rakta (tecido sanguíneo)

Ele é composto por fogo e água. Ele é tanto um fluido quanto um condutor de calor, porque contém hemoglobina, que transporta oxigênio para a respiração celular. *Rakta* significa "o que é colorido" ou "o que é vermelho". Ele nos confere cor, tanto literal quanto figuradamente. Quando *Rakta* é suficiente, a nossa energia vital é boa e temos paixão pela vida, fé e amor. A pele é quente e radiante, os lábios e a língua exibem um rosado saudável e a conjuntiva dos olhos é límpida.

Rakta corresponde a *Pitta*, já que *Pitta* é conduzido no sangue.

O excesso de *Rakta* causa problemas de pele, furúnculos e abscessos, o aumento do fígado e do baço, hipertensão, icterícia, problemas digestivos, sensações de ardência e vermelhidão ou sangramento na pele, nos olhos e na urina. A deficiência de *Rakta* causa palidez, hipotensão, desejo por alimentos ácidos e frios, cabelo e pele secos e sem brilho e fragilidade capilar.

Mamsa (tecido muscular)

Ele é composto primariamente por terra, com água e fogo secundários. É pesado e forma grande parte da massa do corpo. *Mamsa* deriva do radical *man*, que significa "segurar com firmeza". Os músculos servem para manter coesa a estrutura básica do corpo e conferir força a ela. Quando está deficiente, carecemos da força e da coesão que possibilitam que trabalhemos arduamente e nos exercitemos. Quando *Mamsa* é suficiente, ele nos confere coragem, confiança, resistência e a capacidade de sermos abertos, compassivos, aptos a perdoar e felizes.

O excesso de *Mamsa* cria intumescência ou tumores nos músculos, glândulas aumentadas, obesidade, aumento do fígado, irritabilidade e agressividade. Nas mulheres, pode causar o desenvolvimento de fibromas, a tendência ao aborto espontâneo e baixa energia sexual. A deficiência de *Mamsa* dá origem à fraqueza, a um tônus muscular insatisfatório e à debilitação, particularmente em volta dos quadris, no abdômen e na nuca, à falta de coordenação, ao medo, à insegurança e à ansiedade.

Medas (tecido adiposo)

Ele é principalmente composto por água. A sua função é a lubrificação e a proteção de todo o corpo. Ele ajuda a lubrificar a garganta a fim de possibilitar uma boa voz para o canto; também unta a pele, o cabelo e os olhos. *Medas* promove sensação de conforto, alegria, bem-estar e proteção. Aqueles que não se sentem amados ou protegidos podem se cercar de uma camada de gordura e ficar obesos.

O excesso de *Medas* resulta em letargia, sensação de peso, mobilidade deficiente, asma e baixa energia sexual, bem como em sede, hipertensão, diabetes, longevidade insatisfatória e flacidez nas coxas, nos seios e no abdômen. Emocionalmente, ele está relacionado com a mentalidade tacanha, o apego e a possessividade. A deficiência de *Medas* ocasiona articulações estalantes, fadiga, perda de peso, cabelo, unhas, dentes e ossos ressecados e quebradiços, bem como sentimentos de medo, raiva e ansiedade.

Asthi (tecido ósseo)

Ele é composto por terra, que é a parte sólida do osso, e ar, a parte porosa. A palavra *Asthi* deriva do radical *stha*, que significa "aguentar ou resistir". A sua função é sustentar o corpo e dar a ele uma base forte. Quando *Asthi* é suficiente, ele promove firmeza, resistência, estabilidade, confiança e segurança. Ele proporciona ossos fortes e um movimento flexível nas articulações, bem como dentes brancos e fortes. *Asthi* está relacionado com *Vata*, já que *Vata* está contido no tecido ósseo. O excesso de *Asthi* cria um tecido ósseo adicional, excrescências ósseas, dentes adicionais, uma constituição física

A prática regular de exercícios de sustentação de peso como o yoga ajuda a promover e preservar um bom Asthi dhatu.

excessivamente grande, dor nas articulações, medo, ansiedade e pouca resistência. A deficiência de *Asthi* gera cansaço, dor ou fraqueza nas articulações, queda de cabelo, má-formação dos ossos, unhas e dentes, bem como osteoporose.

Majja (tecido da medula óssea e nervoso)

Ele é composto por uma forma sutil de água e um pouco de terra. A palavra *Majja* deriva do radical *maj*, que significa "afundar". O tecido da medula óssea e o tecido nervoso são encontrados dentro da medula espinhal e dos ossos. A sua função é preencher os espaços vazios no corpo, entre eles os canais nervosos, os ossos e a cavidade cerebral. Ele também compõe o fluido sinovial e ajuda na lubrificação dos olhos, das fezes e da pele, bem como na produção das células vermelhas do sangue. No aspecto psicológico, *Majja* promove a adaptabilidade, a receptividade, a afeição e a compaixão. O *Majja* saudável é indicado por olhos límpidos, articulações fortes, poder da palavra e tolerância à dor. A mente fica aguçada e clara, e a memória é boa.

O excesso de *Majja* causa peso nos olhos, nos membros e nas articulações, ulcerações profundas que não cicatrizam e infecções nos olhos. A sua deficiência produz ossos fracos e porosos, dor nas articulações, tontura, manchas diante dos olhos, sombra em volta dos olhos, debilidade sexual, a sensação de estar sem base e concentração e memória fracas.

Shukra (tecido reprodutivo)

Essa é a forma de água tecidual essencial que tem o poder de criar nova vida. *Shukra* significa "semente" e "luminoso" e também é o nome do planeta Vênus em sânscrito. Ele inclui o óvulo, o esperma e os fluidos reprodutivos. Quando está saudável, *Shukra* confere força, energia e vitalidade para o corpo inteiro. Ele oferece imunidade forte, características sexuais secundárias bem formadas e uma natureza amorosa e compassiva. Ele dá luz aos olhos e inspiração à alma e é essencial para a fertilidade.

Os dhatus *são formados a partir da comida digerida, a qual, idealmente, deve conter todos os nutrientes necessários para cada dhatu.*

O excesso de *Shukra* cria um desejo sexual excessivo, não raro causando frustração, excesso de sêmen, pedras no sêmen e aumento da próstata. A sua deficiência cria falta de energia sexual e de excitação, infertilidade, insegurança, impotência, frigidez e ansiedade.

Ojas

Esse é o oitavo tecido, uma essência super-refinada de todos os *dhatus*. É a essência sutil de todo *Kapha* ou água no corpo, particularmente a essência do fluido reprodutivo. Ele é o derradeiro produto da nutrição e da digestão, bem como a reserva de energia primordial para todo o corpo. Ele nos confere imunidade, força, resiliência, fertilidade e longevidade.

A formação dos *dhatus*

Os *dhatus* são formados a partir da comida digerida, conhecida como o nutriente quilo ou *Ahararasa*, o qual, idealmente, deve conter todos os nutrientes necessários para cada *dhatu*. O *Ahararasa* é conduzido ao fígado, onde é adicionalmente metabolizado e decomposto nos cinco elementos básicos (Éter, Ar, Fogo, Água e Terra), os quais proporcionam os elementos constituintes para os sete *dhatus*.

Cada *dhatu* possui o seu próprio *Agni* (fogo digestivo) individual, conhecido como fogo do tecido ou *dhatu-Agni*. Isso garante que os nutrientes sejam metabolizados a partir do *Ahararasa* para cada *dhatu*.

O quilo nutriente ou *Ahararasa* fornece nutrição para cada *dhatu*. Cada *dhatu* é composto por duas partes, uma estável e outra que forma o *dhatu* seguinte.

A parte instável de um *dhatu* é transformada pelo *dhatu-Agni* do *dhatu* seguinte e se torna a forma estável do *dhatu* subsequente. Para ilustrar isso, a partir do *Ahararasa* é formado o primeiro *dhatu*, *Rasa*. Metade dele permanece em uma forma estável e a outra metade, como a porção instável, recebe a ação de *Rakta-dhatu-Agni* e é transformada em *Rakta dhatu*.

Um tecido secundário chamado *upadhatu* é criado. Os vasos sanguíneos e os tendões são o *upadhatu* do *Rakta dhatu*.

Uma parte residual conhecida como *kittapaka* é produzida; *Pitta* é o produto residual da formação *Rakta dhatu*.

Em seguida, metade do *dhatu* – nesse caso *Rakta dhatu* – permanece na sua forma estável, e a partir da parte instável o *dhatu* seguinte é formado, aqui *Mamsa dhatu*.

A formação adequada de um *dhatu* depende de o tecido anterior ter sido devidamente formado, e o tecido *Agni* precisa funcionar normalmente. Se o *dhatu Agni* estiver excessivamente baixo, será produzido um excesso de tecido e a sua qualidade será insatisfatória. Se o tecido *Agni* estiver elevado demais, uma deficiência do *dhatu* será produzida já que ele será queimado.

Nesse processo de formação de tecido, tecidos secundários conhecidos como *upadhatus* são produzidos – como o fluido menstrual a partir do plasma. Materiais residuais também são produzidos, como *Kapha* a partir de *Rasa*/plasma.

*O produto residual (*mala*) do* Majja dhatu *são as lágrimas e as secreções oculares.*

UPADHATUS/TECIDOS SECUNDÁRIOS

- **Plasma** – leite materno e fluxo menstrual
- **Sangue** – vasos sanguíneos e tendões
- **Músculos** – ligamentos e pele
- **Gordura** – o omento (a camada de gordura que reveste o abdômen)
- **Osso** – os dentes
- **Medula óssea** – o fluido esclerótico nos olhos
- **Tecido reprodutivo** – *Ojas*

MALAS/PRODUTOS RESIDUAIS DO METABOLIMO TECIDUAL

- **Plasma** – *Kapha* (muco)
- **Sangue** – *Pitta* (bile)
- **Músculos** – material residual nas cavidades externas como o ouvido (p. ex.: a cera do ouvido)
- **Gordura** – suor
- **Osso** – unha e cabelo
- **Medula óssea** – lágrimas e secreções oculares
- **Tecido reprodutivo** – esmegma (material residual segregado pela genitália)

O desenvolvimento dos *dhatus*

Para produzirmos tecidos saudáveis e, com isso, permanecermos funcionando da maneira ideal, é fundamental que os alimentos que ingerimos sejam de qualidade superior. Em seguida, o nosso fogo digestivo precisa ser capaz de digerir a comida ingerida no quilo nutriente, e o *dhatu-Agni* precisa ter um bom desempenho. A força do fogo digestivo tecidual (*dhatu-Agni*) determina a qualidade e a quantidade de tecido produzido. O fogo tecidual excessivamente alto leva à formação deficiente do tecido, devido ao hipermetabolismo; e o *Agni* baixo causa a formação de um excesso de tecido de baixa qualidade. Quando muito pouco de um *dhatu* é formado, ou se a sua qualidade é baixa, ele é incapaz de nutrir o seguinte, que subsequentemente também fica desgastado, e isso vai acontecendo com os que vêm em seguida.

Kapha e *Pitta* em quantidades normais não apenas produzem *Rasa* e *Rakta*, mas também o seu excesso é excretado como material residual. Por conseguinte, quando esses dois *dhatus* são excessivos, *Kapha* e *Pitta* também serão produzidos em excesso. A maioria das doenças de *Kapha* envolve *Rasa*, e as doenças de *Pitta* envolvem *Rakta*. *Vata* está estreitamente relacionado com *Asthi* (osso) e contido dentro dele. Muitas doenças de *Vata* envolvem os ossos, como a artrite e a osteoporose. Quase todos os estados deficientes dos *dhatus* se apresentam como sintomas de *Vata*.

Os tipos *Kapha* tendem a ter *dhatus* bem desenvolvidos, mas se inclinam para o excesso. O sangue e os ossos (os *dhatus Pitta* e *Vata*) tendem a ser deficientes. O desenvolvimento excessivo de *Rasa* e a produção de um excesso de muco podem bloquear o desenvolvimento do tecido seguinte, *Rakta*. O desenvolvimento exagerado dos músculos tende a causar o desenvolvimento insuficiente dos tecidos seguintes, os tecidos adiposos e reprodutivos, enquanto o desenvolvimento excessivo de *Medas* bloqueia o desenvolvimento dos ossos, da medula óssea e do tecido reprodutivo. A

O suor ajuda a refrescar o corpo e eliminar dele o excesso de gordura e as toxinas.

produção insuficiente de um tecido também bloqueará a formação dos tecidos subsequentes. Ele deixará de nutrir *dhatus* mais sutis e de sustentar os outros mais grosseiros.

Malas

Existem três materiais residuais primários (*malas*):

- Fezes (*Purisha*)
- Urina (*Mutra*)
- Suor (*Sveda*).

Os *malas* não apenas asseguram a eliminação dos produtos residuais do corpo, como também cumprem outras funções. As fezes mantêm o tônus e a temperatura do cólon e expelem o excesso de terra e ar do corpo. A urina, assim como o suor, transporta ácidos do sangue (*Pitta*), ajudando a purificá-lo. O suor ajuda a resfriar o corpo e umedece a pele e o pelo superficial; também elimina o excesso de gordura corporal. Os três *malas* ajudam na eliminação do excesso de calor do corpo. Os próprios *malas* podem ser danificados pelo excesso dos *doshas* e dos *dhatus*, o que inibe as funções de eliminação. Se os *malas* não são liberados, eles se acumulam e afetam os tecidos circundantes. O excesso de fezes causa dor abdominal, prisão de ventre, dor de cabeça e toxicidade. O excesso de urina causa dor na bexiga, bexiga irritável e retenção de água. O excesso de suor gera um forte cheiro no corpo e doenças de pele. O excesso de *Pitta* está envolvido com doenças de pele como urticária, eczema e furúnculos. Não raro, a sudorese excessiva, particularmente nas pessoas *Vata*, pode causar desidratação e fadiga.

Os vinte atributos

Os três *gunas* dão origem aos vinte atributos – que são dez pares de opostos –, os aspectos positivos e negativos de todas as forças e todos os objetos materiais no universo.

Os dez pares de opostos são:

- frio/quente (*shita/ushna*)
- estático/móvel (*sthira/chala*)
- úmido/seco (*snigda/ruksha*)
- embotado/incisivo (*manda/tikshna*)
- pesado/leve (*guru/laghu*)
- macio/duro (*mridu/kathina*)
- grosseiro/sutil (*sthula/sukshma*)
- suave/áspero (*slakshna/khara*)
- denso/fluente (*sandra/drava*)
- turvo/límpido (*picchila/vishada*)

Na natureza e no corpo, as qualidades fria, úmida, pesada, grosseira e densa ficam juntas, assim como as qualidades quente, seca, leve, sutil e fluente permanecem reunidas. As primeiras tendem a descer e contrair e servem para criar o corpo, como vemos em *Kapha*. As últimas ascendem, expandem e criam energia, vitalidade e percepção mental.

Todos os alimentos e as ervas possuem essas qualidades e podem ser usados para corrigir desequilíbrios dessas mesmas qualidades. Falando de um modo geral, o semelhante aumenta o semelhante, de modo que um alimento ou uma erva com as qualidades fria, úmida e pesada aumentará essas qualidades nos tipos *Kapha*. Terapeuticamente, os opostos são empregados, de modo que a canela (com as qualidades quente, seca, móvel e límpida) ajudará a dispersar as qualidades fria, pesada, sólida, estática e embotada do inverno que poderiam normalmente aumentar os sintomas de *Kapha*.

O quadro ao lado mostra as qualidades dos *doshas* e dos elementos e os atributos dos *gunas*. As qualidades de *Tamas* lembram as do elemento terra; as qualidades de *Rajas* lembram as do fogo; as de *Sattva* são como as do éter.

OS *DOSHAS*, OS ELEMENTOS E OS *GUNAS*

Qualidades dos *doshas*

- ***Vata***: frio, leve, seco, sutil, móvel, incisivo, duro, áspero, límpido
- ***Pitta***: quente, um pouco úmido, leve, sutil, fluente, móvel, incisivo, macio, suave, límpido
- ***Kapha***: frio, úmido, pesado, grosseiro, denso, estático, embotado, macio, suave, turvo

Qualidades dos elementos

- **Éter**: frio, seco, leve, sutil, móvel, incisivo, macio, suave, límpido
- **Ar**: frio, seco, leve, sutil, móvel, incisivo, áspero, duro, límpido
- **Fogo**: quente, seco, leve, sutil, móvel, incisivo, áspero, duro, límpido
- **Água**: fria, úmida, pesada, grosseira, líquida, estática, embotada, macia, suave, turva
- **Terra**: fria, seca, pesada, grosseira, sólida, estática, embotada, dura, áspera, turva

Atributos dos *gunas*

- ***Sattva***: nem quente nem frio, nem úmido nem seco, leve, sutil, móvel, incisivo, macio, suave, límpido
- ***Rajas***: quente, um pouco úmido, levemente pesado, grosseiro, móvel, incisivo, duro, áspero, turvo
- ***Tamas***: frio, úmido, pesado, grosseiro, sólido, estático, embotado, duro, áspero, turvo

Srotas: os canais de circulação

De acordo com o Ayurveda, o corpo contém um sem-número de canais chamados *srotas*, por meio dos quais circulam os elementos teciduais básicos, os *doshas* e os *malas*. Eles estão presentes em todo o corpo visível e invisível de células, moléculas e átomos e incluem os microscópicos vasos capilares, bem como os macroscópicos trato geniturinário, trato respiratório, vasos linfáticos, veias, artérias e o trato gastrointestinal.

Os *srotas* conduzem a comida digerida do trato digestivo para os elementos teciduais básicos e fornecem nutrientes para a formação dos sete *dhatus*. Eles incluem sólidos, líquidos, gases, impulsos nervosos e de pensamento, nutrientes, produtos residuais e secreções. Esse sistema de canais também conduz as proporções corretas dos *doshas* (compostos pelos cinco grandes elementos, ver p. 28) e os outros elementos teciduais básicos de uma parte do corpo a outra. O sistema de *srotas* ainda é responsável por transportar os produtos residuais que serão eliminados por meio dos *malas*.

Esse sistema de canais é semelhante aos diferentes sistemas fisiológicos da medicina ocidental, porém contém mais campos de energia sutis – é bastante parecido com o sistema de meridianos da medicina chinesa. Na patologia ocidental, as doenças são classificadas de acordo com os sistemas que elas envolvem, ao passo que no Ayurveda existe uma complexa sintomatologia de distúrbios de canais-sistemas. O exame dos *srotas* por meio de várias avaliações diagnósticas é um dos principais recursos para determinar a natureza, o local e a extensão de uma doença.

Distúrbios

Para o funcionamento adequado de um corpo saudável, os *srotas* preci-

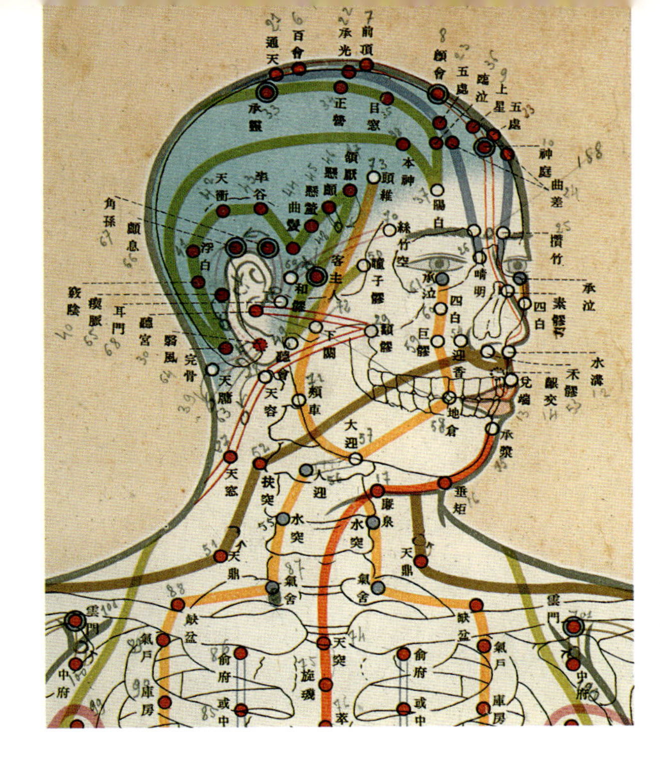

O sistema de srotas *é bastante semelhante ao sistema de meridianos da medicina chinesa.*

sam estar abertos a fim de possibilitar a livre circulação de nutrientes e outras substâncias essenciais. Se eles estiverem danificados ou bloqueados por qualquer razão, a substância que circula se acumulará nos canais e o metabolismo do tecido será afetado. Isso dá origem a *Ama*, ou toxinas, que então passa a circular no corpo por meio de outros canais ainda em funcionamento. O excesso de *doshas* e *malas* pode se deslocar para os *srotas*. O bloqueio dos *srotas* é o começo da doença. Existem quatro razões para o distúrbio dos *srotas*:

1 Fluxo excessivo: *Atipravurti*

2 Fluxo deficiente/estagnação: *Sanga*

3 Bloqueio dos canais: *Shira granthi*

4 Fluxo perturbado/mal orientado: *Vimarga gamana*

Vata governa todos os impulsos e o fluxo de energia por meio dos *srotas*, que estão ligados ao exterior – por exemplo, tossir, espirrar, chorar, rir, arrotar, soltar gases, soluçar, urinar e defecar. Se eles forem reprimidos, poderão surgir distúrbios no corpo e na mente, como ansiedade, depressão e *gunas* desequilibrados. *Vata* fica mal direcionado, o que causa a estagnação dos resíduos.

Os 16 *srotas*

Charaka relaciona 13 *srotas* no seu livro, o *Charaka Samhita*: três para a comida, o ar e a água, sete associados aos sete *dhatus* e três para a excreção.

Atualmente, existem 16 *srotas* identificados.

Srotas que nos conectam com o ambiente externo

- ***Prana vaha srota***: conduz *Prana* (força vital) por meio do sistema respiratório (o sistema circulatório e o sistema digestivo também estão envolvidos). *Prana* é absorvido pelos pulmões e pelo cólon e distribuído com o sangue e o plasma por meio do coração.
- ***Anna vaha srota***: conduz a comida (*anna*) principalmente pelo sistema digestivo.
- ***Ambhu*** ou ***Udaka vaha srota***: conduz água e regula o metabolismo da água; inclui o trato urinário e o aspecto que absorve fluidos do trato digestivo. A origem é o palato e o pâncreas, que estão envolvidos no metabolismo do açúcar.

Srotas que abastecem os sete *dhatus*

- ***Rasa vaha srota***: conduz o plasma e o líquido linfático.
- ***Rakta vaha srota***: conduz o sangue por meio do sistema circulatório.
- ***Mamsa vaha srota***: conduz os nutrientes para os músculos e os resíduos do tecido muscular.
- ***Meda vaha srota***: fornece gordura aos tecidos adiposos.
- ***Asthi vaha srota***: fornece nutrientes para os ossos.

- ***Majja vaha srota***: fornece nutrientes para a medula óssea, o sistema nervoso e o cérebro.
- ***Shukra vaha srota***: fornece nutrientes aos órgãos sexuais e conduz células e líquidos reprodutivos.

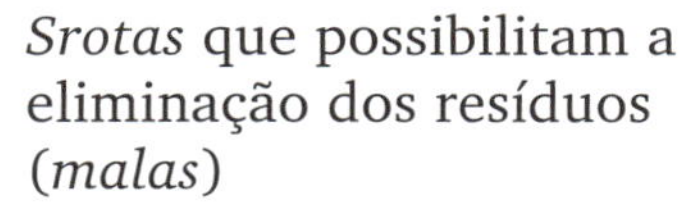

Srotas que possibilitam a eliminação dos resíduos (*malas*)

- ***Purisha vaha srota***: conduz as fezes.
- ***Mutra vaha srota***: conduz a urina.
- ***Sveda vaha srota***: conduz o suor.

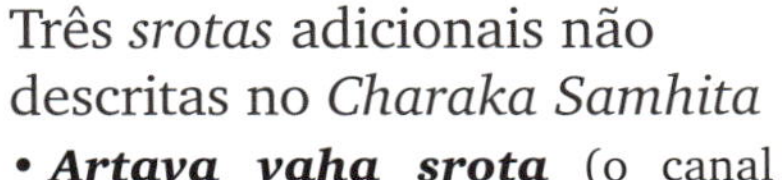

Três *srotas* adicionais não descritas no *Charaka Samhita*

- ***Artava vaha srota*** (o canal menstrual).
- ***Stanya vaha srota*** (o canal que conduz o leite materno).
- ***Mano vaha srota*** (o canal que conduz todas as atividades mentais).

Sveda vaha srota *conduz o suor, um trajeto para a eliminação dos resíduos.*

PARTE 2

Como Manter a Saúde e o Bem-estar

O Ayurveda é um modo de vida completo, o qual contém orientação para cada indivíduo e o seu relacionamento com o mundo que existe fora e dentro dele. Esta parte do livro examina como avaliar a sua constituição ayurvédica e explora os três *gunas*, a função vital do fogo digestivo e os seis sabores.

Capítulo 3: Os três *gunas*

Como vimos, de acordo com o Ayurveda, tudo na criação é composto por três qualidades primordiais ou *gunas*, em proporções variadas. Essas energias universais, conhecidas como *Sattva*, *Raja* e *Tamas*, são atribuídas à natureza da mente (*Manas*): *Sattva* como clareza, *Rajas* como ação e *Tamas* como inércia.

Sattva, Rajas e *Tamas*

É principalmente no nível mental que os *gunas* têm um efeito significativo. Quando em equilíbrio, eles promovem harmonia e saúde. Quando *Rajas* ou *Tamas* predominam, eles podem nos predispor ao desequilíbrio e à doença. Podemos observar claramente os efeitos dessas qualidades nos diferentes estados mentais e emocionais que perpetuamente vivenciamos.

Sattva é a qualidade do amor, da luz, da harmonia, da bondade e da virtude. Ele promove sabedoria e inteligência, percepção e clareza, alegria e contentamento. Possibilita o despertar espiritual e o desenvolvimento da alma, bem como o despertar dos cinco sentidos que nos permitem vivenciar o mundo físico à nossa volta. *Sattva* produz a qualidade ou paz interior por meio da qual podemos perceber a verdade. Ser *sátvico* é o estado puro ao qual muitos de nós aspiramos. A saúde da mente e do corpo é mantida pela vida *sátvica*.

Rajas é a qualidade da energia, da ação e da turbulência, que ativa todo o movimento, quer de ideias ou de instruções para o corpo. Os três *doshas* ("humores" ou forças vitais) – *Vata, Pitta* e *Kapha* – também surgem principalmente por meio de *Rajas*, já

Sattva *produz a clareza ou paz interior por meio da qual podemos perceber a verdade.*

O excesso de Tamas *pode nos fazer sentir sonolentos e com o raciocínio embotado, com pouca motivação.*

que são energias vitais. Na mente, *Rajas* provoca o pensamento e é responsável pela inspiração e pela criatividade, mas em excesso pode causar inquietação, paixão, agressividade e ambição excessiva. Acredita-se que ele dê origem à ação automotivada que conduz à dor e ao sofrimento, com a tendência de procurar novos estímulos, buscando a realização no mundo exterior. No estado *rajásico*, podemos dissipar a nossa energia por meio de um excesso de atividade e, tão logo ficamos cansados e deprimidos, *Tamas* assume o controle.

Tamas é a qualidade da estabilidade, do embotamento e da inércia que causa sono, decaimento, degeneração e morte. Pesado e sólido, ele produz calma e estabilidade – o sentimento de ser "tão sólido quanto uma rocha". No corpo, produz inatividade e sono. Um excesso de *Tamas* na mente pode obstruir o movimento, causando letargia, apego, irracionalidade, teimosia, confusão, depressão e ilusão. Podemos nos sentir obtusos e sonolentos, com pouca motivação; ou ter dificuldade em enxergar as coisas com clareza e ficar cheios de dúvidas. O excesso de *Tamas* é responsável pela ignorância e pela incapacidade de perceber o nosso verdadeiro eu interior.

O equilíbrio dos *gunas*

Embora a interação dos três *gunas* seja necessária, o predomínio de *Sattva* tende a resultar no equilíbrio correto. Quando *Sattva*, *Rajas* e *Tamas* atuam unidos, esse equilíbrio é conhecido como "puro *Sattva*", no qual é possível aquietar as flutuações de humor e cultivar uma mente mais pura e desperta. Por meio de uma alimentação *sátvica* saudável e de um estilo de vida harmonioso repleto de amor, sabedoria e outros atributos *sátvicos*, podemos vivenciar a paz interior e um sentimento de alegria e realização.

Quando *Rajas* ou *Tamas* são excessivos, o resultado é a doença e a infelicidade; no entanto, esses *gunas* ainda podem ser encarados de maneira positiva. *Tamas* possibilita o relaxamento e a recuperação necessários depois de uma atividade, de modo que podemos repor a nossa energia. Precisamos de *Rajas* para sobreviver no mundo, já que não podemos passar o dia inteiro sem fazer nada em um estado *sátvico* de bem-aventurança! *Rajas* também pode ser usado para converter *Tamas* em *Sattva*.

OS CINCO ELEMENTOS E OS TRÊS *GUNAS*

- *Akasha* (Éter) está representado em *Sattva*
- *Vayu* (Ar) e *Teja* (Fogo) estão representados em *Rajas*
- *Prithvi* (Terra) e *Jala* (Água) estão representados em *Tamas*

Os alimentos e os *gunas*

No Ayurveda, a comida – como tudo o mais na criação – pode ser dividida nessas mesmas categorias, e existem alimentos *sátvicos, rajásicos* e *tamásicos*, que têm a capacidade de intensificar essas qualidades dentro de nós quando os ingerimos.

Alimentos *sátvicos*

Por meio de uma vida *sátvica*, podemos favorecer a nutrição do nosso corpo e promover o desenvolvimento de tecidos de qualidade mais elevada. Os alimentos *sátvicos* são considerados aqueles que mais promovem a cura. Eles ajudam também a harmonizar os três *doshas*.

São os alimentos de melhor qualidade que melhoram a saúde e a força, a energia e a vitalidade, e estabelecem a base para um estado mental *sátvico*. Esses alimentos promovem clareza mental, aumentam o amor e a compaixão e favorecem o desenvolvimento de um forte intelecto e de uma boa memória.

Os alimentos sátvicos *como o açafrão são os que mais promovem a cura e ajudam a harmonizar os três* doshas.

Os alimentos *sátvicos* são frescos, leves, suculentos, doces, nutritivos, energéticos e apetitosos. Eles estão repletos de *Prana* (força vital), e a melhor maneira de comê-los é prepará-los na hora com amor e em quantidades moderadas. Eles são fáceis de digerir e, por conseguinte, não sobrecarregam a nossa energia por meio do processo da digestão. Entre os alimentos *sátvicos* estão:

- A maioria das hortaliças orgânicas frescas como a cenoura, a batata-doce, a pastinaca, a beterraba, o nabo, as saladas, as verduras cozidas no vapor, o aspargo, o aipo e o pepino. A melhor maneira de comer as hortaliças é cozinhá-las no vapor (até que fiquem macias e crocantes, não moles). Os sucos de hortaliças feitos na hora são ricos em *Prana*, ou enzimas vivas, e são facilmente absorvíveis.

- A maioria das frutas da estação e dos sucos de fruta, como de limão, laranja, maçã doce, uva, tâmara, banana, figo, manga, romã, pêssego, pera, ameixa, ameixa seca, damasco, cereja, mirtilo e framboesa.

- Coco, leite de coco, castanha-de-caju, avelã, amêndoa, leite e manteiga de amêndoa, feijão-mungo, grão-de-bico, lentilha, broto de feijão, ervilha amarela seca, feijão azuki e tofu orgânico. Para melhorar a digestibilidade dos feijões e das sementes das leguminosas, deixe-os de molho durante a noite, cozinhe-os com condimentos (como a assa-fétida) ou tente fazê-los brotar.

- Grãos como trigo, centeio, trigo-sarraceno, cevada, arroz (particularmente o arroz basmati branco ou o arroz integral de grão longo), aveia, quinoa e pão feito com grãos germinados. Os pães fermentados não são recomendados, a não ser que sejam torrados.

- Sementes de girassol, abóbora e gergelim, bem como sementes de linhaça moídas na hora.

- Açúcar mascavo, xarope de bordo, néctar de agave em pequenas quantidades e mel não refinado sem ser aquecido.

- Sal-gema, pimenta-do-reino, canela, cardamomo, cominho, coentro, erva-doce, gengibre fresco e cúrcuma.

- Iogurte de leite integral recém-preparado e não adoçado, lassi (ver p. 211), leite fresco (quatro horas depois da ordenhação ele se torna *rajásico*), manteiga, *ghee* (manteiga clarificada), quefir não adoçado (ver p. 211) e panir (queijo feito com leite coalhado). O leite de vaca fresco, orgânico, é considerado extremamente *sátvico* e é normalmente fervido antes de ser consumido, pois isso o torna mais digerível. Ele é bom quando levemente condimentado (p. ex.: com gengibre, canela ou cardamomo) e servido com mel bruto a fim de reduzir quaisquer tendências à formação de muco. Ele nunca deve ser tomado frio, logo depois de ser retirado da geladeira, ou misturado com sabores incompatíveis com ele, como o ácido, o picante e o salgado; ele deve ser tomado sozinho ou com outros alimentos de sabor doce como grãos, frutas doces e cereais. Evite misturar iogurte com frutas, pois eles são incompatíveis.

- Azeite de oliva e óleo de gergelim prensados a frio.

Alimentos *rajásicos*

São alimentos de qualidade média, frequentemente com teor elevado de proteínas e carboidratos. Eles tendem a ser estimulantes e capazes de gerar níveis elevados de energia. Têm sabor amargo, ácido, salgado e picante, e as suas qualidades são quente e seco.

Entre os alimentos *rajásicos* estão:

- Carne vermelha e branca, queijo, ovos e peixe
- Alho, cebola, feijões em geral, a família das solanáceas (tomate, pimenta, batata, berinjela), o gênero brássica da família das crucíferas (brócolis, couve-flor, repolho, couve-de-bruxelas), rabanete
- Alimentos picantes, condimentados e fritos, especialmente as pimentas do gênero *Capsicum* da família das solanáceas
- Frutas ácidas, não maduras

- Picles e *chutneys*
- Batata e outras raízes
- Leite pasteurizado
- Açúcar branco refinado, bebidas gasosas, doces e biscoitos
- Sal marinho e pão salgado
- Chocolate, chá e café cafeinados.

Os alimentos *sátvicos* se tornam *rajásicos* quando são fritos em óleo, contêm temperos picantes ou são cozidos em excesso. Os alimentos mais quentes ou mais frios do que a temperatura do corpo também são considerados *rajásicos.* Precisamos de alimentos *rajásicos* para poder executar as nossas atividades e acompanhar o mundo em constante transformação, mas, ao que tudo indica, a sua ingestão excessiva gera inquietação, excitação, agitação, raiva, ciúme, falsidade, egoísmo e uma energia exageradamente elevada.

Alimentos *tamásicos*

São uma comida de baixa qualidade e sem vitalidade, que inclui os alimentos impalatáveis, cozidos em excesso, enlatados, secos, processados, congelados, bem como a *junk food* em geral e as sobras de comida que ficaram "estragadas" – ou seja, que foram cozidas, guardadas por tempo demais e ficaram passadas. Os alimentos *tamásicos* consomem muita energia para ser digeridos.

Entre os alimentos *tamásicos* estão:

- Refrigerantes e doces
- Lanches como batata frita, chocolate, sorvete e pipoca
- Álcool em excesso e todas as substâncias inebriantes
- Alimentos contendo aditivos e agentes conservantes, bem como todos os alimentos geneticamente modificados
- Carne de porco, carne bovina, carnes escuras em geral, cebola, alho, amendoim e leite em pó
- Pão que tenha sido fabricado mais de oito horas antes
- Ovo e queijo
- Cogumelos e abacate
- Alimentos fritos e fermentados, vinagre
- Frutas e legumes excessivamente maduros
- Alimentos cozidos em excesso, con-

gelados, enlatados, vendidos em caixas e alimentos preparados ou esquentados no micro-ondas, sobras e comida requentada.

Alimentos quentes e frios ingeridos juntos, e combinações alimentares incompatíveis como leite e vinagre, rabanete e mel, pão e banana, produzem *Tamas*.

Comer em excesso de um modo geral e fazer lanches tarde da noite também aumentam *Tamas*. O ideal é evitar os alimentos *tamásicos* o mais possível. Acredita-se que eles predisponham as crianças a problemas de comportamento como a hiperatividade.

A fim de extrair o máximo da nossa alimentação predominantemente *sátvica*, é melhor comer lentamente quantidades moderadas de alimentos. As diretrizes gerais ayurvédicas são que devemos comer até estar três quartos cheios, deixando um quarto do estômago vazio no intuito de deixar espaço para que as enzimas digestivas se misturem adequadamente com a comida.

UMA RÁPIDA OLHADA NOS ALIMENTOS AYURVÉDICOS

	Sátvicos	***Rajásicos***	***Tamásicos***
Grãos	Arroz, tapioca, centeio, trigo, milho azul, cevada, leite de arroz	Painço, trigo-sarraceno, milho	
Nozes em geral e sementes	Nozes em geral, sementes e misturas de vários tipos de nozes		
Frutas	Pera, pêssego, figo, banana, romã, laranja, ameixa, limão, uva, tâmara	Maçã, goiaba, frutas ácidas	Abacate, melancia, damasco

	Sátvicos	*Rajásicos*	*Tamásicos*
Hortaliças	Cenoura, batata-doce, beterraba, alface, brotos	Batata, tomate, couve-flor, cebola, brócolis, espinafre, alho	Cogumelos
Feijões e sementes das leguminosas		Feijão azuki, *toor dhal* (ervilha amarela)	Feijão preto, feijão carioca ou carioquinha, *urad dhal* (feijão-da-índia)
Ervas e especiarias	Anis, cardamomo, coentro, cúrcuma, cominho, erva-doce, sementes de feno-grego, rosa, açafrão, sementes de linhaça	Pimentas do gênero *Capsicum*, assa-fétida, folha de louro, pimenta-do-reino, canela, cravo, folha de feno-grego, gengibre, hortelã	
Carne e peixe		Peixe, camarão, frango	Carne bovina, de cordeiro ou de porco
Condimentos	Sal-gema	Sal marinho	
Adoçantes	Mel, cana-de-açúcar bruta	Açúcar (refinado)	Açúcar branco
Laticínios	Leite fresco, iogurte fresco, lassi, manteiga, *ghee*	Ovos, coalhada, leite homogeneizado, creme de leite azedo	Queijos de consistência firme
Outros alimentos		Alimentos fritos, pão salgado, doces, biscoitos, batata frita salgada, batata *chips*, picles, *chutneys*, chá, café, álcool	Comida velha, agentes conservantes, comida cozida em excesso, comida congelada, comida seca, refrigerantes, amendoim, doces, batata frita, sorvete, pipoca, álcool

Capítulo 4: A avaliação da sua constituição ayurvédica

De acordo com o Ayurveda, o segredo da saúde reside no conhecimento e no entendimento da nossa constituição básica (*Prakruti*) e de como mantê-la em equilíbrio por meio da alimentação e do estilo de vida. Se não vivermos de acordo com as necessidades da nossa constituição, os *doshas* ("humores") ficarão desequilibrados e causarão doença (*Vyadhi*).

Com o conhecimento e o entendimento de como e por que ficamos doentes, podemos ter um modo de vida que maximize as nossas chances de saúde e realização. O sistema ayurvédico fornece detalhes a respeito dos alimentos e bebidas corretos para cada constituição: se eles devem ser ingeridos frios ou quentes, crus ou cozidos; que sabores eles devem ter; que ervas e temperos devem ser usados regularmente; qual a melhor forma de exercício; qual a melhor época do ano e quando é necessário tomar mais cuidado; qual a melhor hora para acordar e quando devemos ir para a cama.

O Ayurveda é um modo de vida completo que abrange a orientação para o indivíduo e o relacionamento dele com o mundo do lado de fora e dentro dele.

O Ayurveda dá orientação a respeito dos alimentos e bebidas corretos para cada constituição.

Prakruti e *Vikruti*

Somos todos compostos por proporções variadas dos três *doshas*, *Vata*, *Pitta* e *Kapha*. Combinados, os *doshas* são responsáveis por toda a atividade na mente e no corpo, incluindo a digestão, o metabolismo de todas as células e os tecidos, os pensamentos e sentimentos, a saúde e a predisposição para a doença.

Nascemos com um equilíbrio individual de *doshas*, produzido principalmente pelo equilíbrio *dóshico* dos nossos pais na ocasião da nossa concepção. Essa é a nossa constituição básica (*Prakruti*) e permanece inalterada durante toda a nossa vida. *Prakruti* na realidade significa "natureza", "criatividade" ou "a primeira criação". Entre os fatores que governam a nossa *Prakruti* estão:

- A condição do esperma e do óvulo, conhecida como *Sukra-Shonit Prakruti*
- A condição do útero, chamada *Kala-garbhasaya Prakruti*
- A alimentação da mãe durante a gravidez, conhecida como *Matuahar Prakruti*.

A alimentação da nossa mãe durante a gravidez influencia a nossa Prakruti.

As nossas características individuais

O *dosha* (ou *doshas*) dominante(s) na nossa *Prakruti* determina o tipo do nosso corpo, o nosso temperamento e os problemas de saúde que podemos estar propensos a ter. A nossa *Prakruti* é a nossa dádiva para a vida, a encarnação na qual podemos avançar mais em direção à iluminação, e ela nos torna o indivíduo único que somos – diferentes de maneiras tangíveis e sutis de todos os outros seres no universo, inclusive no DNA e nas impressões digitais. O conceito de *Prakruti* fornece uma explicação razoável para o fato de que duas pessoas podem reagir de maneira muito diferente quando expostas aos mesmos ambiente, comida ou estímulo. Por conseguinte, a fim de entender os outros e a nós mesmos, é necessário determinar a nossa *Prakruti*.

Para manter nossos *doshas* em equilíbrio, por meio de alimentação e estilo de vida corretos, em primeiro lugar é importante determinar exatamente qual é a nossa *Prakruti*. Se ela estiver perturbada por alimentação, estilo de vida, experiência ou estado mental, por exemplo, o distúrbio pode ser sentido como desconforto físico e dor, ou como sofrimento mental e emocional, como medo e ansiedade, raiva ou ciúme. O estado atual de desequilíbrio dos *doshas* que está causando esses sintomas é conhecido como a nossa *Vikruti*.

A nossa *Vikruti* reflete os nossos mecanismos homeostáticos dinâmicos, que estão constantemente se ajustando às influências da vida dentro de nós e do lado de fora, de modo que está sempre se modificando. Idealmente, o equilíbrio *dóshico* da nossa *Vikruti* deve corresponder o mais possível ao da nossa *Prakruti*. O propósito do tratamento ayurvédico é devolver o equilíbrio *dóshico* da nossa *Vikruti* a um nível idêntico ao da nossa *Prakruti*.

A determinação da nossa constituição

Um ou dois (ou, raramente, três) dos *doshas* serão dominantes na nossa constituição. Os tipos com um único *dosha* são os mais fáceis de determi-

DETERMINANDO A SUA CONSTITUIÇÃO

Existem basicamente sete diferentes *Prakrutis*:

1 V = predominantemente *Vata*

2 P = predominantemente *Pitta*

3 K = predominantemente *Kapha*

4 VP ou PV = *Vata* e *Pitta* em partes iguais (talvez com um dos *doshas* com uma leve predominância sobre o outro)

5 VK ou KV = *Vata* e *Kapha* em partes iguais

6 PK ou KP = *Pitta* e *Kapha* em partes iguais

7 VPK = os três *doshas* em partes iguais

nar, porque um dos *doshas* se destaca mais claramente do que os outros dois. Os tipos *Vata* tendem a ser esguios e ter ossos pequenos, frequentemente com uma figura ou feições irregulares. Eles sentem frio e têm a pele seca e são, com frequência, altamente criativos, inquietos, imprevisíveis e ativos; no entanto, eles se cansam facilmente (ver p. 36). Os tipos *Pitta* têm uma compleição média, atlética, são bem-proporcionados com feições pronunciadas. Eles são dinâmicos, ambiciosos, competitivos e impetuosos, com tendência a sentir calor e ser sensíveis, tanto física quanto emocionalmente (ver p. 42). Os tipos *Kapha* têm uma compleição maior, ossos pesados e tendem a engordar com facilidade, já que têm um metabolismo lento. Eles são fortes, resilientes, assentados, calmos, voltados para a rotina, leais e confiáveis. Têm a pele grossa, que envelhece bem, cabelo grosso e dentes fortes (ver p. 48).

Muitos de nós exibimos mais de uma das características dos *doshas*. É importante compreender que todos temos os três *doshas*. No caso de muitas pessoas, dois dos três *doshas* podem existir em uma proporção mais elevada com relação ao terceiro. Esses são tipos com *doshas* mistos. É bastante comum, por exemplo, a pessoa ser um tipo *Pitta-Kapha* que exibe características físicas e emocionais de ambos os *doshas*. Um pequeno percentual de pessoas efetivamente tem proporções iguais dos três tipos, o que as torna tipos *tridóshicos*.

O diagnóstico de *Prakruti* e *Vikruti*

Tanto *Prakruti* quanto *Vikruti* podem ser descobertas por um diagnóstico cuidadoso, o qual envolve a obtenção de um detalhado histórico do caso e o exame do corpo, com atenção especial à compleição, ao tipo de pele e de cabelo, à temperatura do corpo, à digestão e ao funcionamento do intestino. No caso da artrite, podemos

Os tipos Kapha *são fortes, assentados e adoram relaxar.*

acumular toxinas no sistema devido à má alimentação, a uma digestão fraca, ao estresse e a um estilo de vida sedentário. Essas toxinas podem então circular e se acomodar nas articulações, e a maneira como isso se manifesta em sintomas varia de acordo com os *doshas* envolvidos. A artrite do tipo *Vata* é uma artrite seca e degenerativa, com dor aguda, irregular e seca, articulações estalantes acompanhadas por ansiedade e, possivelmente, distensão abdominal e flatulência. A artrite do tipo *Pitta* é mais inflamatória, com dor ardente e quente, articulações inchadas e irritabilidade. A do tipo *Kapha* envolve dor contínua, prolongada e indistinta, articulações úmidas e inchadas e letargia.

O diagnóstico do pulso e da língua são recursos valiosos para confirmar a análise da saúde e da constituição. Nesses aspectos, o Ayurveda tem muito em comum com a medicina chinesa e a tibetana, nas quais esses dois indicadores do estado de saúde também são muito importantes. Praticantes do Ayurveda desenvolveram uma técnica extremamente complexa para tomar o pulso do paciente, a qual requer muitos anos para ser dominada (ver p. 173).

Uma vez que você conheça a sua *Prakruti* e a sua *Vikruti*, entenderá muito mais a respeito de si mesmo e por que reage de determinada maneira e está propenso a certos problemas de saúde. Isso possibilitará que escolha com mais exatidão a alimentação certa e as recomendações corretas sobre o estilo de vida para os seus *doshas*. Você poderá então implementar um tratamento específico. O primeiro passo de volta à saúde é eliminar as toxinas e melhorar a sua digestão ou aumentar o fogo digestivo (*Agni*) (ver p. 214).

Como exemplo, um problema de saúde associado a um excesso de *Kapha* poderia ser caracterizado por catarro, letargia, excesso de peso e retenção de fluidos. Seria aconselhável uma alimentação composta por alimentos mornos, secos e leves, já que *Kapha* é frio e úmido. Também seria recomendável evitar alimentos com uma qualidade fria e úmida – como trigo, laticínios e açúcar – que serviriam para aumentar *Kapha*. Os medicamentos fitoterápi-

Alimentos doces como a melancia diminuem Vata *e* Pitta, *mas aumentam* Kapha.

cos incluiriam condimentos que aquecem como o gengibre, a canela, o cravo e a pimenta para intensificar o fogo digestivo e purgar o corpo de toxinas. Ervas amargas como a cúrcuma e a *aloe vera* também podem ser receitadas. A escolha específica do medicamento fitoterápico depende da "qualidade" ou "energia" dele, a qual o Ayurveda determina de acordo com vinte atributos (ver p. 76), como quente, frio, úmido, pesado ou leve. O Ayurveda também classifica os remédios de acordo com seis sabores: doce, ácido, salgado, picante, amargo e adstringente. As substâncias doces, ácidas e salgadas aumentam *Kapha* e diminuem *Vata*; os sabores picante, amargo e adstringente diminuem *Kapha* e aumentam *Vata*; enquanto os sabores doce, amargo e adstringente diminuem *Pitta*, e os sabores picante, salgado e ácido aumentam *Pitta*.

Questionário: determine a sua *Prakruti* e a sua *Vikruti*

Complete a lista de verificação nas pp. 103-07. Com uma caneta, assinale em cada fileira o(s) quadradinho(s) com os atributos que mais se parecem com aqueles que você teve a maior parte da sua vida, recuando às suas mais antigas memórias (você talvez precise consultar a sua família a fim de obter detalhes dos quais você não se lembra claramente). Isso determinará a sua *Prakruti*. Em seguida, examine novamente as questões e, com uma caneta de cor diferente, marque o(s) quadradinho(s) que mais se parecem com o seu estado *atual*. Isso ajudará a determinar a sua *Vikruti*.

Adicione todas as marcações para os diferentes *doshas* de uma cor, no intuito de determinar a sua *Prakruti* (p. ex.: 22 *Vata*, 12 *Pitta*, 16 *Kapha*). Em seguida, adicione todas as marcações da outra cor para determinar a sua *Vikruti* (p. ex.: 27 *Vata*, 10 *Pitta*, 8 *Kapha*). *Nesse exemplo,* Vata *aumentou, o que significa que existe um desequilíbrio de* Vata.

QUESTIONÁRIO

Característica	Atributo de *Vata*	Atributo de *Pitta*	Atributo de *Kapha*
Peso	▯ abaixo da média ▯ perde peso com facilidade	▯ peso médio ▯ preocupado em manter o peso correto	▯ pesado ▯ ganha peso com facilidade
Físico	▯ ossos pequenos	▯ ossatura mediana	▯ ossatura grande
Músculos	▯ pouco desenvolvidos	▯ bem desenvolvidos	▯ compactos/ flácidos
Altura	▯ abaixo ou acima da média	▯ altura mediana	▯ de mediana a alta
Quadris	▯ estreitos	▯ médios	▯ largos
Cabelo	▯ seco, quebradiço, fino ▯ ondulado/áspero ▯ escuro	▯ fino, liso, oleoso ▯ louro, ruivo ▯ calvície/grisalho prematuro	▯ grosso, oleoso ▯ ondulado/lustroso ▯ escuro
Pelo do corpo	▯ escasso	▯ moderado	▯ grosso
Rosto	▯ feições irregulares	▯ feições proeminentes	▯ redondo
Olhos	▯ pequenos, nervosos ▯ secos	▯ médios, penetrantes, vermelhos, sensíveis à fumaça/luz intensa	▯ grandes, úmidos, cílios grossos ▯ calmos e suaves
Nariz	▯ pequeno ▯ longo, curvo	▯ médio ▯ reto, pontudo	▯ grande ▯ largo

QUESTIONÁRIO

Característica	Atributo de *Vata*	Atributo de *Pitta*	Atributo de *Kapha*
Lábios	▯ pequenos ▯ escuros	▯ médios ▯ macios, vermelhos	▯ grandes ▯ aveludados
Pele	▯ áspera, seca ▯ fria, fina ▯ fica bronzeada com facilidade ▯ escura	▯ oleosa, tépida, úmida ▯ delicada, sensível, queima-se com facilidade, sardas/verrugas ▯ lustrosa, brilhante ▯ avermelhada/ amarelada	▯ macia e suave ▯ fria e oleosa ▯ grossa e pálida ▯ com tendência a se queimar
Temperatura	▯ não gosta de tempo frio, com vento e seco ▯ adora o calor ▯ transpiração escassa e sem odor	▯ não gosta de calor e de sol forte ▯ adora o inverno ▯ transpira com facilidade com um forte odor	▯ sente-se à vontade na maioria das condições atmosféricas ▯ não gosta do frio e da umidade ▯ transpira moderadamente com odor agradável
Unhas	▯ quebradiças, secas ▯ sulcadas	▯ bem formadas ▯ moles	▯ fortes, grossas ▯ lisas
Mãos e pés	▯ frios, secos	▯ tépidos, úmidos, rosados	▯ frios, úmidos
Gordura corporal	▯ ao redor dos quadris e das coxas	▯ uniformemente distribuída ao redor da cintura	▯ ao redor das coxas e nádegas

QUESTIONÁRIO

Característica	Atributo de *Vata*	Atributo de *Pitta*	Atributo de *Kapha*
Nível de energia	☐ muito ativo, é acelerado ☐ baixa resistência, cansa-se com facilidade	☐ ativo, determinado ☐ pode se obrigar a trabalhar longas horas	☐ forte, porém letárgico ☐ uma vez motivado, a capacidade de resistência é boa
Movimento	☐ rápido	☐ mediano	☐ lento e firme
Atitude mental	☐ flexível, adaptável ☐ inquieta, instável ☐ rápida, indecisa	☐ ambicioso, competitivo ☐ prático, organizado, eficiente ☐ intenso, seletivo	☐ calmo, tranquilo ☐ embotado ☐ lento, metódico ☐ paciente
Jeito de aprender	☐ assimila rapidamente as coisas ☐ aprende ouvindo ☐ gosta de fazer muitas coisas ao mesmo tempo ☐ pode perder o foco	☐ analisa e digere facilmente o assunto ☐ aprende por meio de leitura/recursos visuais ☐ concentrado e seletivo, termina o que começa	☐ assimila lentamente as coisas ☐ retém informações ☐ pode aprender por meio de associação, metódico
Atitude emocional	☐ animado ☐ intuitivo ☐ ansioso, apreensivo, inseguro ☐ instável ☐ fala a respeito dos seus sentimentos	☐ observador ☐ irritável, propenso a ficar zangado ☐ intolerante, agressivo ☐ guarda seus sentimentos para si mesmo	☐ resiliente ☐ leal, estável, confiável ☐ compassivo, protetor ☐ pegajoso ☐ complacente, recusa-se a aceitar a realidade das coisas desagradáveis

QUESTIONÁRIO

Característica	Atributo de *Vata*	Atributo de *Pitta*	Atributo de *Kapha*
Memória	☐ boa a curto prazo ☐ capta as coisas com rapidez ☐ esquece rapidamente	☐ bom a médio prazo ☐ definido ☐ claro	☐ boa a longo prazo ☐ assimila lentamente as coisas ☐ nunca se esquece
Fala	☐ rápida, fala muito ☐ imaginativa ☐ interrompida, caótica	☐ incisiva ☐ convincente ☐ clara, detalhada, precisa ☐ inventiva, técnica ☐ completa as coisas	☐ lenta, uniforme ☐ melodiosa, calmante ☐ pode ser desinteressante
Criatividade	☐ inventivo, rico em ideias ☐ bom em começar projetos, mas não os conclui	☐ breve e regular	☐ metódico ☐ voltado para os negócios
Sono	☐ leve, facilmente interrompido ☐ irregular, 5–6 horas	☐ 6–8 horas	☐ longo e profundo ☐ mais de oito horas, difícil de acordar
Sonhos	☐ ativos, assustadores ☐ sonha que está correndo, voando	☐ exaltados, ardentes, coléricos, violentos ☐ o sol	☐ delicados, românticos, sentimentais ☐ água
Hábitos alimentares	☐ irregulares	☐ regulares, come com frequência devido a uma tendência para a hipoglicemia	☐ come em grande quantidade, mas pode passar longos períodos sem comer entre as refeições

QUESTIONÁRIO

Característica	**Atributo de *Vata***	**Atributo de *Pitta***	**Atributo de *Kapha***
Apetite	☐ variável, pula refeições	☐ muito bom, não consegue pular refeições	☐ fraco, mas adora a comida e pode ser guloso
Intestino	☐ fezes secas, duras, bem pequenas	☐ fezes moles, oleosas e soltas	☐ intestino lento, fezes grandes e pesadas
Sensível a	☐ barulho	☐ luz intensa	☐ odores
Hábitos de gastos	☐ não economiza ☐ gasta dinheiro com ninharias	☐ economiza moderadamente ☐ gasta dinheiro com artigos de luxo	☐ econômico, acumula riqueza ☐ gasta dinheiro com comida
Hobbies	☐ viajar ☐ arte, música, sair para passear/se divertir ☐ filosofia, assuntos esotéricos	☐ praticar esportes, se manter em forma ☐ debates, política ☐ luxo, estilo, ter boa aparência	☐ relaxar ☐ ficar em casa ☐ a boa comida
Impulso sexual	☐ variável, forte ou fraco ☐ pode ser intenso	☐ moderado ☐ veemente, pode ser controlador	☐ custa a ficar excitado ☐ leal e dedicado
Pulso	☐ quase imperceptível, movimenta-se como uma cobra ☐ rápido e irregular	☐ forte, salta como uma rã ☐ regular	☐ profundo, desliza como um cisne ☐ lento e regular

Capítulo 5: *Agni* – a função vital do fogo digestivo

A nossa saúde depende em grande medida de como somos capazes de digerir, absorver e utilizar os nutrientes da comida. Embora a transformação da comida forneça energia, ela também requer energia para executar todas as reações bioquímicas essenciais envolvidas no processo. Se a energia digestiva estiver fraca ou perturbada, podem ocorrer dores no estômago, diarreia ou prisão de ventre, bem como sintomas mais generalizados como letargia, dor de cabeça, irritabilidade, baixa concentração, perturbação do sono e queda da imunidade.

O funcionamento ideal do trato digestivo depende de vários fatores. Primeiro, os movimentos peristálticos regulares (ondulantes) requerem quantidade suficiente de fibras dietéticas para empurrar a comida pelo intestino, a fim de que possamos evacuar os resíduos alimentares bem como os produtos residuais do metabolismo. A eliminação insatisfatória produz um estado tóxico do intestino, que se torna então propenso a contrair infecções, espalhando toxinas para o resto do corpo.

Segundo, há uma constante interação entre o cérebro e o trato digestivo, o que torna a digestão altamente sensível aos efeitos da mente e das emoções, da personalidade e da constituição. O estresse, por exemplo, pode reduzir o fluxo das enzimas digestivas e, desse modo, reduzir a digestão e a absorção; ou originar um excesso de ácido clorídrico no estômago, irritando este último ou o revestimento do intestino.

A nossa capacidade de digerir é como um fogo que transforma a comida ingerida em minúsculas moléculas que podemos absorver.

A Abordagem ayurvédica da digestão

Assim como o nosso corpo, a comida que ingerimos também é formada pelos cinco elementos – Terra, Água, Fogo, Ar e Éter. O apetite e a capacidade de digerir e absorver nutrientes com a ajuda das enzimas digestivas são conhecidos como *Agni* ou "fogo digestivo", o qual é fundamental para a saúde.

Agni é um termo védico que significa "arder", transformar ou "perceber", que se origina do radical *Ang* e quer dizer "irromper". O nosso *Agni*, ou poder digestivo, capacita o nosso corpo a utilizar os cinco elementos na comida, extrair os nutrientes e transformá-los em elementos corporais.

No sentido mais amplo, *Agni* é o fogo que transforma toda a comida, bem como as sensações que entram no corpo, em energia e possibilita que as absorvamos como nutrição para os nossos tecidos. Digerimos tudo o que comemos, vemos, ouvimos, cheiramos, tocamos e saboreamos. E o nosso fogo digestivo desempenha o papel principal.

Digerimos e absorvermos a nossa comida com a ajuda das enzimas digestivas conhecidas como Agni, *ou fogo digestivo.*

AS 13 FORMAS DE *AGNI*

Existem muitos tipos diferentes de fogo no corpo, cuja principal forma é o fogo digestivo.

- ***Jatharagni***: é o fogo digestivo que transmite energia a todas as secreções e enzimas no processo da digestão e reside no estômago e no intestino delgado. Ele é responsável não apenas por digerir e absorver os nutrientes da comida, mas também por destruir os micro-organismos (causadores de doenças) no intestino. Se o fogo digestivo estiver baixo e, como resultado, a digestão for incompleta, a comida parcialmente digerida ou não digerida fermentará e produzirá toxinas no intestino, comprometendo o sistema imunológico.
- **5 fogos elementares, ou *Bhutagnis***: cada um dos cinco elementos tem seu próprio fogo digestivo. Eles residem no fígado e são responsáveis por transformar o fogo digestivo no *Agni* que corresponde a cada um dos cinco elementos, essenciais para a formação dos respectivos tecidos no corpo. Se seu funcionamento estiver prejudicado, o elemento relevante no corpo não será formado corretamente. Substâncias como o *ghee* ou o gel de *aloe vera* ajudam a regular os fogos digestivos elementares.
- **5 fogos teciduais, ou *Dhatuagnis***: cada um dos 7 *dhatus* (tecidos) tem seu próprio fogo digestivo, responsável pela formação adequada desse tecido. Quando *Agni* está excessivamente baixo, um excesso de tecido de natureza inferior será formado. Quando ele está alto demais, será formado um tecido insuficiente (ver p. 64).

De acordo com o Ayurveda, quando *Agni* é suficiente, ele impede o acúmulo de toxinas no corpo, a mente e os sentidos ficam claros e aguçados, e temos energia para canalizar a nossa vida em uma direção positiva. Quando está deficiente, ele causa um acúmulo de toxinas (*Ama*) no corpo, o que dá origem ao embotamento, à sensação de peso, à estagnação e à turvação da mente e da percepção.

Agnis elementares

O fogo digestivo atua sobre o bolo alimentar que foi engolido e liquefeito. Ele separa a parte pura ou nutritiva da comida (*sara*) do material residual (*kitta*) e a decompõe nos cinco elementos. Estes, por sua vez, são absorvidos e transferidos para o fígado, onde os *Agnis* elementares os transformam nos respectivos tecidos elementares (*dhatus*) para o corpo:

- Os elementos Terra digeridos e transformados a partir da comida servem para formar a massa básica ou proteína do corpo, como os músculos
- O elemento Água desenvolve os fluidos vitais, o plasma, o sangue e a gordura
- Os elementos Fogo formam as enzimas e a hemoglobina
- Os elementos Ar desenvolvem os ossos e os nervos
- Os elementos Éter formam a mente e os sentidos.

Prana Vata (ver p. 54) ajuda na digestão dos alimentos. O *Samana Vata* (ver p. 55) controla os movimentos peristálticos e a absorção da comida. O *Apana Vata* (ver p. 56) controla a defecação e a expulsão dos gases.

Os estágios da digestão

De acordo com o Ayurveda, a digestão tem três estágios que são governados pelos *doshas*:

1 O primeiro estágio é governado por *Kapha* e tem lugar na boca e no estômago. Ele envolve a saliva e as secreções alcalinas do estômago e é responsável pela extração dos elementos Água e Terra dos alimentos ingeridos. As pessoas com predominância de *Kapha* tendem a ter um excesso dessas secreções e são propensas a sinto-

Comer um excesso de alimentos leves e secos agravará Vata.

mas como náusea, muco, uma abundante salivação e pouco apetite, especialmente quando comem muitos alimentos doces e salgados.

2 O segundo estágio é governado por *Pitta* e envolve as secreções ácidas do estômago e do intestino delgado. Lá, o elemento Fogo é extraído da comida. A ingestão de um excesso de alimentos ácidos, salgados e picantes pode aumentar essas secreções e dar origem a azia, indigestão, dores ardentes no estômago, náusea e diarreia.

3 O terceiro estágio é governado por *Vata*, tem lugar no intestino grosso e envolve a reabsorção de água e a formação das fezes. Lá, os elementos Ar e Éter são extraídos dos alimentos. Ingerir um excesso de alimentos leves, secos, adstringentes, amargos ou picantes, ou de alimentos duros e crus, inclusive saladas, aumentará *Vata* e dará origem a sintomas como flatulência, distensão e dor abdominal e prisão de ventre. O excesso de alimentos crus, saladas e nozes em geral e sementes duras e secas também poderá agravar *Vata*.

Como cuidar do seu *Agni*

Manter o equilíbrio do fogo digestivo é o segredo da saúde preventiva, bem como do tratamento da maioria dos problemas. O fogo deve ser mantido atiçado e alimentado com o combustível adequado para que não se apague. Ele pode arder muito pouco ou se inflamar em excesso. O equilíbrio é a chave para a boa digestão.

Podemos comparar nosso *Agni* com o sol. Pela manhã, quando nasce, ele não é muito quente, já que estávamos dormindo e jejuando a noite inteira. Precisamos atiçar o fogo, na forma de uma xícara quente de chá de gengibre recém-ralado ou de água quente na qual esprememos um pouco de suco de limão. Em seguida, podemos tomar um café da manhã leve. Ao meio-dia, o sol está no seu ponto mais quente, e nosso *Agni* está no seu ponto mais forte e ardendo o bastante para assimilar uma refeição de bom tamanho. No final da tarde, quando o sol se põe, a nossa energia e a digestão começam novamente a desacelerar, e nosso *Agni* fica mais baixo. Esse é o momento de fazer outra refeição leve e depois repousar e relaxar. Não precisamos de tanto combustível para as atividades noturnas e, se colocarmos toras pesadas no fogo, elas não queimarão adequadamente e poderão perturbar a nossa digestão ou o nosso sono. Nosso corpo não precisa da energia ou do combustível de que precisava mais cedo. Além disso:

- **Não coma mais do que você precisa.** Refeições menores e mais leves são melhores do que as grandes e pesadas, que podem sobrecarregar o fogo e apagá-lo! De acordo com o Ayurveda, deveríamos comer até o nosso estômago estar três quartos cheio e deixar um quarto do espaço para possibilitar que os nossos sucos digestivos se misturem adequadamente com a comida, otimizando assim a digestão.

- **Saboreie e aprecie a comida.** Comer alimentos de que você não gosta inibirá o fluxo das enzimas digestivas. Comer com atenção promoverá uma boa digestão.
- **Coma lentamente e de maneira relaxada, na posição sentada.** As enzimas digestivas circulam quando o sistema nervoso parassimpático está em operação. Quando a adrenalina circula, as nossas enzimas digestivas não circulam. Por conseguinte, é importante estar relaxado e não comer correndo.
- **Quando você comer, apenas coma.** Quando você come conscientemente e saboreia a comida, seu corpo fica mais propenso a segregar os sucos digestivos apropriados para digerir a comida que está sendo ingerida. Assistir à televisão (especialmente se o programa for estressante), trabalhar no computador ou discutir algum assunto provocador como religião, política ou seu relacionamento enquanto come provavelmente perturbará a digestão. Uma conversa leve e relaxada com amigos ou a família é aceitável.
- **Sente-se calmamente antes de comer, para se livrar de qualquer estresse.** Dizer uma prece é uma boa maneira de fazer isso.

Tomar água quente com suco fresco de limão logo que acordar ajudará a atiçar seu fogo digestivo.

Um pequeno passeio depois da refeição ajudará a promover uma boa digestão.

• **Beba um pouco de água quente com suco fresco de limão**, ou com gengibre recém-ralado, a fim de excitar a sua digestão antes da refeição.

• **Não beba líquidos demais com as refeições.**

• **Dê um passeio depois de comer**, para promover a digestão e assentar a comida.

• **Adicione temperos suaves quando cozinhar**, como cúrcuma, gengibre, cominho, coentro e erva-doce. Você também pode tomá-los na forma de chá.

• **Coma quando sentir fome** e depois que a refeição anterior tenha sido digerida, deixando, de preferência, quatro horas de intervalo entre as refeições. Lambiscar e fazer lanches não é muito bom para a digestão. No entanto, se você tiver um *Agni* elevado, talvez precise comer com mais frequência para evitar a hipoglicemia.

• **Não coma tarde.** Deixe que duas ou três horas transcorram depois da última refeição antes de ir para a cama. Ir dormir com o estômago cheio não é aconselhável. Você se sentirá muito melhor pela manhã se comer uma refeição leve por volta das 6 ou 7 horas da noite.

• **Não jejue ou pule refeições**, a não ser que esteja se submetendo a um programa de desintoxicação.

• **Coma regularmente e na mesma hora todos os dias**, para que seu *Agni* possa se preparar para a refeição.

As quatro condições de *Agni*

Existem quatro diferentes condições de *Agni* – variável (*Visham*), elevado (*Tikshna*), baixo (*Manda*) e equilibrado (*Sama*) –, e cada uma causa efeitos diferentes no corpo.

Agni variável (*Vishamagni*)

O fogo digestivo tende a ser variável nos tipos *Vata*, que têm natureza flutuante e digestão nervosa. Ele é causado por uma alimentação excessivamente pesada/leve e atividades que aumentam *Vata* e, por sua vez, ele causa distúrbios do tipo *Vata*. Se seu *Agni* for variável, você poderá ficar alternadamente com muita fome e sem fome nenhuma, e às vezes você digerirá bem os alimentos e em outras

Ir para a cama com o estômago cheio não é uma boa ideia.

poderá sofrer de distensão abdominal e flatulência, prisão de ventre, diarreia, síndrome do intestino irritável ou desconforto no abdômen, borborigmo (ruído causado pelo movimento de gases no intestino) ou cólicas. Depois de algum tempo, *Vishamagni* se torna um fogo digestivo baixo, e a capacidade de digerir bem diminui.

Agni elevado (*Tikshnagni*)

O fogo digestivo é, por via de regra, elevado nos tipos *Pitta*, que geralmente têm bom apetite e boa digestão sem ganhar peso excessivo. *Agni* pode ser exageradamente aumentado pela ingestão de alimentos quentes e apimentados no tempo quente, o que, por sua vez, abala as enzimas digestivas e causa distúrbios do tipo *Pitta*. Se *Agni* estiver elevado demais, você terá vontade de comer mais, irá digerir rapidamente os alimentos, a sua taxa metabólica será rápida e você poderá ficar sujeito a: indigestão, arrotos, náusea, acidez, hipoglicemia (que causa fraqueza, irritabilidade ou dor de cabeça), dores no estômago, gastrite, úlceras pépticas, febre ou diarreia. Com o tempo, o fogo extingue a si próprio, frequentemente por meio da diarreia ou de uma infecção, o que resulta em um baixo fogo digestivo.

Agni baixo (*Mandagni*)

Agni geralmente é baixo nos tipos *Kapha* que têm um metabolismo lento e tendência para ganhar peso, mesmo sem comer em excesso. *Mandagni* é causado por alimentação e atividades que aumentam *Kapha*, o que inclui comer alimentos pesados, indigestos, oleosos e doces em excesso, como queijo (não o *ghee*), comida velha, alimentos e bebidas frios, beber excesso de líquido às refeições, ter um estilo de vida sedentário e dormir demais. *Mandagni* também pode resultar de um distúrbio digestivo causado por alimentação irregular, jejum excessivo, estresse e *Vata* elevado, bem como da debilidade e de doenças como gastrenterite e diarreia crônica. O baixo fogo digestivo causa distúrbios de *Kapha* como: congestão mucosa, frequentes resfriados e tosse, digestão lenta, intestino preguiçoso, sentimento de apatia, peso no estômago,

O bom Agni *pode ser mantido por meio de exercícios regulares, como o yoga, e a respiração profunda (*Pranayama*).*

tendência para tosse e falta de ar, letargia e sensação de peso no corpo, sonolência depois das refeições, salivação excessiva ou náusea. Os sintomas são piores com *Ama* (toxinas), que causa dor nas articulações, dor de cabeça, sinusite e cansaço.

Agni equilibrado (*Samagni*)

O fogo digestivo está equilibrado quando os *doshas* e as emoções estão em harmonia. Ele é indicado por um apetite regular e moderado, com uma digestão eficiente que promove uma boa saúde. As pessoas com *Samagni* conseguem tolerar a fome, os alimentos pesados e uma ingestão irregular ou excessiva de comida e ainda assim preservar um bom fogo digestivo. Quando o *Agni* é normal, temperos *sátvicos* suaves como o cardamomo, a cúrcuma, o coentro e a erva-doce podem ser incluídos na alimentação a fim de manter a saúde do trato digestivo. *Agni* também pode ser conservado pelo exercício regular, o yoga, a respiração profunda (*Pranayama*), a meditação e a alimentação adequada. A doença se desenvolve em decorrência do *Agni* excessivo, deficiente ou anormal que, com o tempo, se transforma no fogo digestivo baixo. O *Agni* fraco baixa a imunidade, já que *Ama* (bolo alimentar não digerido) é formado a partir da má digestão e obstrui os canais (*srotas*) em todo o corpo.

TRATAMENTO PARA DISTÚRBIOS DE *AGNI*

Tratamento para *Vishamagni: Vata shamana*

Os alimentos e medicamentos oleosos (p. ex.: *ghee*), moderadamente condimentados, ácidos e salgados ajudam a equilibrar o fogo digestivo quando combinados com uma dieta leve. Entre as fórmulas favoráveis (consulte o Capítulo 16) estão: Hingwashtaka Churna, Lavanbhaskar Churna (1/8 a 1/4 de colher de chá com *ghee* morno antes das refeições, ver p. 345) e Lashunadi Vati.

Veículo para conduzir as ervas aos tecidos (*Anupana*): água morna/*ghee*.

Tratamento para *Tikshnagni: Pitta shamana*

Os temperos picantes devem ser evitados, e as ervas amargas digestivas como camomila, guduchi [*Tinospora cordifolia*], raiz de dente-de-leão, alecrim e amalaki [*Phyllanthus emblica*], com as suas propriedades refrescantes, podem ser ingeridas. Alimentos pesados, frios, oleosos e doces são vantajosos. Os laxantes podem ser tomados uma vez a cada duas ou quatro semanas, como Triphala ou Darthree. Coentro, amalaki e shatavari refrescam *Pitta*. Mahasudarshan Churna reduz o fogo digestivo sem aumentar as toxinas.

Veículo (*Anupana*): água fresca/*ghee*.

Tratamento para *Mandagni: Kapha shamana*

Se você tem *Agni* baixo, os alimentos não serão digeridos com facilidade e você sentirá indisposição estomacal com uma série de alimentos ou combinações de alimentos. A intolerância e a alergia alimentares poderão se desenvolver. Você pode melhorar a digestão usando ervas e comendo alimentos facilmente digeríveis em refeições moderadas (em vez de grandes). É melhor evitar carne vermelha de um modo geral, queijo e alimentos crus, pois eles são de difícil digestão, especialmente à noite. Também é melhor evitar o excesso de laticínios e alimentos que contenham açúcar. É mais fácil digerir a comida morna do que os alimentos crus e duros, de modo que as sopas, os ensopados e os pratos de forno são mais benéficos do que as saladas.

O ghee *é altamente considerado no Ayurveda. Ele melhora a digestão, ajuda a eliminar toxinas e aumenta* Ojas.

Alimentos e medicamentos apetitosos, digestivos, amargos, picantes e adstringentes são ministrados para estimular *Agni*. Os temperos são particularmente benéficos, e as seguintes fórmulas e ervas são indicadas: Trikatu, pimenta-de--caiena, gengibre, pippali [pimenta-longa], chitrak, musta [*Cyperus rotundus*], guduchi, bilva [marmeleira-da-índia] e assa-fétida.

Os temperos também digerem *Ama*, ao passo que as ervas adstringentes, amargas e picantes secam o excesso de líquido ou de muco, que podem umedecer o fogo digestivo. Hingwashtaka Churna, Trikatu e gengibre são medicamentos eficazes para reduzir *Ama*.

O bolo alimentar não digerido (*Ama*)

Se seu fogo digestivo é baixo, ele deixa um resíduo de comida não digerida ou parcialmente digerida que pode se acumular, estagnar ou fermentar no intestino, alimentando micro-organismos patogênicos e causando a disbiose (distúrbio da flora intestinal normal). Isso é conhecido como *Ama*.

Ama *debilita nosso sistema de defesa e reduz a imunidade, tornando-nos predispostos a contrair o resfriado comum.*

Uma vez que *Ama* é absorvido pelo corpo, ele obstrui o funcionamento normal dos tecidos e enfraquece nosso sistema imunológico. Ele debilita nosso sistema de defesa e baixa a resistência a doença, começando pelo resfriado comum. Ele tende a afetar as áreas enfraquecidas e está por trás dos sintomas tanto no corpo quanto na mente, como redução de energia, ansiedade e depressão. Consequentemente, *Agni* é a chave para a saúde.

Bactérias intestinais

As bactérias intestinais em um intestino saudável desempenham importante papel na nossa saúde de um modo geral. Elas sintetizam vitami-

SINTOMAS DE *AMA*

- **Pouco apetite, indigestão e problemas intestinais**
- **Distensão abdominal, flatulência ou fezes mal-cheirosas, alimentos não digeridos nas fezes**
- **Reações alérgicas, como asma, urticária, psoríase e eczema**
- **Fadiga mental e física, sonolência ou sensação de peso depois da refeição**
- **Mau hálito e odor corporal desagradável**
- **Letargia e depressão, pouco entusiasmo e motivação, falta de clareza mental**
- **Acordar cansado, mesmo depois de uma boa noite de sono**
- **Falta de brilho nos olhos e na pele**
- **Problemas de pele**
- **Camada branca/creme na língua, particularmente visível pela manhã**
- **Dores e incômodos**
- **Dor de cabeça e enxaqueca**
- **Infecções periódicas**
- **Congestão que causa prisão de ventre, catarro e corrimento vaginal**
- **Instabilidade emocional, intervalo de atenção curto e problemas de comportamento nas crianças**
- **Colesterol elevado e aterosclerose (placas nas artérias)**

nas, incluindo a vitamina B; ajudam a absorção de minerais e microelementos, entre eles o cálcio e o magnésio; decompõem as toxinas alimentares, tornando-as menos nocivas; estimulam a imunidade local (inibindo infecções como a salmonela, reduzindo o risco de intoxicação alimentar); e aumentam a imunidade de um modo geral. Na realidade, quatro quintos do sistema imunológico do corpo se encontram no revestimento intestinal.

A digestão insatisfatória, a fermentação de alimentos não digeridos e o estresse perturbam o equilíbrio da flora intestinal. Isso é agravado pelo emprego de antibióticos e esteroides e leva à proliferação de fungos patogênicos e bactérias no nosso intestino. Estes criam toxinas, destroem vitaminas, inativam enzimas digestivas e levam à formação de substâncias químicas potencialmente carcinogênicas (causadoras do câncer). Eles provocam doenças inflamatórias, entre elas a colite ulcerativa e a doença de Crohn ao causar a síndrome da permeabilidade intestinal e reações autoimunes, bem como problemas no fígado.

A eliminação de *Ama*

O Ayurveda explica claramente como remediar a situação se você mostrar indícios de *Ama*. Você precisa fortalecer a sua digestão e se livrar de quaisquer toxinas. As suas diretrizes alimentares são determinadas pelo equilíbrio de seus *doshas* e pelo estado de seu *Agni*, mas, falando de um modo geral, você pode fazer o seguinte:

- Coma regularmente. Não pule refeições.
- Tenha uma alimentação leve, fresca e saudável.
- Evite alimentos com elevado teor de *Kapha* porque *Ama* é pesado, pegajoso e tem a capacidade de ficar emperrado, exatamente como *Kapha*. Evite comer em excesso e não coma alimentos processados, pesados, oleosos, fritos, laticínios, nozes em geral, pão, doces, açúcar, carne vermelha, ovos e tubérculos. Coma bastante gengibre e outros alimentos e temperos que aquecem a fim de reduzir *Kapha*, a não ser que você tenha um *Pitta* elevado.
- Beba regularmente o dia inteiro chá de gengibre, canela, cominho, cardamomo ou erva-doce.

- Use óleo morno de massagem (*Abhyanga*) e massageie pontos de energia do corpo (*Marma*) para ajudar a remover bloqueios e eliminar *Ama* do corpo.
- Faça bastante exercício, como caminhar e yoga, e pratique *Pranayama* (exercícios respiratórios).
- Raspe a língua com um raspador de língua pela manhã e à noite.

Aumentar *Agni* é a chave para consumir *Ama*. *Agni* é aumentado pelos sabores picante, ácido e salgado, bem como por pequena quantidade do sabor amargo. Os temperos são a melhor opção para aumentar *Agni*. Eles geralmente têm as mesmas qualidades de *Agni*: quentes, secos, leves e aromáticos. Com suas propriedades antimicrobianas, ajudam a eliminar *Ama* e reequilibrar a flora intestinal. A cúrcuma, a canela, o gengibre e a pimenta-longa intensificam a secreção das enzimas digestivas e podem ser adicionados diariamente aos alimentos.

As ervas amargas e picantes geralmente têm a capacidade de eliminar *Ama* do trato gastrointestinal. Entre os remédios populares para aumentar o fogo digestivo e eliminar *Ama* estão: Trikatu (gengibre, pimenta-longa e pimenta-do-reino); Trikulu (cravo, canela e cardamomo); pippali; gengibre; e Hingwashtaka Churna (assa-fétida, gengibre, cominho, sal-gema etc.). Para mais informações sobre desintoxicação, consulte o Capítulo 11.

Temperos que aquecem, como o gengibre, não apenas inflamam Agni *como também eliminam* Ama.

Capítulo 6: Os alimentos e a sua constituição

O antigo texto ayurvédico Sushrita Samhita declarou o seguinte: "Aquele cujos *doshas* estão em equilíbrio, cujo apetite é bom... cujos corpo, mente e sentidos permanecem repletos de alegria, é chamado de pessoa saudável".

Os seis sabores (*Rasa*)

Rasa é a palavra sanscrítica que significa tanto "sabor" quanto "emoção". Isso sugere que o sabor e a emoção correspondem um ao outro. A emoção tende a produzir no corpo seu sabor correspondente, assim como comer alimentos ou ervas com um sabor específico tende a criar determinadas emoções.

O Ayurveda classifica os alimentos e remédios de acordo com seis sabores: doce, ácido, salgado, picante, amargo e adstringente. Na realidade, cada substância na natureza é composta por todos os cinco elementos, embora um ou dois possam predominar. Portanto, quando experimentamos um alimento ácido, isso significa que ele é principalmente ácido, porém contém outros sabores secundários. Certos sabores são melhores para diferentes pessoas, dependendo da *Prakruti* (constituição) básica delas ou da *Vikruti* (desequilíbrio dóshico).

Entender os efeitos sobre a mente e o corpo de cada sabor e como isso se relaciona com o equilíbrio dos *doshas* significa que alimentos e ervas podem ser especificamente relacionados com as necessidades de cada indivíduo, tornando-os recursos mais eficazes para a prevenção e o tratamento do desequilíbrio e das doenças.

Os seis sabores e os elementos

De acordo com o Ayurveda, tudo na criação é composto pelos cinco

O açafrão tem os sabores picante, amargo e doce, sendo bom para os três doshas.

Com seus sabores doce e picante, o chá de gengibre fresco ajuda a equilibrar os três doshas, *mas as pessoas com um* Pitta *elevado devem tomá-lo com moderação.*

elementos encontrados na natureza (ver p. 28) – Éter, Ar, Fogo, Água e Terra –, e cada sabor é composto por uma combinação de dois desses elementos. Os cinco elementos também estão relacionados com os três *doshas*, de modo que isso significa que a quantidade de cada *dosha* que o seu corpo produz depende basicamente dos sabores que você consome.

OS *DOSHAS* E OS SEIS SABORES

- **Os sabores doce, ácido e salgado** aumentam *Kapha* e diminuem *Vata*.
- **Os sabores picante, amargo e adstringente** diminuem *Kapha* e aumentam *Vata*.
- **Os sabores doce, amargo e adstringente** diminuem *Pitta*.
- **Os sabores picante, ácido e salgado** aumentam *Pitta*.

OS ELEMENTOS E OS SEIS SABORES

Éter e Ar / Amargo (*Tikta*)

Ar e Fogo / Picante (*Katu*)

Fogo e Água / Salgado (*Lavana*)

Água e Terra / Doce (*Madhura*)

Terra e Fogo / Ácido (*Amla*)

Terra e Ar / Adstringente (*Kasaya*)

Doce

Composto principalmente pelos elementos Terra e Água, o sabor doce aumenta *Kapha* e diminui *Pitta* e *Vata*. Como suas qualidades (*gunas*) são refrescante, pesada e oleosa, ele reduz *Agni* (o fogo digestivo).

O mel tem os sabores doce e adstringente, sendo na realidade excelente para Kapha.

A maioria das pessoas adora o sabor doce e o considera confortante e saciador. Os alimentos que têm naturalmente o sabor doce (não o açúcar refinado) são nutritivos e reconfortantes para o corpo e a mente. Eles aliviam a fome e a sede e produzem uma sensação de saciedade no corpo e na mente depois da digestão. Eles promovem o crescimento, a forma e o desenvolvimento de todos os tecidos e aumentam o peso do corpo e dos fluidos, de modo que aumentam *Kapha*, mas são bons para *Vata*. Os alimentos com sabor doce acentuam a força e a vitalidade, lubrificam a pele e o cabelo, alimentam os órgãos sensoriais e nos fazem sentir felicidade.

O abuso de alimentos doces, que são frios, úmidos e pesados, pode

ALIMENTOS COM SABOR DOCE

- **A maioria das hortaliças** (particularmente os tubérculos, como a pastinaca, a beterraba, a batata-doce, a cenoura); abóbora e abóbora-cheirosa [*Cucurbita moschata*]; frutas doces como o figo, a tâmara, o damasco, a pera e a ameixa; nozes e sementes em geral; óleos; grãos (especialmente aveia cozida); carne e peixe; ovos; leite (exceto o de soja); adoçantes (açúcar, xarope de bordo e mel).
- **Ervas e temperos adocicados** como erva-doce, noz-moscada, hortelã, bala [*Sida cordifolia*], ashwagandha, shatavari, gokshura [*Tribulus terrestris*], cardamomo, vidari, manjericão, canela.

causar letargia, excesso de peso, sensação de peso, complacência, resfriados, catarro e tendência para prisão de ventre. Baixa o fogo digestivo e pode nos predispor para congestão linfática, diabetes, obesidade e doença fibrocística da mama. O excesso de alimentos doces aumenta a complacência de *Kapha*, reduz a raiva de *Pitta* e conforta a ansiedade de *Vata*.

As peras são doces e adstringentes e ajudam a equilibrar os três doshas.

Ácido

Composto principalmente pelos elementos Terra e Fogo, o sabor ácido aumenta *Pitta* e *Kapha* e reduz *Vata*. As suas qualidades (*gunas*) são quente, pesado e oleoso.

Os alimentos e as ervas com sabor ácido têm efeito refrescante e estimulam a mente, intensificam a eliminação de resíduos e aumentam o fluxo da saliva e de outros sucos digestivos. Eles aumentam o apetite, melhoram a digestão e a absorção e regulam o peristaltismo. Desenvolvem todos os tecidos exceto os reprodutivos, aumentando a energia e a vitalidade e fortalecendo o coração. Além disso, têm um efeito estabilizador nos tipos *Vata*.

Os alimentos ácidos têm um efeito tépido e úmido, e quando em excesso podem aquecer demais o trato digestivo e causar indigestão, azia e acidez. Eles também podem aumentar a tendência para problemas de pele, como acne, furúnculos, urticária, eczema e psoríase, agravar a artrite e fazer com que os dentes fiquem extremamente sensíveis.

Acredita-se que, depois da digestão, os alimentos ácidos aumentem o desejo de mais coisas – seja de comida ou de consumir de um modo geral. O sabor ácido causa uma avaliação das coisas a fim de determinar sua conveniência. Acredita-se que uma indulgência excessiva na avaliação conduza à inveja ou ao ciúme, o que pode se manifestar como desaprovação da coisa desejada (como na síndrome das "uvas verdes e azedas"). Isso pode aumentar o consumismo de *Kapha*, se a inveja do sucesso de outra pessoa nos incitar a obter mais coisas para nós mesmos. *Pitta* pode aumentar se o ciúme se transformar em raiva e ressentimento. Acredita-se que a inveja possa ajudar a reduzir *Vata* concentrando a mente e motivando uma ação coerente.

ALIMENTOS COM SABOR ÁCIDO

- **Alimentos fermentados** como vinagre, vinho, queijo, iogurte, molho de soja, picles e *chutneys*; espinafre; frutas ácidas como as frutas cítricas e as maçãs ácidas, morango, uva verde, ameixa, laranja, framboesa, mirtilo e amora-preta.

- **Ervas e temperos** ácidos como o amalaki, o haritaki [*Terminalia chebula*] e a romã.

A amora-preta é doce, ácida e adstringente.

Salgado

Composto principalmente por Água e Fogo, os alimentos e as ervas com sabor salgado aumentam *Kapha* e *Pitta* e diminuem *Vata*. Suas qualidades (*gunas*) são pesado, quente e oleoso.

O sal realça todos os sabores da comida, mas, se for adicionado em excesso, poderá causar efeitos adversos.

O salgado é chamado de *Sarva Rasa* em sânscrito, que significa "todos os sabores", porque ele pode intensificar todos os sabores na comida, ao mesmo tempo em que aumenta nosso apetite por ela. Isso é confirmado pela nossa paixão por colocar sal para dar vida aos petiscos crocantes e às nozes, bem como pela utilização exagerada do sal na indústria de *fast food*.

Geralmente, usa-se o sal-gema ou o sal marinho. Em pequenas quantidades, o sabor salgado favorece o apetite, a digestão e a absorção, ao passo que, em grandes quantidades, agrava sintomas de *Pitta* como a acidez, o calor, a inflamação e as erupções cutâneas. Ele também ajuda na eliminação dos resíduos, tendo, por-

ALIMENTOS COM SABOR SALGADO

Alimentos salgados como sal e alga marinha; aipo, carnes e peixe defumados; extrato de levedura; anchova; azeitona, nozes e petiscos crocantes; queijos em geral; picles; *fast food* e alimentos processados.

Ervas e temperos salgados como algas, sementes de aipo, sementes de ajwain [*Trachyspermum ammi*], sementes de endro, de cominho e de coentro.

tanto, efeito desintoxicante. O sal tem uma ação hidroscópica, retendo fluidos no corpo. Isso pode diluir a saliva e o muco e soltar elementos densos que podem obstruir o corpo.

Acredita-se que o excesso de sal tenha um efeito depletivo e enfraqueça os músculos, podendo causar envelhecimento prematuro, rugas e cabelo grisalho. O excesso de alimentos salgados aumenta a retenção de água e pode nos predispor à hipertensão.

O sabor salgado está associado ao entusiasmo pela vida, o que acentua todos os apetites. Ele pode ter um efeito calmante e estabilizante e reduzir a tendência para a ansiedade, os espasmos e as câimbras, motivo pelo qual pode ser benéfico para *Vata*.

Devido às suas propriedades úmidas e quentes, as pessoas com excesso de *Pitta* e *Kapha* precisam tomar cuidado para não comer uma grande quantidade de alimentos salgados. Pequenas quantidades de sal podem abrir canais bloqueados e aumentar o desejo da mente pela intensidade da experiência. Acredita-se que o abuso do sal cause o hedonismo, o que distrai a mente e a enfraquece.

Acredita-se que o excesso de sal aumente a complacência e outros atributos de *Kapha* e aumente também o ímpeto da raiva de *Pitta* sempre que ocorre uma obstrução da gratificação.

Picante

Composto principalmente por Fogo e Ar, o sabor picante aumenta *Pitta* e *Vata* e reduz *Kapha*. Suas qualidades (*gunas*) são quente, leve e seco.

Os alimentos e as ervas picantes estimulam o fluxo dos sucos digestivos, melhorando o apetite, a digestão e a absorção. Eles favorecem o movimento, limpam canais e obstruções, expelem secreções do corpo e reduzem secreções características de *Kapha* como o muco, o sêmen, o leite e a gordura. Eles exercem uma ação irritante nos tecidos e órgãos.

As ervas e os alimentos picantes ajudam a destruir bactérias e parasitas, e seu efeito de aquecer faz com que os olhos lacrimejem e o nariz corra, aumentando a circulação e o suor. Eles estimulam a mente e os sentidos e ajudam a reduzir a obesidade.

Nos aspectos mental e emocional, o sabor picante é associado à extroversão, à tendência ao entusiasmo, à estimulação e particularmente ao desejo de intensidade, cujo excesso pode causar irritabilidade, impaciência, raiva e, com o tempo, a depleção.

As pessoas com *Pitta* elevado frequentemente adoram os alimentos picantes, como a pimenta do tipo malagueta, o café e o álcool, mas como eles têm o efeito de aquecer, é melhor evitá-los, pois eles podem aquecer em excesso o corpo e a mente. O sabor picante alivia *Kapha* por aumentar a motivação, e alivia temporariamente *Vata* ao intensificar a autoexpressão. A longo prazo, ele aumenta *Vata* por causar uma estimulação excessiva e dissipar energia. Ele pode aumentar a tendência dos tipos *Vata* para a inquietação, a ansiedade e a insônia, deixando-os esgotados e exaustos. O excesso de alimentos picantes pode causar diarreia, azia, pele seca, outros problemas de pele e uma redução da fertilidade.

ALIMENTOS COM SABOR PICANTE

- **Alimentos picantes** como álcool, cebola e alho-poró crus, folha de mostarda [*Brassica juncea*], rabanete, agrião, rúcula, mostarda, raiz-forte, café.

- **As ervas e os temperos picantes** incluem o alho, o gengibre, o manjericão, a pimenta-do-reino, a alcarávia, a pimenta-de-caiena, a canela, o cravo, o cominho, a noz-moscada, a hortelã-pimenta, o açafrão, o guggulu [*Commiphora mukul*], a erva-doce, a cúrcuma e o chitrak.

Com seu sabor fortemente picante, o alho estimula a circulação, descongestiona o trato respiratório e aumenta a energia e a vitalidade.

Amargo

Composto principalmente de Ar e Éter, o sabor amargo aumenta *Vata* e diminui *Pita* e *Kapha*. Suas qualidades (*gunas*) são refrescante, leve e seco.

O amargo é considerado o melhor dos seis sabores. Acredita-se que os alimentos e as ervas com sabor amargo devolvam todos os sabores ao normal e reduzam os desejos de comida. As ervas amargas são frequentemente usadas para eliminar *Ama* (toxinas), parasitas e outros micro-organismos no intestino. O sabor amargo também afeta o fígado, estimulando o fluxo da bile e respaldando o fígado no seu trabalho de desintoxicação.

Os alimentos e as ervas amargos reduzem a inflamação e são úteis no tratamento das doenças da pele e da febre. Eles reduzem a gordura, o suor

Com seu sabor amargo, a alface tem um efeito desintoxicante, mas seu excesso pode agravar Vata.

ALIMENTOS COM SABOR AMARGO

- **Alimentos amargos** como café, chá; chá de dente-de-leão, suco de *aloe vera*, chá de camomila, chocolate amargo, alface, radicchio [chicória com folhas vermelhas], chicória, folhas de dente-de-leão.

- **Ervas e temperos amargos** como bardana, guduchi, bringaraj, nim [*Azadirachta indica*], andrographis, coentro, feno-grego, guggulu, bhumiamalaki.

e o muco, ajudam a manter a pele firme, reduzem o peso e ajudam na eliminação do excesso de água e de outros elementos do corpo. O excesso do sabor amargo, contudo, pode reduzir *Agni*, agravar *Vata* e ter um efeito depletivo no corpo e na mente.

Nos aspectos mental e emocional, o sabor amargo está associado à insatisfação, o que promove um desejo de mudança. Engolir uma pílula amarga significa dispersar a ilusão e enfrentar a realidade. Ao estimular o desejo de mudança, o sabor amargo pode reduzir a complacência de *Kapha*, mas seu uso excessivo aumenta *Vata*, já que a insatisfação e a constante mudança podem aumentar a insegurança e a ansiedade.

No nível espiritual, as ervas amargas são usadas em muitas culturas em práticas destinadas a aumentar a percepção e a conscientização das coisas como elas realmente são.

Adstringente

Composto principalmente por Ar e Terra, o sabor adstringente aumenta *Vata* e diminui *Pitta* e *Kapha*. Suas qualidades (*gunas*) são refrescante, leve e seco.

Os alimentos e as ervas com sabor adstringente reduzem a saliva e outras secreções e causam uma sensação seca e de enrugamento na boca. Eles tonificam e contraem todas as partes do corpo, reduzindo secreções como o excesso de muco. Suas propriedades estípticas (que estancam o sangue) promovem a cura das feridas e reduzem o sangramento. Eles ajudam a reduzir o excesso de água por meio de seu efeito secante, de modo que são recomendados para *Kapha*. Por meio de seu efeito tonificante nas membranas mucosas do intestino, protegem o revestimento intestinal contra a irritação, a inflamação e a infecção, e curam problemas de *Pitta* como a gastrite, a ulceração, a inflamação e a diarreia. Eles também ajudam a controlar o excesso de suor e de saliva. No entanto, o excesso de alimentos com sabor adstringente inibe a excreção das fezes, da urina e do suor e causa um acúmulo de toxinas no corpo.

Nos aspectos mental e emocional, o sabor adstringente tem um efeito refrescante e liberador, o que é bom para *Pitta* e *Kapha*, mas o excesso de adstringência está associado à introversão, ao afastamento da agitação e da estimulação. A adstringência não é boa para *Vata*. O excesso de introversão pode aumentar a insegurança, a ansiedade e o medo, que caracterizam os tipos *Vata*, e está associado a distúrbios neuromusculares.

A romã tem sabor adstringente e está repleta de antioxidantes.

ALIMENTOS COM SABOR ADSTRINGENTE

- **Alimentos adstringentes** como vinho tinto seco; banana verde; feijões e sementes de leguminosas; mel; maçã e pera, hortaliças da família do repolho – repolho, brócolis, couve-de--bruxelas e couve-flor; abrunho, romã, oxicoco; broto de alfafa, vagem, ervilha; alcachofra de Jerusalém; batata, trigo-sarraceno.

- **Ervas e temperos adstringentes** como haritaki, rosa, musta, jasmim, ashoka, guggulu, bibhitaki [*Terminalia bellirica*].

Os efeitos dos alimentos e das ervas

Quando o sabor é experimentado na boca, ele é transmitido para o cérebro, que determina o tipo de substâncias que foram ingeridas e as enzimas digestivas necessárias à digestão ideal. Quando a comida chega ao intestino, os órgãos digestivos devem estar preparados. Por conseguinte, é importante que você saboreie adequadamente a comida que estiver ingerindo.

De acordo com o Ayurveda, os alimentos e as ervas têm três efeitos diferentes:

1 *Rasa*, ou sabor – o efeito que os alimentos e as ervas têm antes da digestão, determinado pelas papilas gustativas enquanto a comida ainda está na boca.

2 *Virya*, ou energia – experimentado durante a digestão. Os alimentos quentes aumentam a capacidade de digerir do corpo, liberando energia para outras tarefas metabólicas. Os alimentos frios requerem energia adicional para a sua digestão, obtida a partir do resto do corpo, o qual, em decorrência disso, precisa reduzir suas outras atividades.

A comida quente, como a sopa, é muito mais fácil de ser digerida do que a comida fria.

3 *Vipaka*, ou efeito pós-digestivo – quando os nutrientes são assimilados depois da digestão, nas profundezas dos tecidos.

Efeitos equilibradores

Uma substância pode ter o efeito de aquecer e uma energia fria, o que significa que ela inicialmente aumenta a digestão mas não agrava *Pitta*. Ela pode ter um sabor refrescante e uma energia quente, como o sabor amargo, reduzindo o apetite, porém aumentando a digestão.

Os sabores refrescantes (doce, amargo e adstringente) têm um efeito frio e contraente sobre as emoções, reduzindo nosso desejo de comer mais. Os sabores que aquecem têm um efeito quente e expansivo, aumentando o desejo de comer mais.

O salgado é o sabor que equilibra *Vata*, pois é pesado, oleoso, tem a qualidade de aquecer e melhora a digestão; o ácido vem em seguida, e por último o doce. O amargo é o melhor sabor para equilibrar *Pitta*; depois o doce, em seguida o adstringente. O picante é o melhor sabor para equilibrar *Kapha*; o amargo vem em seguida e por último o adstringente.

OS TRÊS EFEITOS

Sabor	Energia	Efeito pós-digestivo
Doce	Refrescante	Doce
Ácido	Quente	Ácido
Salgado	Quente	Doce
Picante	Quente	Picante
Amargo	Refrescante	Picante
Adstringente	Refrescante	Picante

As pessoas com constituição *Pitta* devem beber água após as refeições a fim de evitar a indigestão ácida e distúrbios como as doenças dos olhos, dor de cabeça e hemorroidas; o consumo excessivo de alimentos e bebidas quentes aumenta *Pitta*.

O consumo excessivo de alimentos e bebidas frias dá origem a doenças de *Kapha* e *Vata*, como a anorexia, cólicas, soluços, dor de cabeça, letargia e distúrbios intestinais.

Capítulo 7: Saúde preventiva

Nossas atividades diárias exercem claramente um efeito na nossa saúde de um modo geral. Existem no Ayurveda diretrizes definidas para um estilo de vida saudável que abordam praticamente todos os aspectos da vida do dia a dia, e elas formam a base da medicina preventiva.

Nossa *Dinacharya*, ou rotina diária, se destina a manter os três *doshas* em um estado de equilíbrio saudável e a digestão e o metabolismo (*Agni*) equilibrados. Em sânscrito, *din* significa "dia" e *acharya* significa "comportamento" ou "seguir".

Se você adotar uma rotina diária, poderá estruturar sua vida de maneira a encaixar todas as coisas que quer fazer, bem como aquelas que precisa fazer no intuito de permanecer feliz e saudável. Você poderá planejar a melhor hora para se levantar e qual a hora mais adequada para ir dormir. Pode ser proveitoso fazer uma lista diária ou semanal de tudo o que você gostaria de ter na sua vida no momento, e depois garantir que está concedendo um lugar para essas coisas na sua rotina. Você poderá então chamar *Dinacharya* de "fazer o que você sonha"!

Acordar entre 6 e 7 horas da manhã e ir para a cama por volta das 10 horas da noite é o estilo ayurvédico ideal.

Rotina diária ayurvédica (*Dinacharya*)

***Dinacharya* leva em consideração o relacionamento entre os *doshas* e a hora do dia. Em cada dia, nós passamos por seis diferentes fases, relacionadas com a preponderância dos *doshas* nesse momento.**

Ao amanhecer, quando o sol está para nascer, os aspectos seco, frio e móvel de *Vata* que se acumularam ao longo da noite prevalecem. *Vata* predomina entre 2 e 6 horas da manhã. No início da manhã, a energia fria e pesada de *Kapha* pode nos fazer sentir preguiça, se ficarmos tempo demais na cama no período *Kapha* (das 6 às 10 da manhã). Ao meio-dia, quando o sol está no zênite, *Pitta* predomina. No início da tarde, a energia de *Vata* volta a dominar. À noite, o peso de *Kapha* retorna e causa uma sensação de relaxamento, e é uma boa hora para repousar. À meia-noite, quando o sol está no ponto mais afastado da terra, *Pitta* volta a predominar.

A sua rotina

A estrutura e a rotina são muito boas para aqueles com uma constituição predominantemente *Vata*, já que os ajudam a permanecer calmos e focados. Elas possibilitam que os tipos *Pitta* lidem melhor com as numerosas coisas que desejam

OS *DOSHAS* E A HORA DO DIA EM QUE PREVALECEM

***Vata*: Dominante de 2 às 6 horas da manhã e de 2 às 6 horas da tarde.**

***Pitta*: Dominante de 10 horas da manhã às 2 horas da tarde e das 10 horas da noite às 2 horas da manhã.**

***Kapha*: Dominante das 6 às 10 horas da manhã e das 6 horas da tarde às 10 horas da noite.**

É melhor ir dormir o mais perto possível das 10 horas da noite, antes que a energia de Pitta lhe dê novo fôlego.

introduzir e tenham um sentimento de realização no final do dia. No caso daqueles predominantemente *Kapha*, uma rotina diária ajuda a energizá-los e motivá-los. Falando de um modo geral, é melhor fazer um trabalho que envolva atenção e concentração mental pela manhã, coisas físicas à tarde e depois, à noite, após um dia de trabalho e depois de comer, relaxar para poder diminuir o ritmo antes de dormir.

Diretrizes para uma vida saudável

Você encontrará abaixo as diretrizes ayurvédicas para uma vida saudável, que podem ajudá-lo a formular a sua própria *Dinacharya*, adequada a você e à sua vida atual. Começar e encerrar o dia com prece, meditação, *Pranayama* (exercícios respiratórios) ou um ritual da sua escolha ajuda a equilibrar a vida espiritual e material.

O despertar

A fim de sintonizar seu relógio biológico com o da natureza e o do sol, geralmente é melhor acordar um pouco antes do nascer do sol ou entre as 6 e as 7 horas da manhã.

Impulsos naturais

As primeiras horas da manhã, de 2 às 6 horas, são regidas por *Vata*, que governa a eliminação; por conseguinte, a melhor hora para esvaziar o intes-

Beber um copo de água morna ao despertar ajuda a eliminar toxinas.

tino é logo ao acordar, de manhã cedo, o que também ajuda a eliminar *Kapha* acumulado durante o sono, ajudando-o a se sentir desperto e alerta. Em seguida, lave o rosto e as mãos com água fria, água de rosas ou uma decocção de amalaki. Nunca reprima os impulsos físicos naturais, como esvaziar o intestino, urinar, comer quando estiver com fome, beber quando sentir sede, dormir quando estiver cansado, espirrar, bocejar, arrotar, chorar ou soltar gases, pois isso agrava *Vata,* afetando adversamente os outros doshas.

Beber água

Beber um copo de água morna ajuda a eliminar as toxinas acumuladas durante a noite. As pessoas com constituição *Pitta* devem tomar água fria logo ao acordar. No caso de todas as constituições, acredita-se que, quando sorvida pelo nariz por meio de um pote *Neti* (um pequeno pote de metal que parece uma lâmpada de Aladim), a água melhora a visão e é boa para os seios nasais. Ela ajuda a evitar a congestão e as infecções respiratórias.

Os dentes

De acordo com o Ayurveda, os dentes são um subproduto dos ossos. Caules de nim e de alcaçuz podem ser mastigados e usados como escova de dentes. Uma pasta de dentes pode ser feita a partir de óleo de gergelim misturado com um pó fino de gengibre, pimenta-do-reino, pimenta-longa, cardamomo, Triphala e sal-gema. A casca da amêndoa moída também é usada para preparar um pó para limpar os dentes na Índia.

Cáries nos dentes e gengivas retraídas são sinais de agravamento de *Vata* no sistema esquelético e estão frequentemente relacionadas com uma deficiência de cálcio, magnésio e zinco. Para evitar esses problemas, mastigue um punhado de sementes de gergelim preto, ricas em cálcio, todas as manhãs, e em seguida escove os dentes sem pasta de dentes para que o resíduo das sementes de gergelim seja esfregado contra os dentes, polindo-os e limpando-os.

Para evitar gengivas retraídas, infecção nos dentes e cáries, você pode massagear diariamente as gengivas com óleo de gergelim ou com pó de Triphala misturado com óleo de gergelim. O óleo de gergelim nutre o tecido ósseo (*Asthi dhatu*). Encha a boca com óleo de gergelim, passe-o de um lado para o outro durante dois ou três minutos e depois cuspa-o. Em seguida, massageie delicadamente as gengivas com o dedo indicador. Mastigar bem a comida estimula as gengivas e ajuda a mantê-las saudáveis. Acredita-se que comer quatro figos por dia fortaleça os dentes e as gengivas.

Os olhos

Acredita-se que pingar óleo de anu-taila (uma combinação de muitas ervas diferentes) no nariz e óleo de gergelim nos ouvidos é bom para os olhos; e que de um quarto à metade de uma colher de chá de Triphala regularmente à noite, com mel e *ghee*, é um bom tônico ocular. Leite com shatavari também é recomendado para os olhos. Um sono adequado é importante. Olhar para objetos auspiciosos ou tocá-los é considerado bom para a mente.

Aplicação de óleo na cabeça

Aplicar um óleo apropriado à sua constituição na cabeça ajuda a manter o cabelo e o couro cabeludo saudáveis e a evitar dores de cabeça, queda de cabelo e cabelo grisalho. Quando aplicado antes de ir para a cama, isso também favorece o sono.

Os ouvidos

Óleo de gergelim ou de coco podem ser pingados diariamente nos ouvidos. Isso é particularmente benéfico para reduzir sintomas de *Vata* como problemas de audição, zumbido no ouvido e acúmulo de cera.

O nariz

Duas gotas de anu-taila em cada narina todas as manhãs depois do banho ou antes de ir para a cama são recomendadas. O uso de gotas nasais é

A massagem diária do corpo com óleo de gergelim tem efeito rejuvenescedor e saudável.

Gargarejar com óleo de gergelim ajuda a combater os vírus e as bactérias que são responsáveis pelos resfriados e infecções da garganta.

conhecido como *Nasya*, sendo especialmente benéfico para reduzir distúrbios de *Vata* da mente e da cabeça, bem como para evitar infecções respiratórias. As pessoas com constituição *Pitta* ou tendência para hemorragia nasal podem usar *ghee* misturado com um pouco de açafrão. Para o nariz seco que tende a ficar entupido com facilidade, óleo de gergelim medicado com bala pode ser usado como gotas nasais. *Bhastrika* – a expiração forte em cada narina com a boca fechada – mantém as vias aéreas limpas e ajuda a evitar as infecções respiratórias (para mais informações sobre o *Pranayama*, ver p. 278).

A voz

Para a voz, recomenda-se chupar cravo. Duas gotas de anu-taila na garganta e gargarejar com óleo de gergelim medicado com cravo ou rosa também são opções recomendadas. Evite tomar bebidas frias e sorvete.

O gargarejo

Depois de escovar os dentes, você pode enxaguar a boca, raspar a língua e gargarejar com água. O óleo de gergelim é particularmente recomendado para repelir infecções.

Massagem com óleo

Fazer uma automassagem no corpo com óleo de gergelim durante 15 minutos todos os dias antes do banho de banheira ou de chuveiro melhora a pele, tonifica os músculos e os vasos sanguíneos e tem ação reconfortante sobre o sistema nervoso. Se você estiver sem tempo, simplesmente pingue um pouco de óleo de gergelim nos ouvidos e massageie o pescoço, a cabeça, a coluna vertebral e as solas dos pés. Uma massagem com óleo de gergelim apenas três vezes por semana terá um efeito benéfico, sendo particularmente calmante para *Vata*. Ela estimula a circulação, ajuda a remover os resíduos dos tecidos, melhora a visão, aprimora os cinco sentidos, induz a um sono tranquilo e ajuda a retardar o envelhecimento. Massagear com óleo as solas dos pés alivia a letargia e a fadiga e é bom para os nervos e os olhos. Essa massagem pode ser feita em todas as estações do ano, exceto no calor do verão.

O exercício

Você deve se exercitar regularmente pela manhã até começar a transpirar ou respirar pela boca. É melhor fazer exercícios vigorosos no inverno e na primavera. O exercício regular aumenta a capacidade de resistência e a resistência às doenças por aumentar a imunidade, desobstruir os canais e promover a circulação e a eliminação dos resíduos. Ele também pode reduzir a tendência à depressão e à ansiedade. Dependendo da idade, as pessoas do tipo *Kapha* podem fazer exercícios mais intensos; os tipos *Pitta* devem fazer exercícios moderados, não competitivos; e os tipos *Vata* devem fazer caminhadas suaves ou praticar yoga.

O yoga é bom para a coluna e os órgãos da digestão, da respiração e assim por diante, e ajuda a acalmar a mente. As saudações ao sol ativam seu *Prana* (energia), removem a estagnação do corpo e fortalecem o fogo digestivo.

Evite qualquer tipo de exercício se você não estiver bem, e também não se exercite após as refeições. O *Pranayama* o desperta, desanuvia a mente e oxigena o corpo, ajudando a acentuar o vigor físico e mental.

O banho

O banho é recomendado depois da massagem com óleo; você deve lavar o corpo com água morna e a cabeça com água fria. Você pode usar um exfoliante para a pele feito com uma pasta de devadaru [*Cedrus deodara*] e amalaki.

A agua morna medicada com folhas de manjericão-santo é boa para a constituição *Vata*. As pessoas com constituição *Pitta* podem usar água fria medicada com *sândalo* ou *manjishta*. O melhor para as que têm uma constituição *Kapha* é água quente medicada com kadambari (*Anthocephalus indicus*) ou pimenta.

O banho purifica os sentidos, dissipa a fadiga e aumenta *Ojas* (força, a reserva de energia primordial do corpo). A melhor hora para meditar ou rezar é após o banho.

Um banho morno e relaxante depois de uma massagem com óleo nutre Ojas.

As roupas

O ideal é que as roupas sejam leves, a não ser que esteja fazendo muito frio, e feitas de fibras naturais como algodão, lã, linho ou seda. A pele precisa respirar e deixar que o sangue circule livremente.

A alimentação

Precisamos comer de maneira regular, deixando um intervalo de quatro a seis horas entre as refeições e, pelo menos, três horas entre a última refeição e o momento de ir para a cama. Além de modificar sua alimentação de acordo com sua constituição *dóshica*, você deve variá-la segundo seu estado de saúde e a estação do ano.

É importante comer devagar, mastigando cada pedaço, para que você possa digerir e absorver a comida. Coma em silêncio, sem fazer mais nada na hora (como ler ou assistir à televisão), saboreando e desfrutando

A melhor hora para meditar ou rezar é após o banho.

a sua comida. É melhor evitar comer alimentos pesados à noite. Depois do almoço, você pode dar um curto passeio para estimular a digestão. À noite, você pode passear ao ar livre para refrescar a mente e o corpo. Antes de ir para a cama, é benéfico rezar ou meditar novamente.

A prece ou a meditação

Depois do banho, sente-se em uma posição confortável com a coluna reta. Acalme a mente e concentre-se na respiração ou em seu mantra. Essa prática é ideal para disciplinar a mente, expandir a consciência e a clareza e reduzir o estresse.

O sono

Uma mente calma, uma massagem com óleo, pingar gotas de óleo no ouvido, um banho, um bom jantar e uma cama confortável em um ambiente reconfortante devem assegurar uma boa noite de sono. O ideal é que você vá se deitar todas as noites na mesma hora, se possível, de preferência por volta das dez horas, antes que o horário de *Pitta* se inicie, para garantir que dormirá oito horas. Tomar meia colher de chá de ashwagandha [*Withania somnifera*] misturado com leite morno antes de dormir ajudará a garantir um sono reparador. Brahmi, noz-moscada e shankapushpi também são benéficos.

Rejuvenescedores

As ervas tônicas famosas pela sua capacidade de melhorar a qualidade dos tecidos podem ser tomadas regularmente. Entre elas estão ashwagandha, bibhitaki, pippali, shatavari, gotu kola, amalaki, haritaki, alcaçuz, guduchi, bala, gokshura, punarnava e a fórmula Chayawanprash. Os *Rasayanas,* ou tônicos rejuvenescedores, podem ser tanto físicos quanto mais sutis.

Passar algum tempo do lado de fora na natureza, bem como o amor, a compaixão e o carinho pelos outros, estudar e almejar o autoconhecimento e a prática da meditação também atuam como *Rasayanas* (ver p. 370).

Variações sazonais (*Parinam*)

Os três *doshas* são afetados pelas qualidades quente/fria, úmida/seca e pesada/leve da estação. Em certas ocasiões, os *doshas* se acumulam, em outras são agravados e em outras ainda são aliviados.

EFEITOS SAZONAIS	
Final do inverno/ primavera	*Pitta* se acumula, *Kapha* é agravado, *Vata* se acalma
Verão	*Pitta* é agravado, *Vata* se acumula, *Kapha* se acalma
Outono	*Vata* é agravado, *Pitta* e *Kapha* se acalmam
Inverno	*Kapha* se acumula, *Vata* e *Pitta* se acalmam

As doenças estão muito mais propensas a ocorrer nas junções das estações do ano, quando Vata *está agravado.*

Os alimentos e as ervas ingeridos em uma estação particular são mais bem escolhidos de acordo com suas qualidades. As substâncias selecionadas deverão ter qualidades opostas às da estação. Se o tempo estiver frio e úmido, os alimentos e as ervas que são quentes, secos e reduzem *Kapha* são indicados. Se a alimentação, o estilo de vida e a rotina não forem ajustados de acordo com a estação para manter o equilíbrio dos *doshas*, a sua saúde poderá ser afetada de uma maneira adversa.

As rotinas sazonais precisam levar em conta as diferenças na constituição. Uma pessoa saudável deve ajustar a sua comida e o estilo de vida para equilibrar *Kapha* no final do inverno e na primavera, *Pitta* durante o verão e *Vata* durante o outono e o início do inverno, ao passo que uma pessoa que seja fortemente *Vata, Pitta* ou *Kapha* precisa equilibrar o seu *dosha* predominante o ano inteiro.

As doenças têm mais probabilidade de ocorrer nas junções das estações do ano, ocasiões em que *Vata* está agravado. A ovulação e a menstruação são junções do ciclo menstrual; o amanhecer e o anoitecer são junções do dia e da noite; a adolescência e a menopausa são as junções da vida. A desintoxicação sazonal ajuda a proteger contra as doenças que se desenvolvem nessas ocasiões (ver p. 204).

Na junção do inverno com a primavera, *Kapha* se torna predominante, e essa é a melhor época para todos os tipos de constituição eliminarem *Kapha*. Uma pessoa com constituição *Kapha* requer uma purificação mais vigorosa do que uma pessoa *Pitta*, que é mais bem purificada com purgação branda. No caso de uma pessoa *Vata*, o melhor é que ela elimine gradualmente *Kapha* por meio de medicamentos suaves e de um jejum *Kichari* (ver p. 215) do que adotando medidas mais fortes, que poderão aumentar *Vata*. Entre a primavera e o verão, tanto os tipos *Pitta* quanto os tipos *Kapha* podem se beneficiar da purgação, a qual poderá ou não ser adequada para uma pessoa *Vata*, de acordo com a sua condição específica. As pessoas *Vata* respondem bem aos enemas medicinais na junção entre o outono e o inverno.

PARTE 3

Diagnóstico e Tratamento Ayurvédicos

O Ayurveda enfatiza a importância de tratar as causas da saúde e da doença, e não os sintomas da doença. Esta parte do livro examina as causas e os estágios da doença, a arte do diagnóstico em todas as suas múltiplas formas e tratamentos, incluindo a desintoxicação, que você pode usar em casa a fim de equilibrar os *doshas*, tratar os *dhatus* e restabelecer a saúde do corpo e da mente.

Capítulo 8: As causas e os estágios da doença (*Samprapti*)

De acordo com o Ayurveda, a causa da doença (*Vyadhi*) é o equilíbrio prejudicado dos três *doshas*, o que por sua vez perturba o fogo digestivo (*Agni*) e causa a formação de toxinas (*Ama*), o que afeta a nutrição e a saúde dos tecidos (*dhatus*). O desequilíbrio dos *doshas* e o curso que eles seguem para causar a doença é chamado de *Samprapti*, ou patogênese. O Ayurveda tem o entendimento exclusivo de que todas as doenças passam pelos mesmos seis estágios e, em cada um dos cinco primeiros níveis, a doença pode ser interrompida e tratada, se forem feitas as mudanças corretas na alimentação e no estilo de vida. As ervas também podem ser usadas para equilibrar os *doshas* e *Agni*, eliminar *Ama* e nutrir os *dhatus*, devolvendo o equilíbrio ao corpo e à mente.

Existe uma gama de diferentes ervas que podem ser transformadas em chás para equilibrar a constituição.

Os seis estágios da doença

O benefício de reconhecer os estágios que a doença atravessa quando se desenvolve é que os primeiros sinais de uma enfermidade podem ser detectados antes que fiquem difíceis de tratar ou se estabeleçam de tal maneira no corpo que se tornem incuráveis. Esse reconhecimento possibilita que as medidas preventivas e curativas corretas sejam tomadas.

A determinação do estágio de qualquer doença oferece uma clara indicação do prognóstico – o que significa determinar a rapidez e a eficácia com que você se recuperará dos sintomas que está sentindo.

Os três primeiros estágios da doença são representados por sintomas vagos e mal definidos, que frequentemente residem debaixo do limiar da consciência. Somente os três últimos estágios dão origem a sintomas claros normalmente associados à doença. Se desequilíbrios sutis puderem ser percebidos nos três primeiros estágios, você poderá tomar providencias para remediar a situação e evitar que a doença se desenvolva completamente.

De acordo com o Ayurveda, todos os distúrbios dos *doshas* começam com a mente e, especificamente, com:

• ***Avidhya**:* ignorância – assimilamos a informação errada a respeito do que é correto para a nossa saúde e agimos em conformidade com isso.

• ***Asatya indrya samartha**:* apego indevido dos sentidos – fazemos julgamentos errados, como beber álcool em excesso, achando que é uma coisa boa, embora isso seja nocivo e viciante.

• ***Prajna paradha**:* "crimes contra a sabedoria" – não aprendemos com a experiência e repetimos os mesmos erros, como beber álcool e ter uma ressaca, ou comer açúcar, embora da última vez isso tenha nos causado um ataque de hiperglicemia.

Esses "crimes contra a sabedoria" conduzem aos seis estágios da doença, que são:

1 Acumulação (*Chaya*)
2 Agravamento (*Prakopa*)
3 Expansão (*Prasara*)
4 Localização (*Sthansan shraya*)
5 Manifestação (*Vyakti*)
6 Diferenciação/especificação (*Bheda*).

Acumulação: o primeiro estágio envolve aumento, acumulação e estagnação do *dosha* no seu principal local no corpo:

• O abdômen inferior para *Vata*
• O meio do abdômen, o estômago, o intestino delgado, o fígado e assim por diante para *Pitta*
• O estômago superior e o sistema respiratório para *Kapha*.

Nesse estágio, não ocorrem sinais claros ou sintomas, apenas uma conscientização do *dosha* aumen-

Podemos cometer erros de julgamento, achando que beber álcool é bom para nós.

O estresse pode provocar ainda mais o desequilíbrio do dosha *e conduzir ao agravamento e à expansão.*

tado. Por exemplo, *Vata* aumentado pode dar origem à distensão abdominal, flatulência ou prisão de ventre; *Pitta* aumentado pode envolver uma crescente sensação de calor e uma leve acidez estomacal; se *Kapha* estiver aumentado, poderão ocorrer letargia, digestão preguiçosa e catarro.

Agravamento: o *dosha* se torna adicionalmente estimulado. Isso é provocado pelo nosso estilo de vida, pelo estresse e especificamente:

- Pela comida (*Ahara*)
- Pela atividade (*Vihara*)
- Por mudanças sazonais ou climáticas (*Charya*) (ver p. 204), conduzindo ao estágio seguinte da doença.

Expansão: à medida que o *dosha* se acumula ainda mais, ele se expande além do seu local principal e é distribuído a outros tecidos, particularmente se eles tiverem afinidade com o *dosha* envolvido. Se *Vata* se acumular, ele pode se expandir do abdômen inferior para a mente, causando ansiedade ou insônia, ou para as articulações, tornando-as doloridas. Se *Pitta* se expandir além do estômago/intestino delgado, ele pode se manifestar como irritabilidade e perfeccionismo, ou em problemas de pele. E se *Kapha* estiver agravado, então *Kledaka Kapha* (um subtipo de

Kapha que governa a digestão) no estômago poderá ser afetado, causando digestão preguiçosa, falta de apetite e letargia.

Poderá haver um, dois ou até mesmo três *doshas* envolvidos ao mesmo tempo, e para muitas pessoas isso pode ser confuso quando se trata de determinar qual *dosha* deve ser tratado primeiro. Se o *dosha* agravado for *Vata*, mas ele tiver se espalhado para locais específicos de *Pitta* (como a pele), então a linha de tratamento deverá ser para *Pitta*. Se o *dosha* agravado for *Pitta* e ele tiver se espalhado para locais específicos de *Kapha* (e vice-versa), então o tratamento deverá ser para o *dosha* desse local (consulte os subtipos dos *doshas* na p. 54).

Localização: este representa o estágio prodromal (no qual ocorrem os sintomas iniciais) da doença, no qual os sintomas claros e óbvios ainda estão por se manifestar. O *dosha* excitado, tendo se expandido e se espalhado para outras partes do corpo, torna-se localizado e marca os primórdios da doença relacionada com esses tecidos. Ele interage com os *dhatus* (ver p. 64) nessas partes. Os locais escolhidos para a localização do *dosha* excitado dependem da força ou da fraqueza dos *dhatus*, o que varia de uma pessoa para outra. Nesse estágio, ainda é possível reverter o processo por meio de mudanças na alimentação e no estilo de vida e com a utilização de ervas.

Manifestação: a doença se manifesta completamente por meio de sintomas físicos, que ocorrem onde o *dosha* se acomodou, como nas articulações, no caso da artrite, ou na cabeça, no caso da enxaqueca.

Diferenciação/especificação: esse é o estágio no qual a doença pode se tornar subaguda, crônica ou incurável. A alimentação, os conselhos sobre o estilo de vida e as ervas podem ser usados para melhorar e aliviar os sintomas, mas eles poderão nunca desaparecer completamente.

Os trajetos da doença

Existem três trajetos ou caminhos da doença classificados no Ayurveda: o trajeto interno (*Antar marga*), o trajeto externo (*Bahya marga*) e o trajeto intermediário (*Madhyam marga*).

O caminho interno consiste do trato digestivo, que se estende da boca ao ânus. É aqui que os três *doshas* primeiro se acumulam e são perturbados, e é o local do primeiro e do segundo estágios da doença, a acumulação (*Chaya*) e o agravamento (*Prakopa*). Ao usar ervas como a Triphala para regular *Agni* e eliminar *Ama*, e ao ajustar a alimentação e o estilo de vida ao equilíbrio dos *doshas*, o excesso dos *doshas* pode ser efetivamente eliminado do local e a doença evitada.

O caminho externo é a parte periférica do corpo e envolve a pele e os *dhatus Rasa* (plasma) e *Rakta* (sangue). Uma vez que os sintomas apareçam na pele, fica caracterizado que a doença avançou para o terceiro estágio, a expansão (*Prasara*). Uma massagem com óleo morno, vapor e fomentação, bem como ervas como a Triphala, podem ajudar a fazer *Ama* recuar ao caminho interno, para que seja eliminado por meio do intestino.

O caminho intermediário envolve órgãos vitais, como o cérebro, o coração, os pulmões, o fígado, os rins e os órgãos reprodutivos. Ele também afeta os outros *dhatus*: *Mamsa* (tecido muscular), *Medas* (tecido adiposo), *Asthi* (tecido ósseo), *Majja* (tecido nervoso) e *Shukra* (tecido reprodutivo). O fato de o(s) *dosha(s)* perturbado(s) e *Ama* terem afetado o caminho intermediário significa que a doença avançou para o quarto e o quinto estágios, a localização (*Sthansan shraya*) e a manifestação (*Vyakti*), e, se não for tratada, poderá progredir para o sexto estágio, a diferenciação (*Bheda*).

A massagem com óleo morno pode ajudar a fazer Ama *recuar para o caminho interno a fim de ser eliminado.*

Nesse estágio, a doença crônica já se manifestou e o autotratamento provavelmente não é a melhor opção. Você é aconselhado a consultar um especialista ayurvédico ou visitar uma clínica *Panchakarma*.

Capítulo 9: Técnicas ayurvédicas de diagnóstico

Antes que o tratamento possa começar, você precisa determinar a sua constituição básica (*Prakruti*) e o atual desequilíbrio dos seus *doshas* (*Vikruti*) (ver p. 96), o que poderá ter causado os sintomas ou a doença (*Roga*) que precisa ser resolvida.

É melhor avaliar a sua constituição tendo em mente a saúde preventiva do que esperar o dia em que você esteja efetivamente se sentindo mal. O bom diagnóstico é importante para que as medidas preventivas e curativas corretas possam ser tomadas, o que significa que o tratamento poderá ser o mais eficaz possível.

Ao longo de todos os antigos textos ayurvédicos, como os de autoria de Charaka e Sushrita (ver p. 15), há uma riqueza de informações relacionadas com técnicas de diagnóstico, e estas são combinadas pelos praticantes ayurvédicos com as medidas diagnósticas em constante transformação, enquanto a tradição do Ayurveda acompanha os avanços modernos e o crescente conhecimento a respeito do diagnóstico das doenças. Isso significa que os métodos de diagnóstico podem variar de um praticante para outro; no entanto, *grosso modo*, eles seguem as mesmas linhas gerais.

O bom diagnóstico é importante para que as medidas corretas possam ser tomadas a fim de corrigir seus desequilíbrios individuais.

A arte do diagnóstico

Ao documentar o histórico de um caso, o praticante ayurvédico fará muitas perguntas e também recorrerá à observação, ao toque, a terapias e à "orientação" (prescrevendo alguma forma de tratamento que use uma dieta e ervas para equilibrar um ou outro *dosha* a fim de descobrir o que está errado). Se os sintomas melhorarem, o praticante recomendará tratamentos adicionais dentro da mesma linha; se não melhorarem, ele modificará as sugestões.

Por meio de perguntas, o praticante determinará várias coisas sobre o paciente, como a digestão, a alimentação, o estilo de vida, os hábitos e sua força ou resiliência de um modo geral. Isso lhe dará uma ideia do prognóstico: quanto tempo o paciente levará para recuperar a saúde total. O exame físico frequentemente inclui a inspeção *da* urina, das fezes, da língua, dos sons do corpo, dos olhos, da pele e da aparência geral do paciente.

Tradicionalmente, a arte do diagnóstico no Ayurveda é dividida em duas partes: *Rogi pariksa* (o exame da pessoa); e *Roga pariksa* (o exame da doença). O tratado Madhava Nidana descreveu cinco diferentes aspectos de diagnóstico necessários para avaliar os sintomas, a natureza da doença de uma pessoa (*Roga*) bem como as causas fundamentais, a fim de que o tratamento possa ser mais eficaz.

1 Causas de *Roga* (*Nidana* ou *Hetu*)

A causa da doença (*Vyadhi*) é avaliada a partir do ponto de vista da natureza do desequilíbrio dos três *doshas*, que então perturba o fogo digestivo (*Agni*) e conduz à formação de toxinas (*Ama*), o que por sua vez afeta a nutrição e a saúde dos *dhatus* (tecidos).

É vital determinar por que você ficou doente para que as causas subjacentes possam ser tratadas por meio de dieta, ervas e conselhos sobre o estilo de vida, e para evitar tratar apenas dos sintomas. Se as causas não forem compreendidas, é pouco provável que o tratamento seja eficaz e bem possível que ocorra uma recorrência dos sintomas.

2 Sintomas prodromais (*Purva-Rupa*)

O Ayurveda divide o progresso do desequilíbrio até a doença completamente desenvolvida ao longo dos seus estágios da doença (ver p. 162). Os primeiros três estágios são os prodromais (nos quais ocorre o início dos sintomas), que envolvem sintomas vagos e mal definidos, os quais,

Uma consulta ayurvédica inclui registrar o histórico completo do caso recorrendo a perguntas e a uma atenta observação.

com frequência, residem debaixo do limiar da consciência.

Se desequilíbrios sutis que proporcionam advertências úteis puderem ser percebidos nos três primeiros estágios, você poderá tomar medidas para remediar a situação e evitar que a doença se desenvolva plenamente.

3 Indícios e sintomas efetivos de *Roga* (*Rupa*)

Representam os três últimos estágios da doença e dão origem a sintomas claros normalmente associados à doença.

4 Patogênese, ou o curso da doença (*Samprapti*)

A análise do desequilíbrio dos *doshas*, e o curso que eles seguiram para causar a doença, é chamada de *Samprapti* ou patogênese (ver p. 160).

5 Teste terapêutico (*Upasaya*)

É o uso da terapia exploratória na forma de dieta, ervas e mudanças no estilo de vida, quando o diagnóstico exato não está claro, a fim de verificar se eles ajudam ou exacerbam. Por exemplo, a insônia que responde à ingestão de ashwagandha em leite morno antes de ir para a cama ou articulações doloridas aliviadas por uma massagem com óleo morno indicam claramente que os distúrbios são causados por um desequilíbrio de *Vata* (humor ar).

Recursos para o diagnóstico

De acordo com o importante texto clássico Charaka, três coisas são fundamentais para o diagnóstico:

- **A observação direta** (*Pratyaksha*) por meio dos cinco sentidos do praticante – ouvir, sentir, olhar, cheirar e provar. No entanto, em vez desse último, os praticantes modernos recorrem a perguntas! Os praticantes podem usar estetoscópios e, para os ouvidos, auriculoscópios e instrumentos de ampliação como otoscópios.

- **Autoridade textual** (*Shabdha* ou *Aptopadesh*), que é dupla. Primeiro, há o corpo de conhecimento

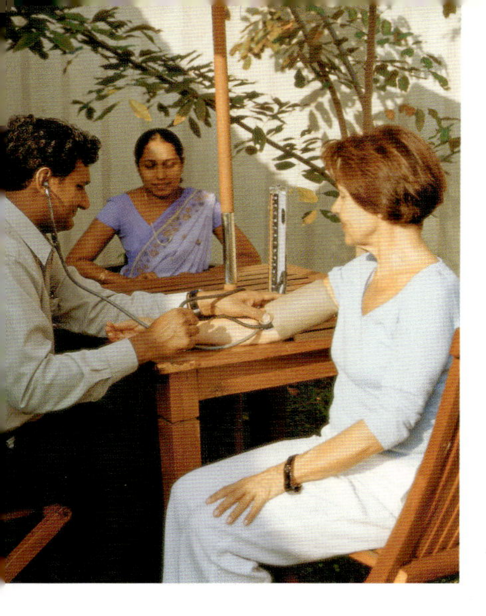

O diagnóstico ayurvédico inclui uma combinação de práticas antigas e novas, tradicionais e modernas.

documentado na literatura do Ayurveda e os ensinamentos de médicos ayurvédicos de renome. Segundo, há as informações obtidas pelo praticante durante a elaboração do histórico de um caso, o que inclui o histórico médico e familiar anterior.

• **Inferência** (*Anumana*) – raciocinar com base na inferência, fazer uma análise de todas as informações reunidas por meio do conhecimento e da qualificação anteriores do praticante, e por meio da entrevista com o paciente, incluindo o diagnóstico do pulso. O resultado final é o diagnóstico, o prognóstico e um plano de tratamento.

Os exames óctuplos

A observação direta consiste dos "exames óctuplos", como se segue:

1 Pulso (*Nadi pariksha*): esse é um método prático altamente desenvolvido para aumentar a compreensão da fisiologia e da patologia do corpo e da mente. São necessários anos para dominá-lo, e ele inclui determinar a velocidade, a profundidade, a força, a posição e a qualidade da pulsação radial em cada pulso, com o objetivo de determinar a *Prakruti* e a *Vikruti* do paciente, o estado dos sete *dhatus*, bem como a força e a resiliência da pessoa.

2 Língua (*Jibha pariksha*): esse método inclui a forma, a cor, o revestimento e características específicas, como marcas dos dentes, linhas, rachaduras, intumescências e papilas elevadas. Ele pode nos dizer muitas coisas a respeito da digestão, dos *doshas*, da qualidade do sangue (*Rakta dhatu*) e se *Ama* (toxinas) está presente.

3 Urina (*Mutra pariksha*): Inclui a cor, o odor, o volume, a frequência e a consistência, fornecendo mais informações a respeito dos *doshas*. Um método exclusivo de análise é usado para avaliar o estado dos *doshas*. Algumas gotas de óleo são adicionadas à urina, quando colocada em uma tigela, e a atividade do óleo indica o equilíbrio *dóshico*.

4 Fezes (*Mala pariksha*): inclui regularidade, odor, cor, forma, consistência e se as fezes afundam ou flutuam, o que fornece informações a respeito da digestão e dos *doshas*.

5 Simetria do corpo (*Akruti pariksha*): inclui uma avaliação das proporções físicas do corpo, a proeminência dos ossos e das veias e a quantidade de gordura, como um guia adicional para o equilíbrio dos *doshas*.

6 Olhos (*Druck pariksha*): inclui a cor, a forma, o brilho e a limpidez dos olhos, fornecendo-nos particularmente informações sobre a qualidade do tecido nervoso (*Majja dhatu*). Entre os indícios de *Vata* estão o ressecamento e possíveis tiques ou contrações musculares; *Pitta* (humor fogo) é indicado pela vermelhidão e irritação, e *Kapha* (humor água) por olhos grandes, porém lacrimejantes.

7 Voz ou sons (*Shabdha pariksha*): inclui o som, a altura e a intensidade da voz, bem como outros sons do corpo, como a respiração, os movimentos intestinais e das articulações, que nos dizem mais coisas a respeito do equilíbrio dos *doshas*.

8 Pele (*Sparsha pariksha*): a temperatura, a textura, a secura, a umidade, a firmeza e a suavidade da pele, fornecendo informações a respeito da qualidade do tecido plasmático (*Rasa dhatu*).

Para um diagnóstico realmente completo, o praticante também usará as Dez Avaliações (*Dashavidhya pariksha*).

AS DEZ AVALIAÇÕES

1 **Avaliação da constituição (*Prakruti*)**: análise da nossa constituição básica, *Vata, Pitta* ou *Kapha*, e combinações deles.

2 **Estado de desequilíbrio (*Vikruti*)**: o estado atual de desequilíbrios dos *doshas*.

3 **Qualidade dos tecidos (*Sara*)**: estados deficientes, excessivos e danificados dos sete *dhatus*.

4 **Qualidade do corpo (*Sharira sanhana*)**: o tipo de físico, a força, o estado nutricional, o movimento e o funcionamento geral.

5 **Tipo de corpo (*Sharira pranama*)**: se é alto, baixo, corpulento ou magro, proporcional ou simétrico.

6 **Estilo de vida (*Satmya*):** rotinas diárias e sazonais, alimentação, clima, comportamento, gostos e aversões.

7 **Constituição psicológica (*Manas prakruti*)**: o estado da mente e das emoções, incluindo a capacidade de analisar intelectualmente as coisas (*Dee*), a retenção da memória (*Druthi*) e a recordação da memória (*Smriti*). Inclui uma avaliação dos *gunas* (qualidades): *Sattva* (clareza e harmonia), *Rajas* (energia e ação) e *Tamas* (deterioração e inércia).

8 **Fogo digestivo (*Sama Agni*)**: instável, forte, fraco/lento ou equilibrado.

9 **Níveis de energia (*Viyayam shakti*)**: a capacidade de se exercitar, força e resistência.

10 **Idade (*Vyas*)**: jovem, de meia-idade ou idoso; isso pode ser usado para comparar com o seu atual nível de saúde.

Diagnóstico do pulso (*Nadi pariksha*)

O pulso representa o fluxo rítmico do sangue quando ele é bombeado do coração para o sistema arterial do corpo. A sua velocidade e seu ritmo nos fornecem informações a respeito da saúde do coração e revelam muitas coisas sobre o estado mental do paciente, já que o coração não é meramente uma bomba, mas representa a sede da consciência.

Existem muitos métodos diferentes de tomar o pulso, e a pulsação varia consideravelmente de uma parte do dia para outra, de modo que o ponto de vista tradicional é que o diagnóstico do pulso é um método "inferencial" (*Anumana*) de obter conhecimento e precisa ser considerado ao lado de outros métodos de diagnóstico. Como está escrito no *Ayurveda Saukhyam*, "O exame do pulso deve ser conduzido com muito cuidado. A proficiência só é alcançada por meio da prática constante".

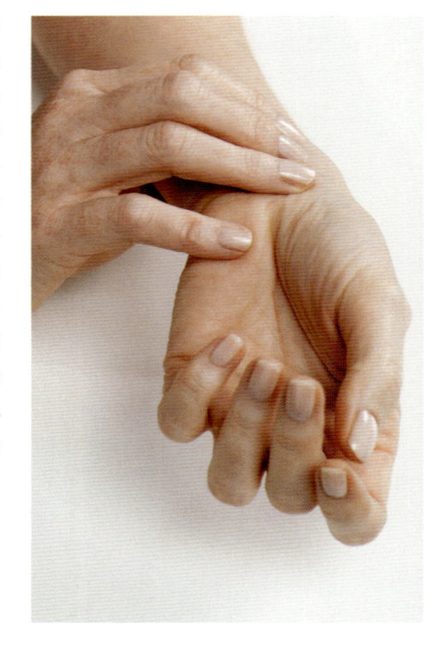

Coloque a ponta dos dedos indicador, médio e anular sobre o seu pulso.

Horário

A hora ideal para tomar o pulso é logo depois que você acordar, depois de esvaziar o intestino. Não é aconselhável tomá-lo quando você tiver acabado de se exercitar, comer, beber alguma coisa quente, tomar um banho quente ou se estiver se sentindo estressado, porque essas coisas tornam difícil confiar apenas nas leituras do pulso.

Posição

Ao tomar o pulso, coloque delicadamente a ponta dos dedos indicador, médio e anular na superfície da pele sobre a artéria radial no pulso e aplique uma pressão uniforme simultaneamente nos três lugares. Coloque o dedo indicador na posição distal (mais afastada do coração) logo abaixo do osso do pulso, mantendo pequenos espaços entre os dedos. Você pode tomar a pulsação de um dos pulsos de cada vez ou, idealmente (quando você estiver tomando o pulso de outra pessoa), tomar ambos ao mesmo tempo. A pulsação do lado esquerdo é mais indicativa da constituição nas mulheres, e a do lado direito, nos homens.

Batimento (*Gati*)

O batimento do pulso tem sido tradicionalmente comparado ao de diferentes animais:

- O batimento do **pulso *Vata*** é comparado ao de uma cobra: fino, fraco, quase imperceptível, serpeante, escorrega quando pressionado, o que torna difícil detectá-lo. Ele pode ser rápido e/ou irregular, e a pele do paciente pode ser fria e seca ao toque.
- O **pulso *Pitta*** salta como uma rã ou uma gralha. Ele é sentido debaixo do dedo médio, e a suas qualidades são: forte, saltitante, regular e vigorosa, com um volume completo; a sensação é de que ele salta vigorosamente para o seu dedo. A pele pode parecer tépida ao toque e a artéria, de um modo geral, parece ser flexível.
- O **pulso *Kapha*** desliza como um cisne na água ou como um elefante que passeia pela selva. Ele é profundo, lento, suave, regular e escorregadio e pode ser difícil de sentir porque é profundo e não é vigoroso, e também de-

vido à gordura subcutânea sobre a artéria. A pele pode ter uma sensação fria, grossa e macia, e a artéria também pode parecer macia e grossa.

A velocidade (*Vega*)

- ***Vata:* rápido**. Quando em equilíbrio, a velocidade do pulso é de 80 batidas por minuto. Quando agravado, o que indica medo ou ansiedade, é de 80 a 90. Quando exaurido, pode ser tão lento quanto 60, pois *Prana* (força vital) está fraco.
- ***Pitta*: médio**. Quando em equilíbrio, ele é de 75 a 85. Quando agravado, o que indica febre ou inflamação, fica acima de 85.
- ***Kapha*: lento**. Quando em equilíbrio, é de 60 a 70. Quando agravado, o que indica letargia, metabolismo lento e congestão, fica abaixo de 60.

Algumas pessoas "em muito boa forma" têm um batimento cardíaco lento. Do ponto de vista ayurvédico, isso acontece porque elas têm o *Rasa*

O pulso pode revelar muitas coisas a respeito do paciente, não apenas fisicamente, mas também mental e emocionalmente.

dhatu (tecido plasmático) enfraquecido, o que pode deixar o coração fraco, manifestando-se em uma pulsação lenta.

Ritmo (*Tala*)

O ritmo do pulso deve ser continuamente regular e rítmico.

• **Regular**: *Vata* está em equilíbrio.
• **Irregular**: *Vata* está agravado.
• **Regularmente irregular**: *Vata* e *Kapha* estão desequilibrados quando as batidas são regularmente perdidas, como a cada quinta batida. *Kapha* confere alguma estabilidade à natureza irregular de *Vata*. Isso poderia significar um excesso de *Kapha* bloqueando o movimento de *Vata*.
• **Irregularmente irregular**: *Vata* e *Pitta* estão em desequilíbrio. Isso poderia significar que *Vata* e *Pitta* combinam as qualidades móveis e ativas um do outro, ou que *Vata* ou *Pitta* está obstruindo o fluxo de *Vata*. Esse poderia ser o caso na fibrilação atrial.

Nível

O fluxo da pulsação nos fornece informações a respeito da qualidade e da quantidade de *Prana*, e a sua força deve ser igual em todos os níveis quando um paciente está saudável. Existem três níveis básicos de pulsação: O "profundo" indica a qualidade e a quantidade de *Ojas* (força) e reflete a nutrição mais profunda nos tecidos. O "médio" está relacionado com a nutrição central dos órgãos. O "superficial" está associado à vitalidade dos tecidos e reflete o estado de *Agni*.

• Se o pulso estiver fraco no nível superficial, porém forte no nível profundo, isso significa que *Agni* está enfraquecido ou por um excesso de *Vata* ou pela estagnação de *Kapha*, e não é suficiente para fazer o *Prana* subir até a superfície do pulso.
• Se o pulso estiver superficialmente forte e rápido, isso poderá indicar *Pitta* e *Agni* elevados no *Rasa dhatu*, com sinais de febre ou de infecção.
• Quando o pulso está superficialmente fraco, isso pode significar que existe uma deficiência de *Vata* e *Pitta* e que *Agni*, *Ojas* e *Prana* estão exauridos.
• Quando o pulso está fraco nas três posições, isso indica que *Agni*, *Ojas* e

Prana estão fracos e que *Vata*, *Pitta* e *Kapha* estão exauridos ou obstruídos.

A determinação da Prakruti e da Vikruti

Prakruti é sentida no nível profundo, ao passo que *Vikruti* é sentida no nível superficial. Se a pulsação for a mesma tanto no nível profundo quanto no superficial, isso significa que você goza de boa saúde e que a sua *Vikruti* é a mesma que a sua *Prakruti*. Se houver diferença entre a pulsação profunda e a superficial, isso significa que os seus *doshas* não estão equilibrados. Você pode avaliar o nível profundo pressionando firmemente o pulso até não conseguir mais sentir a pulsação. Levante lentamente os dedos e, quando a pulsação voltar, esse é o nível profundo que revela a *Prakruti*. Continue a levantar os dedos, e a pulsação que você sentir logo antes de perdê-la completamente é a sua pulsação superficial.

Força (*Bala*)

Bala é a "força" da pulsação sentida debaixo dos dedos em diferentes níveis. Há três forças básicas da pulsação: forte, média e fraca.

- Uma pulsação forte reflete qualquer *Agni* excessivo ou deslocado e indica um *Pitta* elevado.
- Uma pulsação média indica *Agni* e *Ojas* em equilíbrio e é geralmente encontrada no *Kapha* equilibrado.
- Uma pulsação fraca reflete *Agni* e *Ojas* exauridos e indica um *Vata* elevado.

Volume (*Akruti*)

O volume de sangue no pulso é sentido como a elevação da onda de pulso ao dedo, que está relacionada com a pressão arterial sistólica quando a batida do coração empurra o sangue para as artérias. Isso nos fornece informações a respeito da qualidade de *Prana Vata* e *Ranjaka Pitta*.

- Volume baixo: *Vata*.
- Volume médio: *Pitta*.
- Volume alto: *Kapha*.

O volume do sangue no pulso está relacionado com a pressão arterial sistólica.

Toxinas (*Ama*)

De modo geral, a presença de *Ama* é indicada por uma pulsação letárgica e escorregadia, que também pode ser firme, pesada e tensa. Isso significa que ela é firme ao toque, mas escorrega se você exercer mais pressão. Ela será lenta, profunda e preguiçosa em *Sama Kapha*; rápida, saltitante, vigorosa e tensa em *Sama Pitta*, e muito rápida ou muito lenta com tensão e fraqueza em *Sama Vata* – esses sendo os distúrbios de *Ama* de *Kapha*, *Pitta* e *Vata* respectivamente.

Diagnóstico da língua (*Jibha pariksha*)

Usando um espelho, com uma boa luz, abra a boca e ponha a língua para fora – não na sua extensão máxima, mas apenas com um alongamento confortável. A língua normal é de tamanho médio (com relação ao tamanho do corpo como um todo) e tem coloração viçosa e rosada com um revestimento fino e úmido sem nenhuma marca.

Formato e aparência

• ***Vata***: a língua *Vata* reflete as qualidades seca, áspera, móvel, leve e deficiente de *Vata*. Ela pode ser pequena, fina, seca, rachada, fora do padrão e vibrante. Está propensa a ser pálida, devido ao *Agni* baixo, e a ter reentrâncias ou bordas recortadas e secas, o que indica fraca absorção de nutrientes. E pode ter uma coloração azulada, devido à estagnação de *Vyana Vata* circulante (ver p. 56) por causa do frio. Poderá haver descolorações escuras ou pretas. Ela pode ser achatada na parte de trás, o que indica um baixo *Ojas*, e rachada na frente, sinal de um pulmão ressecado. As pessoas com predominância de *Vata* ficam frequentemente apreensivas com relação a botar a língua para fora e acham difícil estendê-la muito. Uma língua extremamente curta é indício de um *Ojas* baixo.

• ***Pitta***: a língua *Pitta* reflete as propriedades acentuadas e incisivas de *Pitta*. Ela é caracteristicamente longa, estreita, pontiaguda e vigorosamente estendida. Devido ao calor do corpo, é provável que seja vermelha ou tenha manchas vermelhas, papilas vermelhas elevadas, bordas inchadas e vermelhas ou a ponta vermelha. A vermelhidão da língua indica um *Pitta* elevado nos *dhatus Rasa* ou *Rakta* (ver p. 66); se ela tiver uma aparência alaranjada, isso significa um *Pitta* elevado no *Rakta dhatu*, ou ela pode ter coloração roxo-avermelhada devido a um *Pitta* elevado que se condensa nos *dhatus Rasa* e *Rakta*, resultando em uma circulação viscosa e morosa.

• ***Kapha***: a língua *Kapha* reflete as qualidades gordurosa, fluida, macia, escorregadia, lisa e fria de *Kapha*. Ela tende a ser grande, larga, inchada, grossa, macia, úmida ou coberta por saliva. O baixo fogo digestivo é indicado por uma língua pálida e úmida e bordas recortadas. A ponta pode ser intumescida, o que indica congestão cardíaca, ou pode estar intumescida no centro, o que indica congestão pulmonar. A língua também pode estar pálida, devido à má circulação, ou ter coloração azul pálida, devido a distúrbios congestivos do

A língua saudável apresenta coloração rosada e viçosa e tem um revestimento fino e úmido.

As marcas de dentes em volta da borda dessa língua indicam fraca absorção de nutrientes.

coração causados pelo *Avalambaka Kapha* agravado (ver p. 62). A língua *Kapha* pode estar tão grande e inchada que chega a dar a impressão de ser grande demais para ser colocada de volta na boca!

Certas substâncias como o café, o tabaco, bebidas aromatizadas e doces com corantes podem descolorir o revestimento da língua. Tomar bebidas quentes e fazer refeições picantes pode tornar o corpo da língua mais vermelho. Os antibióticos podem conferir à língua um revestimento espesso ou uma aparência despelada brilhante.

Revestimento

Os revestimentos da língua podem ter diferentes cores, profundidades e texturas, cada um transmitindo uma mensagem diferente a respeito do estado interno do corpo. Eles podem ser brancos, amarelos e até mesmo pretos, indicando o tipo e a localização de *Ama* no corpo. As mudanças no revestimento da língua são uma maneira fácil de dizer se o tratamento que você está seguindo está tendo um efeito benéfico e se as toxinas estão sendo eliminadas.

• ***Vata***: seco, fino e branco, geralmente na área *Vata* na parte posterior da língua, que representa o cólon.

• ***Pitta***: amarelo. Se também estiver gorduroso, indica uma mistura de *Pitta* e *Ama* elevados. Se for amarelo e seco, significa uma mistura de *Pitta* e *Vata*. A língua também poder ser vermelha, lustrosa e brilhante sem nenhum revestimento, devido ao calor intenso que "queima" o revestimento como um sinal de excesso de *Pitta*. Isso indicaria um distúrbio fraco e deficiente causado pelo metabolismo excessivamente rápido dos nutrientes. O revestimento tem a propensão de se situar mais no meio da língua, local associado ao estômago e ao intestino delgado. As laterais da língua estão relacionadas com o fígado, e muitos desequilíbrios *Pitta* também são encontrados aí.

• ***Kapha***: branco, espesso, úmido, translúcido. Se o revestimento for espesso, branco e gorduroso, significa que uma mistura de *Kapha* e *Ama* está presente. Se for amarelo pálido, indica uma mistura de *Kapha* e *Pitta*. O revestimento está mais propenso a ser mais translúcido em cada um dos lados da linha mediana da língua na parte associada aos pulmões, ao tórax e ao coração. Se houver muito *Kapha* e *Ama*, um revestimento espesso e gorduroso poderá cobrir toda a língua.

Rachadura central

Uma rachadura central na língua reflete o fluxo de *Prana* pelo coração ou pela coluna vertebral. Se a rachadura for em direção à ponta da língua, isso pode significar uma fraqueza cardíaca congênita. Uma rachadura com desvio pode indicar problemas nas costas. A rachadura também pode aparecer devido a um excesso de *Kapha*, o que faz com que as duas laterais da língua fiquem intumescidas.

Capítulo 10: Os princípios do tratamento ayurvédico (*Chikitsa*)

O Ayurveda é um sistema de tal maneira abrangente que, se você seguir suas recomendações, terá o potencial de desfrutar o vibrante estado de saúde que é a base das quatro metas da vida (ver p. 25) –, incluindo a meta suprema de *Moksha*, que é a liberação.

Indicação de boa saúde

De acordo com o Ayurveda, os indícios e sintomas de uma pessoa saudável são os seguintes:

- ***Samadosha***: os *doshas* precisam estar em equilíbrio
- ***Samagnischa***: *Agni* (fogo digestivo) precisa estar em um estado equilibrado a fim de evitar o acúmulo de toxinas
- ***Samadhatumala***: os sete *dhatus* (tecidos) e *malas* (produtos residuais) precisam estar funcionando adequadamente para garantir que *Ama* (toxinas) seja eliminado do sistema
- **Equilíbrio**: os órgãos sensoriais, os órgãos motores, a mente e Atman precisam estar em um estado equilibrado.

Estes estão refletidos nos seguintes indícios de boa saúde:

- Um apetite saudável e um desejo equilibrado pela comida, sem anseios
- Apreciação do sabor da comida e sentir-se satisfeito depois das refeições
- Boa digestão sem quaisquer sinais de desconforto
- Voz clara
- Ausência de qualquer dor ou desconforto

Um apetite saudável sem anseios por determinados alimentos é um indício de boa saúde.

A boa energia e a capacidade de resistência são outros indicadores de boa saúde.

- Duração e qualidade apropriadas de sono: de seis a oito horas por noite
- Tez límpida
- Eliminação regular das fezes, urina e suor
- Energia constante com boa capacidade de resistência
- Entusiasmo pela vida
- Emoções equilibradas: nem feliz demais com o sucesso, nem triste demais nos momentos de dificuldade
- Compassivo, generoso e calmo.

O propósito do tratamento ayurvédico (*Chikitsa*) é equilibrar os *doshas, dhatus* e *malas*. Para fazer isso, é importante garantir um fogo digestivo saudável, eliminar quaisquer toxinas, destruir obstruções nos *srotas* (canais) e equilibrar *Prana* (a força vital), *Teja* (a energia radiante) e *Ojas* (força) (ver p. 266).

Isso deve ser seguido pela terapia de rejuvenescimento (*Rasayana*, consulte o Cap. 18) no intuito de intensificar a boa saúde e a vitalidade contínuas.

Focalizando as causas da doença

A sabedoria do Ayurveda enfatiza a importância de destacar as causas da saúde e da doença, em vez dos milhares de sintomas da doença resultantes delas. É uma abordagem simples sem ser simplista e pode ser compreendida por qualquer um de nós que deseje maximizar nosso potencial de cura por meio do entendimento de nós mesmos e do universo à nossa volta.

Primeiro, você precisa avaliar a sua *Prakruti* e a sua *Vikruti* – ou seja, a sua constituição básica e o seu desequilíbrio *dóshico* atual. A saúde e o bem-estar completos só são possíveis quando os *doshas* trabalham harmoniosamente em conjunto. Cada pessoa exibe uma combinação variada dos três *doshas*, e, se você compreender a sua constituição básica, conhecerá as suas fraquezas e tendências hereditárias e poderá então adotar a alimentação e o estilo de vida corretos que possibilitarão que você se mantenha o mais saudável possível. Essa é a maneira ideal de evitar a depleção da sua saúde e da sua força e a doença resultante.

Se você consultar um praticante, ele documentará um histórico detalhado do caso e o examinará, prestando atenção ao seu físico, à pele e ao tipo de cabelo, à temperatura do seu corpo, à sua digestão e ao funcionamento do seu intestino, bem como ao seu temperamento – os quais apontam, todos, para aspectos mais profundos do seu distúrbio. Os diagnósticos da língua e do pulso são valiosos recursos de diagnóstico usados pelos praticantes ayurvédicos. Uma vez que o seu equilíbrio *dóshico* e o estado dos *dhatus* e dos *malas* tenham sido diagnosticados, e as causas de quaisquer desequilíbrios determinadas, as recomendações sobre a alimentação e o estilo de vida se seguirão de maneira relativamente natural. Ervas serão receitadas.

Tratamentos ayurvédicos

O tratamento que você pode usar em casa, e que a maioria dos praticantes ayurvédicos no Ocidente emprega, é conhecido como terapia paliativa (*Shamana*) – em contraste com *Panchakarma* ou terapia de purificação (conhecida como *Shodhana*), conduzida em clínicas especiais.

Shamana emprega tradicionalmente seis técnicas principais para equilibrar os *doshas, dhatus* e *malas*, elevar *Agni* e eliminar *Ama*:

1 Terapia de redução (*Langhana*) a fim de eliminar os excessos de *Ama/doshas*

2 Tonificação (*Brimhana*) usada quando existe uma deficiência, recorrendo-se a tônicos doces e nutritivos (*Rasayanas*) na forma de alimentos e ervas

3 Secagem (*Rukshana*) para eliminar o excesso de fluido, com emprego de ervas diuréticas e adstringentes

4 Aplicação de óleo (*Snehana*) no intuito de reduzir o ressecamento, usando óleos e massagem, bem como ervas reconfortantes

5 Fomentação ou sudação terapêutica (*Swedana*) para dissipar o frio, a rigidez e o calor que se acumulou no corpo, recorrendo ao vapor e a ervas diaforéticas (ver p. 192)

6 Ervas adstringentes (*Stambhana*) a fim de reduzir o fluxo excessivo dos fluidos, como a diarreia ou o sangramento.

Vagbhata, famoso médico ayurvédico que viveu aproximadamente no século VII d.C., criou duas amplas categorias de tratamento: *Langhana*, que significa "redução", e *Brimhana*, que significa "tonificação".

1 *Langhana*

Langhana reduz, decompõe e desintoxica o corpo, purgando-o de acumulações excessivas, toxinas e *doshas* danificados. Ele é adicionalmente subdividido em *Langhana* propriamente dito, ou purificação/limpeza (para *Shamana* e *Shodhana*, ver p. 206); *Rukshana*, ou secagem; e *Swedana*, ou sudação. *Shamana* abarca a maioria das práticas de limpeza diárias que podem ser feitas regularmente em casa. Elas também podem ser usadas como preparação para *Shodhana* ou *Panchakarma* e podem ser divididas nas seguintes práticas:

- ***Dipana***: o despertar do fogo digestivo por meio de ervas picantes, quentes e ressecantes para estimular *Agni*
- ***Pachana***: eliminação de toxinas *Ama* e resíduos de alimentos não digeridos (ver desintoxicação na p. 217)
- ***Vrat*** ou ***Kshud nigraha***: jejum (ver desintoxicação na p. 213)
- ***Trsna or Trn nigraha***: abstinência, ou redução, da ingestão de líquidos (particularmente recomendada para o excesso de *Kapha*, mas só pode ser feita quando indicada por um praticante)
- ***Vyayama***: exercício e yoga
- ***Atapa***: tornar mais leves, secar e reduzir os *doshas* sentando-se ao sol e elevando o metabolismo
- ***Maruta***: tornar mais leve e secar o corpo sentando-se no vento, e também por meio de práticas respiratórias (ver *Pranayama* na p. 278).

2 *Brimhana*

Essa prática é usada para nutrir, fortalecer, enriquecer e fortalecer o corpo, e por via de regra segue *Langhana*. Ela envolve o emprego de alimentos nutritivos e rejuvenescedores, bem como de ervas tonificantes. É adicionalmente subdividida em *Brimhana* (dieta e ervas), *Snehana* (aplicação de óleo) e *Stambhana* (adstringência). A dieta e as ervas *Brimhana* se destinam a aumentar o peso e a força e a aumentar *Kapha* nas pessoas exauridas e debilitadas. Elas são particularmente benéficas durante a convalescença, para pessoas que estão magras demais, fracas e esgotadas pelo excesso de *Vata*.

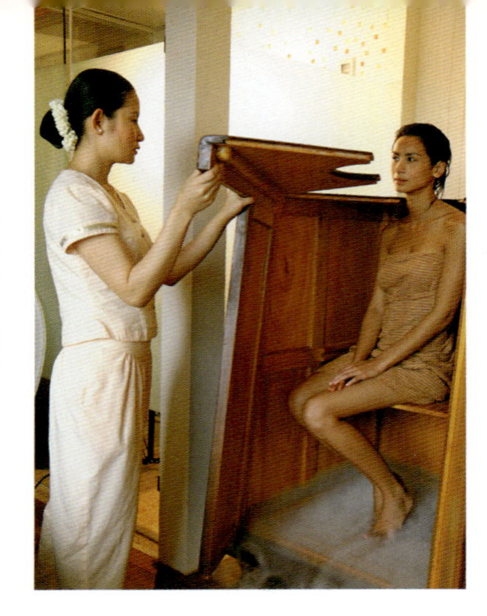

Uma minissauna é usada depois da massagem com óleo e é excelente para reduzir Vata.

3 *Rukshana*

Essa prática envolve a ingestão de alimentos e ervas que têm propriedades diuréticas, a fim de eliminar o excesso de água do corpo, com uma massagem seca que usa pó de ervas. Ela é particularmente proveitosa para o *Kapha* excessivo que se manifesta em doenças como a diabetes e a obesidade.

4 *Snehana*

Essa prática usa óleos e gorduras na forma de *ghee* (manteiga clarificada), tanto interna quanto externamente para aumentar a lubrificação e a nutrição. Ela tem efeito calmante, sedimentador e estabilizador e é particularmente recomendada para distúrbios de *Vata* e, em menor grau, para *Pitta*.

5 *Swedana*

Essa prática abarca terapias que aumentam o calor do corpo e provocam a sudorese, sendo particularmente benéficas para o excesso de *Vata*. Elas incluem a aplicação externa de calor seco ou vapor, ou a ingestão de ervas que aquecem como o gengibre, a canela ou Trikatu. Essas ervas também são benéficas para *Kapha*.

6 *Stambhana*

Prática feita com menos frequência e envolve a utilização de ervas constritivas para reduzir o sangue, a linfa e outros fluidos excessivos no corpo. Ela é particularmente utilizada nos distúrbios de sangramento do tipo *Pitta* e na diarreia.

Focalizando os desequilíbrios

Existem várias maneiras diferentes de remediar os desequilíbrios dos *doshas* e dos *dhatus*, as quais envolvem aprimorar o nosso relacionamento com o mundo à nossa volta. O Ayurveda usa medicamentos fitoterápicos e alimentos saudáveis e aborda todos os aspectos da vida do dia a dia.

As ervas, a dieta e o estilo de vida defendido para cada paciente individual irá variar de acordo com o efeito deles sobre os três *doshas* e os sete *dhatus*.

ESTRATÉGIAS DE TRATAMENTO

As estratégias de tratamento, de um modo geral, sãs as seguintes:

- Tratamento dos *doshas* (ver p. 224)
- Tratamento de *Agni* (ver p. 198)
- Tratamento dos *dhatus* (ver p. 250)
- Tratamento da doença específica (*Vyadhi*)
- Desintoxicação e eliminação do *Ama* com *Ama Pachana* (ver p. 217) ou *Panchakarma*; pacificação da doença e eliminação de *Ama* com *Shamana* (ver desintoxicação na p. 206)
- Tratamento dos *gunas* (três qualidades) por meio do aumento de *Sattva* (clareza e harmonia) e da redução de *Rajas* (energia e ação) e de *Tamas* (deterioração e inércia) (ver p. 227)
- Rejuvenescimento com tônicos (ver *Rasayana* na p. 373).

Equilibrando o excesso e a deficiência

O Ayurveda classifica os distúrbios dos *doshas*, *dhatus*, *malas* e *Agni* como envolvendo excesso, deficiência ou adulteração.

• O **excesso (*Vridhi*)** poderia significar excesso de calor, frio, secura, umidade, vento, muco, *Ama* (toxinas), *mala*, ou excessos de *doshas* e *dhatus*; *Pitta*, por exemplo, é intensificado no tempo quente e ensolarado, causando calor ardente e irritação.

• A **deficiência (*Kshaya*)** poderia significar muito pouco calor, umidade, força física, energia digestiva, resiliência mental ou estados deficientes dos *doshas* e dos *dhatus*; o tecido ósseo deficiente (*Asthi dhatu*), por exemplo, poderá resultar em osteoporose.

• **Adulteração ou anomalia (*Prakopa*)** significa que os *doshas*, *dhatus* e *Agni* estão perturbados e confusos; as tempestades, por exemplo, frequentemente perturbam *Vata*, o que pode causar insônia, enquanto *Pitta* pode ficar perturbado e causar intenso ciúme ou depressão.

"O semelhante aumenta o semelhante", mas os opostos se atraem

Um dos princípios do tratamento ayurvédico é melhorar a saúde de-

Fatores de natureza semelhante à saúde, incluindo o yoga e a meditação, melhoram a saúde.

senvolvendo fatores de natureza semelhante a ela (*Samanya*) e reduzindo fatores de natureza contrária (*Vishesha*). Os fatores de natureza semelhante à saúde, como o repouso, a comida de qualidade ou a meditação, reforçarão a saúde. Aqueles de natureza oposta, como o excesso de trabalho, o álcool, a má alimentação ou o estresse, a prejudicarão.

No entanto, existe também a ideia de que os desequilíbrios da saúde são corrigidos por seus opostos: um distúrbio que envolva o calor excessivo é corrigido empregando-se alimentos refrescantes, como o leite de coco, e ervas como o nim [*Azadirachta indica*] e a andrographis; e um distúrbio frio e seco nas articulações é aliviado pela aplicação de óleos mornos como o de gengibre.

As patologias de excesso são tratadas com o emprego de substâncias com qualidades opostas às da doença, enquanto as patologias de deficiência são tratadas por meio de ervas com propriedades semelhantes.

Desenvolvendo uma fórmula fitoterápica ayurvédica

Um método recomendado para compor uma prescrição fitoterápica é seguir a ordem na qual a doença precisa ser tratada, usando uma ou duas ervas para cada aspecto do tratamento como se segue:

- Ervas para *Agni*
- Ervas para eliminar *Ama*
- Ervas para equilibrar os *doshas*
- Ervas para equilibrar os *dhatus*
- Ervas para a doença específica.

Talvez seja interessante você também usar ervas para aumentar *Sattva* e equilibrar os *gunas* (consulte o Capítulo 15 para ver o perfil das ervas).

Por exemplo, para o tratamento da artrite com *Vata* agravado no tecido ósseo com um baixo fogo digestivo e *Ama*, você poderia usar as seguintes ervas:

- Para o *Agni*: gengibre, cardamomo
- Para o *Ama*: assa-fétida, Triphala
- Para o *dosha*: ashwagandha, bala
- Para o *dhatu*: olíbano, guggulu
- Para a doença: cúrcuma, gotu kola.

Capítulo 11: Desintoxicação

Na tradição ayurvédica, a desintoxicação e o rejuvenescimento (*Rasayana*) representam a principal abordagem para manter uma saúde positiva da mente e do corpo. Períodos regulares de desintoxicação podem protegê-lo, e tratá-lo, de vários problemas de saúde, aumentar a energia e a vitalidade e promover uma sensação de bem-estar.

O processo de desintoxicação

O processo ayurvédico completo de desintoxicação envolve primeiro a eliminação de *Ama* (toxinas), em seguida o equilíbrio dos *doshas* perturbados e, finalmente, a nutrição dos tecidos que foram danificados pela toxicidade e por qualquer doença resultante (*Rasayana*).

As toxinas são substâncias potencialmente nocivas ao corpo: elas baixam as nossas defesas, tornando-nos predispostos a contrair doenças e acelerando o processo de envelhecimento. Os radicais livres (moléculas que causam dano aos tecidos) se desenvolvem devido à acumulação de toxinas no corpo. As pesquisas apontam para o papel dos radicais livres no desenvolvimento de muitas doenças degenerativas e problemas imunológicos como o câncer. As próprias toxinas são um produto do nosso estilo de vida, da nossa digestão, da nossa alimentação, do ambiente e dos nossos padrões emocionais.

Tomar chá de gengibre logo ao acordar pela manhã é recomendado para a desintoxicação.

Agni e *Ama*

Um dos principais princípios do Ayurveda é que a boa digestão é fundamental para a saúde ideal, e a digestão incompleta ou perturbada pode contribuir de maneira importante para o desenvolvimento da doença.

Quando *Agni* (o fogo digestivo) é forte, a nossa comida é digerida e assimilada pelos seus cinco elementos fundamentais (ver p. 28), e depois estes são absorvidos para nutrir as células e os tecidos (consulte *dhatus* na p. 64). Quando estamos saudáveis, qualquer parte da comida digerida que não seja útil para o corpo é eliminada por meios dos três trajetos de eliminação (*malas*): urina, fezes e suor (ver *malas* na p. 75).

Quando o nosso Agni *é bom, a comida é digerida e assimilada para nutrir as nossas células e os tecidos.*

O nosso ambiente interno é governado pelos três *doshas* (ver p. 32), que estão constantemente reagindo ao ambiente externo. A alimentação e o estilo de vida errados para o seu *dosha* ou para a estação, combinações de alimentos incompatíveis (como leite e peixe, melão e cereais, iogurte e carne ou mel cozido), emoções reprimidas e o estresse podem alterar o equilíbrio dos nossos *doshas* e afetar o nosso *Agni*. A comida deficientemente digerida fermenta e produz *Ama*, que penetra na corrente sanguínea e circula pelo corpo, obstruindo os canais. *Ama* é aumentado quando comemos demais, quando estamos estressados ou comemos antes que a refeição anterior tenha sido digerida, quando vamos dormir com o estômago cheio ou comemos sobras, alimentos processados, velhos ou fermentados. Se a toxicidade acumulada se estabelecer firmemente, ela afetará lentamente *Prana* (energia vital), *Ojas* (força e imunidade) e *Tejas* (energia metabólica celular) e resultará na doença. Os sintomas resultantes poderiam ser interpretados como o esforço do nosso corpo de eliminar toxinas. *Ama* é a causa básica de todas as doenças.

É possível ter desequilíbrios de *Vata*, *Pitta* ou *Kapha* com *Ama* ou sem *Ama*. Quando *Ama* está associado com um dos três *doshas*, ele se torna conhecido como *Sama* e os sintomas variam de acordo com o *dosha* envolvido:

- ***Sama Kapha*** é indicado pela indigestão e pela congestão mucosa
- ***Sama Pitta*** é indicado pela indigestão, a hiperacidez e a diarreia, a febre ou por problemas de pele
- ***Sama Vata*** ocorre com cansaço, distensão abdominal, flatulência e prisão de ventre.

Quando há toxicidade no corpo, os alimentos e as ervas corretos não podem ser adequadamente utilizados pelo corpo e é difícil equilibrar os *doshas* enquanto *Ama* não tiver sido removido. Depois disso, medidas mais específicas para equilibrar os *doshas* e nutrir as células e os tecidos podem ser eficazes. Por conseguinte, o primeiro estágio de tratamento com o Ayurveda normalmente envolve algum grau de desintoxicação.

Os canais de circulação (*srotas*)

O corpo contém um sem-número de canais por meio dos quais circulam os nutrientes, os elementos básicos dos tecidos, os *doshas* e os *malas* (produtos residuais) (consulte os *srotas* na p. 78). Quando *Ama* é produzido ao longo de um extenso período, ele pode sair do trato digestivo, viajar para uma área fraca em outro lugar do corpo e se instalar nela. Ele cria bloqueios nos *srotas* e perturba o fluxo de nutrição para as células e os tecidos e a excreção de resíduos pelos caminhos de eliminação. O metabolismo dos tecidos é subsequentemente afetado, o que os torna predispostos a contrair uma doença na parte afetada. Assim como *Ama*, os *doshas* e *malas* excessivos podem ser deslocados por *Vata* e se acumular nos *srotas*. O bloqueio aqui é considerado a principal causa da doença no Ayurveda.

Além disso, as toxinas acumuladas no intestino bloqueiam a função de *Agni*, comprometendo a digestão, a absorção e a assimilação dos nutrientes, causando cansaço, depleção e um suprimento deficiente de nutrientes para todos os tecidos.

Tipos de toxinas

Existem três diferentes tipos de toxinas que podem perturbar o funcionamento normal dos *srotas*: *Ama, Amavisha* e *Garvisha.*

Ama

Ama – o produto residual da digestão incompleta – é o tipo mais comum de toxina. Ele é descrito como pesado, denso, frio, pegajoso e com mau odor, enquanto *Agni* é leve, límpido, quente e puro. As substâncias alimentares incompletamente digeridas fermentam e formam um ambiente interno que favorece o crescimento de bactérias patogênicas (causadoras de doença), fungos e parasitas. As endotoxinas (toxinas no intestino) irritam o revestimento intestinal, formando pequenos buracos na parede intestinal (o que é conhecido como "síndrome do intestino permeável"), os quais deixam moléculas de alimentos não digeri-

As toxinas no intestino podem danificar nosso sistema imunológico e nos tornar predispostos a alergias alimentares e doenças autoimunes.

dos e parcialmente digeridos, bem como toxinas, passarem através da parede intestinal. Estas danificam o nosso sistema imunológico e nos tornam predispostos a alergias alimentares e doenças autoimunes.

O bloqueio dos *srotas* com *Ama* simples é relativamente fácil de remover, por meio de processos de desintoxicação descomplicados que você pode seguir em casa. Ao intensificar *Agni* por meio de mudanças na alimentação e da ingestão de ervas ayurvédicas, o próprio sistema digestivo pode enfraquecer o *Ama* simples e eliminá-lo do corpo (para outras informações sobre esse assunto, ver p. 214).

Amavisha

Amavisha é uma forma mais reativa de toxicidade formada quando *Ama* se instala em uma parte do corpo durante um longo tempo e lá se mistura com os sub*doshas*, *dhatus* ou *malas*. *Amavisha* faz com que os *srotas* fiquem endurecidos e ressecados com toxinas, o que posteriormente causa dano aos *srotas*.

Pode ocorrer uma combinação tóxica de *Ama*, *Amavisha* e *Shleshaka Kapha* (um sub*dosha* de *Kapha* responsável por manter o equilíbrio adequado dos fluidos e a lubrificação do corpo), causando excesso de umidade, o que por sua vez faz com que *Vyana Vata* (o sub*dosha* de *Vata* responsável pela circulação) acelere seu efeito de secagem, levando esse sedimento pegajoso a aderir às paredes dos *srotas*. Estes ficam secos, inflexíveis e mais estreitos, com o risco de ficar bloqueados. Essa é a explicação ayurvédica para o desenvolvimento da aterosclerose e os problemas das doenças do coração e da apoplexia associados a ela.

A remoção desse tipo mais profundo e crônico de toxicidade é um problema mais complexo que necessita de certos tratamentos preparatórios antes da desintoxicação, a fim de lubrificar e amolecer as toxinas persistentes e possibilitar a sua remoção. Isso é feito para evitar um dano adicional aos *srotas* pela desintoxicação excessivamente adstringente. O tratamento interno e externo com óleo para soltar as toxinas é portanto recomendado antes da eliminação de *Ama*. Tomar *ghee* internamente e fazer uma massagem com óleo de gergelim morno é recomendado (ver p. 245).

Garvisha

Esse terceiro tipo de *Ama*, que causa danos mais graves aos *srotas*, é o mais problemático. *Garvisha* envolve a absorção pelo corpo de toxinas ambientais como produtos químicos, agentes conservantes, venenos, poluição do ar e da água, alimentos criados pela engenharia genética, materiais sintéticos e produtos químicos nos artigos de vestuário, medicamentos sintéticos, produtos químicos nos produtos de limpeza usados em casa e metais pesados como chumbo e o asbesto. Ele também inclui toxinas de alimentos estragados. Quase todas as toxinas ambientais atuais se acumulam nos tecidos adiposos do corpo e estão envolvidas em uma gama de problemas de saúde, entre eles os distúrbios hormonais, a deficiência do sistema imunológico, as alergias, as doenças do fígado e da pele, diferentes tipos de câncer, problemas neurológicos e distúrbios reprodutivos.

Quando a combinação nociva de *Shleshaka Kapha*, *Vyana Vata*, *Amavisha* e *Ama* é intensificada por *Garvisha*, ela pode se manifestar em uma doença como a colite ulcerativa, a esclerose múltipla e outras doenças au-

toimunes. Nesse estágio, recomenda-se uma desintoxicação mais profunda, que requer a internação, na forma do *Panchakarma* (consulte o Cap. 17).

Medidas preventivas

A prevenção é o segredo da saúde. Siga a alimentação e o estilo de vida ideal para o seu *dosha*, exercite-se todos os dias a fim de melhorar a digestão e a eliminação, faça diariamente o *Abhyanga* (massagem com óleo morno) para expulsar as toxinas por meio da pele, beba chás de ervas adequados aos

Antes da eliminação da toxicidade crônica, recomenda-se o tratamento interno e externo com óleo para soltar as toxinas.

seus desequilíbrios e medite todos os dias no intuito de eliminar o estresse. No que diz respeito ao estilo de vida, durante um período de purificação, todas as atividades que são *Prajnaya paradha* ("crimes contra a sabedoria") devem ser evitadas. Essas atividades incluem fumar, o uso recreativo de drogas e a prática de atividades habituais, como tomar café e bebidas alcoólicas e ingerir açúcar branco.

A época ideal das estações do ano para fazer a desintoxicação

As rotinas sazonais e diretrizes alimentares ayurvédicas também desempenham um papel importante na saúde preventiva (consulte o Cap. 7). Ao seguir simples orientações, você pode ajudar a mitigar as toxinas que se acumulam devido às mudanças sazonais.

Um breve período de desintoxicação, pelo menos uma vez por ano, é recomendado, porém não no caso das mulheres grávidas, das mães que estão amamentando, das crianças ou de pacientes que sofrem de doenças degenerativas, câncer ou tuberculose. Se a sua saúde, de um modo geral, é boa e você provavelmente tem um desequilíbrio de um ou outro *dosha* e *Ama* simples, pode fazer uma boa desintoxicação seguindo os métodos de *Shamana* (ver p. 206).

Se você sofre de outros problemas crônicos de saúde, talvez tenha certo grau de *Amavisha* ou *Garvisha*, e é melhor consultar um praticante ayurvédico a fim de obter orientação sobre recomendações específicas.

No inverno os *srotas* se contraem, inibindo o fluxo livre dos nutrientes e

O inverno, quando os srotas *se contraem, não é a melhor ocasião para fazer uma desintoxicação.*

AS MELHORES OCASIÕES PARA SE FAZER UMA DESINTOXICAÇÃO

As ocasiões ideais para se submeter a uma suave purificação e restaurar o equilíbrio do corpo são as seguintes:

- ***Vata*: no final do verão, antes que o outono chegue – o ponto de cruzamento, logo antes de *Vata* se tornar agravado**
- ***Pitta*: no final da primavera, logo antes do verão, quando *Pitta* se torna agravado**
- ***Kapha*: no final do inverno, antes do início da primavera.**

dos resíduos, tornando difícil para o corpo liberar toxinas. Durante a transição entre as estações do ano, o nosso *Agni* flutua, o que pode causar acumulação de *Ama*, mesmo que você seja cuidadoso com a sua alimentação e a sua rotina. Por esse motivo, é uma boa ideia fazer uma desintoxicação ou *Panchakarma* durante cada mudança de estação, particularmente na primavera quando o corpo está naturalmente se desintoxicando. A mudança das estações também nos torna predispostos à acumulação de *doshas* específicos, de modo que a purificação nessa época pode ser proveitosa, por reduzir a acumulação de *Vata, Pitta* ou *Kapha*.

Existe certo consenso entre o Oriente e o Ocidente no que diz respeito à limpeza das toxinas na primavera, pois há uma tradição na Grã-Bretanha de usar ervas como o dente-de-leão e a urtiga para fazer uma desintoxicação nessa estação. Durante a primavera, as toxinas que se acumularam ao longo do inverno começam a aflorar. Essa é a melhor época para eliminá-las a fim de evitar as doenças durante o verão. Uma vez purificado, o corpo está pronto para uma cura espontânea até mesmo sem medicamentos; e se remédios forem tomados, eles têm mais chances de chegar ao seu local de destino, alcançando maior eficácia e produzindo menos efeitos colaterais.

Métodos de desintoxicação

Como vimos, existem dois níveis de tratamento da desintoxicação. O primeiro é conhecido como *Shamana*, ou terapia paliativa, e envolve a intensificação da digestão e da eliminação. O segundo é a terapia de purificação mais forte conhecida como *Shodhana*.

Shamana é um método lento e suave de desintoxicação, mais adequado ao tratamento em casa. Ele pode ser empregado como parte de uma desintoxicação branda para as pessoas que não precisam, ou não podem, se submeter a uma purificação mais profunda. Quando fomentada de tempos em tempos, ou ao longo de um período, a terapia paliativa pode ser tão eficaz quanto *Shodhana* e é o método de desintoxicação examinado a seguir. Esse processo encerra três estágios – preparação, desintoxicação e nutrição –, cada um dos quais é descrito detalhadamente.

Shodhana ou *Panchakarma* (consulte o Cap. 17) tem ação mais profunda e requer que o paciente seja internado em centros de terapia especiais. Existem alguns centros *Panchakarma* no Ocidente, mas de resto esse tratamento só está disponível na Índia e no Sri Lanka.

1 Preparação

A preparação é uma parte fundamental de qualquer programa ayurvédico de desintoxicação. É importante levar em consideração o equilíbrio dos *doshas* de cada pessoa (*Vikruti*), o estado dos seus *srotas*, o seu *Agni* (fogo digestivo) e se ele é elevado, baixo, irregular ou equilibrado. Além disso, para determinar os melhores procedimentos e definir se *Shamana* é suficiente ou se *Panchakarma* seria melhor, também é relevante considerar os tipos de toxinas presentes.

A fim de preparar o corpo, é importante, inicialmente, equilibrar *Agni*. Se *Agni* estiver excessivamente elevado, você precisará ingerir ervas ou alimentos que o reduzam. Se ele estiver baixo, terá que ingerir alimentos e ervas que estimulem *Agni*. Se *Vata* tiver perturbado *Agni* e feito com que ele se torne irregular, é importante equilibrá-lo.

No que diz respeito ao seu equilíbrio *dóshico*, se você tiver mais *Kapha* e estiver com excesso de peso, precisará de uma dieta que pacifique *Kapha* e de ervas que tenham o efeito de aquecer. Se tiver um desequilíbrio de *Pitta*, precisará de uma dieta que pacifique *Pitta* e de ervas que eliminem o calor e purifiquem o fígado.

Para uma pessoa magra com agravamento de *Vata*, uma dieta e ervas

Sucos de frutas preparados na hora podem fazer parte de uma dieta de desintoxicação.

É recomendável dar um passeio bem cedo pela manhã quando a atmosfera é sátvica.

lubrificantes e reconfortantes são necessárias, já que os *srotas* provavelmente se tornaram ressecados, fazendo com que as toxinas ficassem secas e aderissem às paredes dos *srotas*. O *Charaka Samhita* explica que, no caso de uma pessoa que esteja abaixo do peso, os *malas* (resíduos) proporcionam uma espécie de força e apoio nos *srotas*; a lubrificação e o cuidado são importantes antes da desintoxicação, para que você possa tolerar o processo sem correr o risco de depleção, fadiga ou distúrbio mental. (Para mais informações a respeito da equilibração dos *doshas*, ver p. 226.)

De modo geral, a preparação deve ser feita ao longo de 14 a 30 dias, ou mesmo em até dois meses, e durante esse período é importante fazer o seguinte:

• **Repousar**: garanta que você repouse o suficiente, mantendo um horário regular para dormir e acordar, indo idealmente para a cama às 10 horas da noite e despertando às 6 horas da manhã. Ficar acordado até tarde e dormir até mais tarde pela manhã pode aumentar a estagnação de toxinas nos *srotas*.

• **Reduzir o estresse**: praticar regularmente a meditação e *Pranayama* (exercícios respiratórios) ajudará a reduzir o estresse e intensificar o processo purificador, especialmente do *Ama* mental e emocional.

• **Exercícios suaves**: exercitar-se praticando yoga e caminhando melhora a digestão e a eliminação e ajuda a eliminar toxinas do corpo. Caminhar de 20 a 30 minutos por dia, se possível, enquanto respira profundamente, purifica o sistema respiratório, oxigena-o e abastece as células e os tecidos com *Prana* (força vital) purificador, e o *Pranayama* tem esse mesmo efeito. Caminhar de manhã cedo é especialmente recomendado quando a atmosfera é *sátvica* (límpida e edificante).

• **Massagem com óleo morno** (*Abhyanga*): essa prática é fundamental para a desintoxicação no Ayurveda. O ideal é massagear o corpo inteiro com óleos todos os dias, quer ao acordar, quer à noite antes de ir para a cama. Deixe o óleo no corpo de 10 a 15 minutos antes de tomar um banho morno de banheira ou de chuveiro. *Abhyanga* solta as toxinas debaixo da pele e na parte externa do corpo, incentivando-as a fluir para o trato digestivo, onde elas podem ser facilmente eliminadas pelo intestino. A massagem é muito relaxante e ajuda a aumentar a resiliência ao estresse. Ela também intensifica a circulação. Os óleos podem ser escolhidos de acordo com o seu tipo *dóshico*. O óleo de gergelim é usado de maneira relativamente genérica, e ervas ou óleos essenciais adicionados a ele o ajudarão a penetrar na superfície da pele e alcançar as camadas e tecidos mais profundos, purificando e nutrindo os *srotas* da pele. Você também pode adicionar uma mistura de óleos essenciais de melaleuca, sândalo e eucalipto ao óleo de gergelim (duas gotas de óleos essenciais por 5 ml de óleo de gergelim) no banho de banheira para expulsar as toxinas.

• **Cuide da sua digestão:** O ano inteiro, e especialmente durante a desintoxicação, é importante cuidar bem do seu fogo digestivo e não comer de maneira que aumente a acumulação de *Ama* (ver p. 122).

2 Desintoxicação

A alimentação saudável é um dos recursos mais importantes para evitar e reduzir a acumulação de *Ama*, e ao fazer uma desintoxicação em casa é melhor seguir uma dieta redutora de *Ama* durante um período que pode durar até várias semanas, dependendo do grau de toxicidade. Geralmente faço isso de três a quatro semanas duas vezes por ano.

Dieta redutora de *Ama*

Essa dieta envolve comer o seguinte:

• Uma comida recém-preparada, que seja nutritiva e apetitosa

• Alimentos leves e fáceis de digerir, como arroz, sopa de legumes e lentilhas; pães não fermentados e recém-assados, grãos como a cevada e o arroz basmati, com uma boa quantidade de hortaliças orgânicas, recém-preparadas no vapor, legumes levemente refogados ou sucos de frutas recém-preparados

• Sopa de feijão-mungo, que pacifica os três *doshas* e é nutritiva, além de fácil de digerir

• Alimentos mornos e cozidos, mais fáceis de digerir do que os alimentos crus e duros; as sementes podem ser ingeridas em pequenas quantidades

• Carne branca, de peru, frango e peixe, preferível à carne vermelha.

Certos alimentos são especialmente proveitosos durante a purificação:

• **Hortaliças**: coma uma grande quantidade de verduras cozidas com temperos suaves. A beterraba, o rabanete, a alcachofra, o repolho, o brócolis, a alga spirulina, a alga chlorella e as algas marinhas em geral são excelentes alimentos desintoxicantes.

• **Temperos**: gengibre, cúrcuma, cominho, coentro, erva-doce e feno-grego podem ser adicionados às suas refeições, pois eles abrem os *srotas* e ajudam a eliminar a toxinas por meio da pele, do trato urinário, do cólon e do fígado.

• **Grãos**: grãos integrais como quinoa, cevada, amaranto (caruru) e pe-

Lassi é uma mistura de iogurte e água com a adição de temperos a fim de favorecer a sua digestão.

quenas porções de arroz são recomendados. O kanji, preparado fervendo-se o arroz com uma grande quantidade de água, é excelente para eliminar toxinas pela urina.

• **Lassi**: o lassi, preparado combinando-se iogurte fresco com água e temperos digestivos, é uma excelente bebida para a hora do almoço.

• **Quefir**: essa bebida de leite fermentado é feita inoculando-se o leite com grãos de quefir, uma mistura de levedura e bactérias que azedarão levemente o leite, produzindo uma bebida que é quase um iogurte líquido. As pessoas que preferem não usar laticínios também podem fazer quefir a partir do leite de plantas ou de nozes em geral, como o leite de coco ou de amêndoa. As classes benéficas de levedura no quefir ajudam a eliminar as leveduras patogênicas no intestino penetrando no revestimento mucoso onde elas residem. Nos antigos textos ayurvédicos, o leite fermentado era frequentemente usado para curar distúrbios digestivos, mas era sempre diluído com água.

• **Água morna ou chás de ervas**: beba chás como o de erva-doce, capim-limão ou hortelã ao longo do dia para ajudar a eliminar as toxinas do corpo pela urina. O chá de gengibre é uma excelente maneira de elevar *Agni* e eliminar *Ama*. É melhor tomá-lo pela manhã antes do desjejum e, novamente, antes do almoço.

O chá de gengibre também pode ser bebericado ao longo do dia. Água quente com um pouco de limão é uma boa alternativa e pode ser preferível para alguns paladares.

Escolha os alimentos de acordo com o seu tipo de corpo ou os desequilíbrios a fim de ajudar a regular seu fogo digestivo (*Agni*) (consulte o Cap. 12).

Minimize os alimentos que aumentam *Ama* (*amagênicos*):

- Enlatados, desvitalizados, congelados, *junk food* ou restos velhos de comida
- Laticínios
- Carboidratos refinados como farinha e açúcar brancos
- Pães fermentados e pães secos como *cream crackers*
- Alimentos e bebidas fermentados, entre eles o vinagre, *chutneys* e picles
- Comida e bebida frias
- Alimentos indigestos, como queijo, carne vermelha e sobremesas pesadas, bem como alimentos duros e crus como as nozes em geral
- Alimentos oleosos, fritos, pesados e salgados
- Alimentos não orgânicos, geneticamente modificados, cultivados com produtos químicos, pesticidas e fertilizantes químicos e alimentos com aditivos químicos.

Procure evitar medicamentos, que podem reprimir muitos dos sintomas de acumulação de *Ama*, mas poderão aumentar a carga de trabalho do fígado e do intestino, e efetivamente, ao mesmo tempo, aumentar o acúmulo de *Ama*. Também é importante reduzir ou evitar o álcool, a cafeína, as drogas e o tabaco e minimizar sua exposição aos produtos químicos usados em casa e aos produtos sintéticos ou à base de petróleo.

O jejum ayurvédico (*Kshud nigraha*)

O jejum descansa a digestão e é uma maneira eficaz de despertar o fogo digestivo e eliminar toxinas acumuladas do corpo e da mente. Ele também melhora o intestino, elimina os gases, limpa a língua, adoça o hálito, faz o corpo se sentir leve e melhora a clareza mental e a saúde como um todo. O jejum regular de curta duração é preferível ao jejum infrequente de longa duração, o qual pode ser depletivo e causar desequilíbrio *dóshico*.

Ao determinar o tipo e a duração apropriados de um jejum, é importante levar em consideração a sua constituição, a força digestiva, o nível de *Ama* e a vitalidade em geral. No caso das crianças na fase de crescimento, das mulheres grávidas, das pessoas exauridas, magras ou subnutridas, dos idosos ou das pessoas com doenças crônicas, a abstinência completa de todos os alimentos não é recomendada, embora a redução da comida quando estamos gravemente doentes seja muito natural, e frequentemente nessas ocasiões perdemos todo o apetite por alimentos sólidos. As pessoas com predominância de *Vata* podem jejuar nessas ocasiões tomando sopas quentes; as pessoas com predominância de *Pitta*, tomando sucos como de uva ou romã,

Beba chá de erva-doce, hortelã, capim-limão ou gengibre para ajudar a eliminar as toxinas.

ou sucos de hortaliças; as pessoas com predominância de *Kapha* podem tomar simplesmente água ou chás de ervas.

Os principais tipos de jejum no Ayurveda incluem:

• Consumir apenas alimentos leves, como *Kichari* (arroz basmati e feijão-mungo/lentilha vermelha) e *Kanjee* (água de cevada e arroz)

• Consumir só frutas, hortaliças ou sucos

• Abster-se de alimentos sólidos, bebendo água ou chás de ervas.

Durante o jejum, é importante repousar bastante e procurar evitar o estresse. Depois do jejum, volte a comer normalmente, de maneira gradual, voltando lentamente a ingerir alimentos sólidos. Durante uma desintoxicação, é melhor evitar os exercícios árduos e procurar não sobrecarregar o corpo.

Ao longo do ano, as pessoas com constituição *Pitta* podem se abster de ingerir alimentos sólidos um dia por semana; as do tipo *Kapha* podem fazer isso alguns dias por mês; as pessoas com *Vata* elevado se inclinam a estar relativamente exauridas, de modo que é melhor que façam um jejum *Kichari* mais moderado (ver p. ao lado).

Elevando o fogo digestivo (*Agni Deepana*)

Agni é aumentado pelos sabores picante, ácido e salgado e por uma pequena quantidade do sabor amargo. Quanto aumentamos o fogo digestivo com ervas quentes e picantes, *Ama* é "queimado" e eliminado, e isso é conhecido como *Agni Deepana* (a elevação do fogo digestivo) e *Ama Pachana* (eliminação de *Ama*).

Entre as melhores ervas picantes para aumentar o fogo digestivo estão o gengibre, a canela, a pimenta-do--reino, a pimenta-longa, a assa-fétida, a pimenta-de-caiena e a mostarda, e estas são ideais para *Sama Kapha* (distúrbios *Ama* de *Kapha*), mas é preciso tomar cuidado com as ervas muito picantes, porque elas podem agravar *Pitta* e *Vata* quando excessivos. Ervas e temperos que aquecem, como cardamomo, cúrcuma, cominho, coentro, manjericão

JEJUM *KICHARI*

Um jejum *Kichari* ao longo de duas a quatro semanas é uma maneira agradável e saborosa de seguir uma dieta purificadora. O *Kichari* pode ser comido pelo menos duas vezes por dia, no almoço e no jantar. Se você comer com ele um prato de hortaliças diferente e variar os temperos e as hortaliças que acrescenta, essa dieta não é, nem de longe, tão desinteressante quanto parece!

1/2 xícara de feijão-mungo partido (ou lentilha vermelha)

1 xícara de arroz basmati – i.e., duas vezes mais arroz do que feijão-mungo/lentilha vermelha

um pouco de *ghee* (manteiga clarificada)

temperos da sua preferência

sal

hortaliças da sua preferência

Lave bem o feijão-mungo/a lentilha vermelha e o arroz.

Derreta um pouco de *ghee* em uma panela grande e adicione temperos como gengibre fresco, cúrcuma, sementes de cominho preto, erva-doce recém-moída, cominho e coentro.

Adicione o arroz e o feijão-mungo a seis xícaras de água e cozinhe até levantar fervura. Em seguida, abaixe o fogo e continue a cozinhar por 45 minutos ou até o feijão/a lentilha estar macio. Adicione sal a gosto.

Acrescente hortaliças da sua preferência durante o cozimento ou, separadamente, no final.

e erva-doce, têm as mesmas qualidades de *Agni*, sendo quentes, secas, leves e aromáticas. Elas ajudam a equilibrar *Agni* e *Ama* e podem ser usadas de maneira mais geral para os três *doshas*.

Entre as fórmulas bastante conhecidas (consulte o Cap. 16) para *Agni Deepana* estão as seguintes:

- **Trikatu**: especificamente para *Agni* baixo e *Ama* elevado. Ela reduz *Sama Kapha* e *Sama Vata* e aumenta *Pitta*. No entanto, ela pode ser útil para distúrbios de *Sama Pitta*, mas quando combinada com ervas amargas para evitar o agravamento de *Pitta* devido à sua natureza quente. Tome de 1 a 3 g, duas a três vezes por dia, em água morna.

Entre os temperos que aumentam o fogo digestivo estão a pimenta-do-reino, a pimenta-de-caiena, a cúrcuma e o coentro.

- **Trikulu** (cravo, canela, cardamomo): uma boa fórmula digestiva e purificadora para *Vata* e *Kapha*.
- **Hingwashtaka**: um dos melhores remédios para *Vata*. Tome de 1/2 a 1 colher de chá em água morna meia hora antes de comer.
- **Lavanbhaskar**: um bom laxante para *Vata*.
- **Talisadi**: aumenta *Agni* nos distúrbios de *Vata* e de *Kapha*. Tome com suco de limão ou mel.
- **Sitopaladi**: um expectorante com sabor agradável, que reduz *Kapha* e *Vata*. Tome de 1 a 4 g, duas duas a quatro vezes por dia, em uma colher de chá de mel ou *ghee* liquefeitos.
- **Trisugandhi** (canela, folha de canela, cardamomo): uma fórmula diaforética e estimulante, recomendada para indigestão, falta de apetite, fla-

tulência, distensão, a fim de melhorar a digestão e aumentar *Agni*.

• **Lavangadi**: reduz *Vata* e *Kapha* e aumenta *Agni* e *Pitta*.

Eliminação de toxinas (*Ama Pachana*)

Dos seis sabores (ver p. 124), os sabores picante e amargo são os melhores para eliminar *Ama* do trato digestivo. Os sabores doce, salgado e ácido aumentam *Ama*, pois acredita-se que eles alimentem as toxinas. O sabor adstringente tem efeito neutro; embora possa secar *Ama*, ele pode mantê-lo no corpo por meio da sua ação contrativa.

As ervas com sabor amargo "raspam" as toxinas dos tecidos e são altamente eficazes para eliminar toxinas do fígado, do sangue, das glândulas sudoríparas e do intestino. Elas são excelentes para *Rakta Shodana* ou para purificar o fígado, que é o principal órgão desintoxicante do corpo. É função do fígado identificar toxinas no fluido nutritivo e armazená-las para impedir que elas entrem no sangue. Se o fígado ficar sobrecarregado por substâncias químicas, agentes conservantes ou aditivos dos alimentos ou por outras toxinas como o álcool e medicamentos, ele não será mais capaz de funcionar eficientemente. Melhorar a função do fígado é parte fundamental da desintoxicação.

Por meio de seus efeitos refrescantes, as ervas amargas também podem ser usadas para aliviar a febre ou infecções associadas à toxicidade. Elas são excelentes onde existe calor, inflamação, fermentação e toxinas no sangue e para qualquer distúrbio de *Ama* relacionado com a ingestão excessiva de doces ou de alimentos gordurosos. Elas são melhores para distúrbios *Sama Pitta* e *Sama Kapha* e podem ser usadas em pequenas quantidades para distúrbios *Sama Vata* duradouros.

Entre as ervas amargas ayurvédicas mais conhecidas estão a chiretta [*Agathotes chirayta*], o nim, a *aloe vera*, a cúrcuma, o guduchi, a sariva e a manjishta. Entre as ervas amargas ocidentais estão a raiz de dente-de-leão, a bardana, o cardo-leiteiro, a genciana e a raiz de labaça. Fórmulas como Tikta (uma combinação de ervas amargas) e Sudarshan ou Mahasudarshan são excelentes para eliminar as toxinas por meio do sabor amargo. Sudarshan contém guduchi, chiretta (rei das ervas amargas), pimenta-do-reino, alcaçuz e amalaki. Uma vez que a sua pureza esteja assegurada, Sudarshan é um dos melhores purificadores do sangue, excelente para infecções agudas e febres, se tomado no início. Ele também é excelente para alergias, acne, eczema, furúnculos e outros distúrbios (do sangue) relacionados com *Rakta dhatu*.

Tome meia colher de chá do pó pela manhã com o estômago vazio, misturado no mel como um *Anupana* ou veículo. Aqueles que têm dificuldade em ingerir uma erva tão amarga dessa forma podem, em vez disso, tomar comprimidos ou cápsulas de Sudarshan ou Mahasudarshan.

Para uma desintoxicação ideal, é importante ficar atento para eliminar as toxinas por meio de todos os caminhos de eliminação. As ervas amargas relacionadas acima ajudam a eliminar as toxinas pelo fígado. As ervas refrescantes e purificadoras como a sariva, o sândalo vermelho, o vetiver, a folha do nim, a erva-doce, a cúrcuma, o feno-grego, o cominho e a manjishta podem ser tomadas regularmente como chá a fim de ajudar

O cardo-leiteiro é um dos melhores remédios para o fígado, ajudando a protegê-lo e curá-lo dos danos causados pelos medicamentos e pelo álcool.

a eliminar as toxinas por meio das glândulas sudoríparas e da pele. Os chás feitos com ervas e temperos (incluindo o coentro, o cominho e a erva-doce) intensificam a eliminação pelo trato urinário, enquanto outras promovem a eliminação pelo intestino, e a massagem e o exercício ajudam a melhorar a circulação do sangue e da linfa.

Purificadores do intestino

Eliminar toxinas pelo intestino melhora a digestão, a imunidade, a energia e a positividade. A prisão de ventre ou a evacuação irregular fazem com que os resíduos sejam reabsorvidos pelo corpo, criando toxinas no *Rasa dhatu* (plasma), no *Rakta dhatu* (sangue) e a partir destes nos outros *dhatus* (tecidos). Uma evacuação regular é fundamental para a desintoxicação diária adequada.

Se as fezes estiverem muito secas ou lentas, experimente adicionar mais óleo ou *ghee* à sua alimentação e beba muito líquido, incluindo água morna e chás de ervas como alcaçuz, erva-doce e chá de dente-de-leão. Acrescente temperos como cúrcuma, gengibre, cominho e coentro à sua comida para melhorar a digestão e a função hepática. Coma alimentos com muitas fibras, como aveia, verduras, e ameixas e figos secos cozidos ou deixados de molho. Evite uma alimentação que agrave *Vata* e alimentos secos como *cream crackers*, cereais secos e alimentos crus.

Os purgantes suaves podem ser usados para a prisão de ventre ou o hábito de evacuação irregular, especialmente se as fezes afundarem em vez de flutuar, já que isso indica a presença de *Ama*.

Os purgantes fitoterápicos limpam o intestino delgado e o grosso e podem ser tomados no primeiro dia de um jejum e novamente uma vez em cada três a sete dias do jejum, se ainda houver indícios de *Ama* na forma de um revestimento na língua. As ervas purgativas e laxativas são contraindicadas na diarreia, na debilidade ou quando a pessoa está abaixo do peso, mesmo que a língua apresente um revestimento ou existam outros sinais de *Ama*. Existem outras ervas e fórmulas que podem limpar o intestino sem ser laxativas.

Os purgantes amargos como ruibarbo, óleo de rícino e *aloe* são recomendados com temperos que aquecem, como o gengibre, para proteger o fogo digestivo e eliminar *Ama*. Os laxantes suavizantes que aumentam o bolo fecal, como a linhaça e o psyllium, não são recomendados para os distúrbios de *Ama*, pois podem obstruir ainda mais o sistema.

A melhor fórmula ayurvédica para limpar o intestino é, sem dúvida, a Triphala, uma mistura de amalaki, haritaki e bibhitaki. Ela não apenas elimina *Ama*, como também aumenta o fogo digestivo, melhora o metabolismo e nutre os tecidos profundos. Ela é ideal para todos os *doshas*. Tome meia colher de chá em água quente meia hora antes de se deitar.

O gel de *aloe vera* é outro excelente purificador intestinal e é melhor tomá-lo com temperos que aquecem como o gengibre, a pimenta-do-reino e a cúrcuma. Ele é reconfortante, fortalece o sistema imunológico e combate a disbiose (micro-organismos patogênicos no intestino). Ele é particularmente benéfico para *Sama Pitta* e *Sama Kapha*. Tome 25 ml duas vezes por dia.

O nim, o alho, o gengibre, o guggulu, a Triphala, a andrographis e a cúrcuma são excelentes para combater a disbiose. O endro, a canela, o guduchi, a erva-doce, o amalaki e o

REMÉDIOS PARA ELIMINAR TOXINAS DE ACORDO COM OS *DOSHAS*:

- **Para *Vata***: Haritaki, Hingwashtaka, Lavanbhaskar
- **Para *Pitta***: Guduchi e gengibre, coentro, amalaki
- **Para *Kapha***: Triphala Guggulu, Trikatu

Usar água salgada diariamente em um pote Neti *ajudará a protegê-lo de infecções respiratórias.*

tulsi [manjericão-santo] atuam de maneira semelhante.

Enemas (*Basti*)

Os enemas são uma excelente maneira de limpar eficazmente o cólon e são particularmente adequados para as pessoas com constituição *Vata*. Eles são uma das maneiras mais fáceis de lavar o cólon e restaurar o movimento peristáltico regular (consulte o Cap. 17). Como disse Hipócrates: "O enema é melhor do que qualquer medicamento purgativo/laxativo".

Irrigação nasal (*Jalaneti*)

Usar água salgada em um pote *Neti* todos os dias é excelente para evitar infecções respiratórias e tratar da sinusite crônica e de alergias como a febre do feno e a asma.

Usando o pote *Neti*, derrame água à temperatura ambiente contendo um pouco de sal marinho em uma das narinas e deixe que ela saia pela outra, tomando o cuidado de não inclinar a cabeça para trás, o que faria com que a água descesse pela garganta. Qualquer água residual poderá ser eliminada por meio de algumas respirações curtas e vigorosas usando o diafragma, conhecidas como *Kapalabhati*.

A saúde dos dentes e da gengiva

É importante tomar medidas a fim de evitar as doenças dos dentes e da gengiva, pois elas fazem com que toxinas da boca sejam absorvidas diretamente pela corrente sanguínea. A gengivite e a piorreia podem causar gengivas esponjosas, infeccionas, retraídas e que sangram, bem como cáries nos dentes. Ao adicionar ervas antimicrobianas à sua rotina diária, você poderá ajudar a deter a infecção. O nim é uma poderosa erva antimicrobiana, excelente para a saúde bucal, capaz de combater eficazmente as bactérias causadoras da cárie e evitar o sangramento das gengivas e o acúmulo de tártaro e da placa; massageie as gengivas com óleo de nim a 10%. O óleo de cravo é um analgésico antisséptico, frequentemente usado pelos dentistas para entorpecer a gengiva antes de aplicar injeção. Massageie a gengiva com uma mistura de óleos essenciais de eucalipto, cravo e hortelã-verde [*Mentha spicata*] com óleo de gergelim (duas gotas dos óleos essenciais em cada 5 ml de óleo de gergelim) no intuito de evitar o acúmulo de bactérias na boca. O chá de gengibre é um excelente enxaguante antimicrobiano para os dentes, enquanto o suco de limão diluído é um bom clareador.

Limpeza da língua

A superfície da língua é um local de procriação para bactérias que podem causar infecções nos dentes e na gengiva e que frequentemente são responsáveis pelo mau hálito. Limpar a língua diariamente depois de escovar os dentes é parte de uma tradicional prática ayurvédica e yogue e pode reduzir o mau hálito e as bactérias em até 75%. Os melhores limpadores de língua são feitos de cobre.

3 Pós-desintoxicação

O terceiro passo, ou a pós-desintoxicação, é importante porque essa é ocasião ideal para tomar os *Rasayanas* – os elixires ayurvédicos que rejuvenescem o corpo e ajudam a interromper o envelhecimento (consulte o Cap. 18) – como ashwagandha e Chayawanprash. Com as toxinas eliminadas dos tecidos e dos *srotas*, o corpo pode utilizar melhor os benefícios dos *Rasayanas*.

A limpeza da língua pode reduzir o mau hálito e as bactérias em até 75%.

Depois de passar de 15 a 30 dias preparando-se para a purificação e de três a quatro semanas fazendo a desintoxicação, você deverá se sentir muito mais leve, mais vigoroso, animado e feliz. Você poderá perder peso (normalmente de 3 a 6 kg). Volte gradualmente a comer mais, mas não retorne necessariamente à mesma alimentação que você tinha antes da desintoxicação, caso ela fosse uma alimentação que, de um modo geral, aumentasse *Ama*. Você poderá desejar incorporar permanentemente algumas mudanças à sua alimentação. Não deixe de repousar bastante durante alguns dias depois da desintoxicação e siga a sua rotina ayurvédica normal e a alimentação recomendada para o seu tipo de *dosha* ou *Prakruti*.

Capítulo 12: Tratamento dos *doshas*

O equilíbrio correto dos *doshas* é fundamental para o nosso bem-estar, porque os *doshas* influenciam cada aspecto da nossa vida, não apenas determinando nossa forma e nossos atributos físicos, como também governando todos os aspectos fisiológicos e psicológicos de nosso ser. A fim de manter a saúde, ou tratar distúrbios dos *doshas* quando eles surgirem, temos que fazer primeiro uma avaliação do equilíbrio ou desequilíbrio dos nossos *doshas*.

Se estivermos desequilibrados, isso significa que os nossos *doshas* mudaram da constituição básica com a qual nascemos (*Prakruti*) para o nosso desequilíbrio *dóshico* atual (*Vikruti*). Reequilibrar os *doshas* por meio de alimentação, estilo de vida e ervas corretos é fundamental para a saúde preventiva, porque qualquer distúrbio dos *doshas*, com o tempo, causará a doença, e esse equilíbrio é essencial para o tratamento da doença.

O equilíbrio dos doshas *é essencial para o nosso bem-estar.*

Equilibrando os *doshas*

Uma vez que a nossa *Prakruti* e a nossa *Vikruti* tenham sido determinadas por meio dos vários métodos de diagnóstico incorporados à elaboração do histórico do caso, o tratamento destinado a equilibrar os *doshas* pode ter início. O objetivo não é equilibrar os *doshas* em si, mas retornar ao equilíbrio da nossa *Prakruti*.

De modo geral, se algum *dosha* estiver desequilibrado, o tratamento deverá ser relativamente simples. Se dois *doshas* estiverem desequilibrados, o tratamento será um pouco mais difícil. Quando os três *doshas* estão desequilibrados, isso pode significar que o tratamento talvez deva ser mais paliativo do que curativo.

Quando mais de um *dosha* está perturbado, o tratamento visa a equilibrar o *dosha* que está causando os sintomas mais importantes. No entanto, é preciso reconhecer o papel de *Vata* no desenvolvimento dos sintomas. *Vata* é o propulsor e muda facilmente; sem *Vata,* os outros dois *doshas* não podem ficar desequilibrados. Por esse motivo, é sempre importante considerar corrigir o equilíbrio de *Vata* na sua escolha de alimentos e ervas, mesmo na presença de um problema de *Pitta* ou de *Kapha*.

Existem várias maneiras diferentes de corrigir os desequilíbrios dos *doshas*, e todas envolvem aprimorar o nosso relacionamento com o mundo à nossa volta. O Ayurveda usa medicamentos fitoterápicos e alimentos saudáveis e cuida de cada aspecto da vida do dia a dia. As ervas, a dieta e o estilo de vida recomendados para cada paciente individual irão variar de acordo com o efeito deles sobre os três *doshas* e a *Vikruti* da pessoa.

AS QUALIDADES DOS *DOSHAS*

- ***Vata***: fria, leve, seca, sutil, móvel, incisiva, dura, áspera, límpida
- ***Pitta***: quente, um pouco úmida, leve, sutil, fluente, móvel, incisiva, macia, suave, límpida
- ***Kapha***: fria, úmida, pesada, grosseira, densa, estática, embotada, macia, suave, turva

Qualidades (*gunas*)

A escolha dos alimentos e dos medicamentos fitoterápicos depende da "qualidade" ou "energia" deles, o que o Ayurveda determina de acordo com os vinte atributos (ver p. 76), como quente, frio, úmido, seco, pesado ou leve, e estes resultam dos três *gunas*. Na seção sobre ervas (consulte o Cap. 15), você encontrará a descrição da qualidade de cada erva, o que será proveitoso quando você fizer a sua escolha de ervas para equilibrar os *doshas*. Você precisa usar ervas com a qualidade oposta à do *dosha* que está desequilibrado. Por conseguinte, no caso de um excesso de *Kapha*, que é frio e úmido, você precisa de ervas quentes e secas.

Sabor

A escolha da dieta e das ervas para reequilibrar os *doshas* pode ser guiada pelo sabor delas (ver p. 129). Entender os efeitos sobre a mente e o corpo de cada sabor e como isso se relaciona com o equilíbrio dos *doshas* significa que os alimentos e as ervas escolhidos poderão estar mais especificamente relacionados com as necessidades de cada pessoa, tornando-os recursos mais eficazes para a prevenção e o tratamento da doença. De modo geral, os sabores se relacionam com os *doshas* das seguintes maneiras:

- As substâncias doces, ácidas e salgadas aumentam *Kapha* e diminuem *Vata*.

As lentilhas vermelhas têm um sabor adstringente que aumenta Vata *e reduz* Pitta *e* Kapha.

• Os sabores doce, amargo e adstringente diminuem *Pitta*.

• Os sabores picante, amargo e adstringente diminuem *Kapha* e aumentam *Vata*.

• Os sabores picante, ácido e salgado aumentam *Pitta*.

O desenvolvimento de indícios e sintomas

Para compreender o desenvolvimento de sintomas causados por uma perturbação dos *doshas* é proveitoso conhecer os principais lugares onde cada *dosha* reside (consulte o Cap. 2) e retornar à discussão dos cinco subtipos dos *doshas* (ver p. 54). Os sintomas desenvolvidos começam no local principal do *dosha* e, quando se espalham, eles se manifestam principalmente nos outros locais relacionados com o *dosha* particular envolvido.

O principal local de *Vata* é *Apana Vata*, situado no abdômen inferior e no cólon, que é responsável por todos os impulsos com movimento descendente de eliminação, entre eles defecação, urinação, menstruação, parto, ejaculação e soltar gases. Quando *Apana Vata* está perturbado, ele afeta esses movimentos descendentes e inicialmente causa distúrbios no intestino como flatulência, prisão de ventre, diarreia e a síndrome do intestino irritável. Ele também governa a absorção de água no intestino grosso e possibilita que assimilemos completamente os nutrientes a partir da digestão da comida, cujo estágio final ocorre no intestino grosso. Como *Apana Vata* sustenta e controla todas as outras formas de *Vata*, quando se torna perturbado, ele forma a base da maioria dos distúrbios de *Vata*. Assim sendo, o tratamento de *Apana Vata* é a primeira coisa a ser considerada no tratamento de todos os problemas de *Vata*, o que possibilitará que os outros V*atas* retornem ao seu funcionamento normal.

Equilibrando os *Vatas*

Os distúrbios de *Vata* são a base fundamental da maioria das doenças e sempre acompanham aqueles de *Pitta* e *Kapha*. Por esse motivo, é sempre importante levar *Apana Vata* em consideração no tratamento de qualquer doença relacionada com todos os três *doshas*. Manter os cinco *Vatas* em equilíbrio e funcionando adequadamente é o segredo fundamental da conservação da saúde. Caso o tratamento de *Apana Vata* seja negligenciado, os sintomas se espalharão de acordo com os seis estágios da doença (ver p. 162) e se manifestarão em outro local de *Vata*, como a cabeça, a mente ou o peito (*Prana Vata*), a garganta (*Udana Vata*), o estômago e o intestino delgado (*Samana Vata*) ou a circulação (*Vyana Vata*).

Tratamento de *Vata*

As pessoas *Vata* são inconstantes e suscetíveis a esquecer as coisas. Elas podem se mostrar muito entusiasmadas no início do tratamento, mas se esquecem com facilidade de seguir a dieta recomendada e tomar as ervas, de modo que é importante não as assoberbar no início do tratamento e reavaliar frequentemente a situação.

A fim de manter *Vata* em equilíbrio, ou para acalmá-lo quando ele estiver desequilibrado, é proveitoso compreender o que efetivamente perturba *Vata*.

OS PRINCIPAIS LOCAIS DE VATA

- Abdômen inferior, incluindo o intestino grosso e o trato geniturinário
- Quadris e coxas
- Ossos e articulações
- Tecido nervoso, mente
- Ouvidos
- Pele

Causas do agravamento de *Vata*

- Estilo de vida irregular e inconstante, padrões alimentares irregulares, pular refeições.
- Estresse, pesar, ansiedade, medo, choque, solidão.
- Mudança, por exemplo de residência/escola/trabalho/relacionamento/clima/país.
- Voar, viajar, mudar de fuso horário, alimentos etc.
- Mudança de estação, especialmente o outono.
- . O amanhecer e o anoitecer, das 2 às 6 horas da manhã e das 2 às 6 horas da tarde.
- Excesso de movimento, exercício, corrida, saltos etc.

Ouvir uma música reconfortante pode ser benéfico para a ansiedade do tipo Vata.

- Repressão de anseios naturais, como comer, urinar, evacuar, soltar gases, descansar quando cansado, dormir etc.
- Exposição ao tempo frio, seco e com vento.
- Ter mais de 50 anos de idade.
- Falta de sono, exaustão.
- Excesso de alimentos amargos, picantes e adstringentes.
- Excesso de alimentos secos, leves, ásperos e frios.
- Falar demais.
- Ruído alto, excesso de estímulo, fazer coisas demais, obrigar-se a ir além de seus recursos.

Indícios de agravamento de *Vata*

- Prisão de ventre, flatulência, cólicas, distensão, diarreia explosiva (agravada pela ansiedade).
- Dor contínua nos ossos, articulações estalantes, artrite, dor na região lombar.
- Fadiga, baixa resistência à infecção, perda de peso.
- Zumbido no ouvido, formigamento e entorpecimento.
- Pele e cabelo secos, unhas quebradiças.
- Dor (cortante ou migratória), má coordenação, insônia, sono inquieto,

O yoga, o Pranayama *e a meditação ajudam a reduzir* Vata.

tensão e ansiedade, insegurança, agitação mental, depressão, inquietação.
• Problemas neurológicos, tremores, desorientação e tontura.

Os sintomas são piores ao amanhecer ou ao anoitecer, das 2 às 6 da manhã e das 2 às 6 da tarde. Eles são agravados pelo tempo frio e com vento e melhoram no tempo quente.

Tratamento dos problemas de *Vata* (*Vata Shamana*)

• Bastante relaxamento, descanso e sono; evitar o excesso de estímulo e fazer coisas demais.
• Métodos para reduzir a ansiedade, entre eles o yoga, o *Pranayama* (exercícios respiratórios) e a meditação andando.

A Ashwagandha é uma das ervas mais importantes para equilibrar Vata, *sendo um famoso rejuvenescedor e adaptógeno.*

• Uma rotina regular, fazer refeições e exercícios suaves regularmente.

• Massagem e uso interno e externo de óleos, particularmente o óleo de gergelim (ver p. 246), seguido pela aplicação de calor ou um banho morno de banheira ou de chuveiro. Entre os óleos usados externamente estão o de nyliadi, de gergelim, narayan, mahanarayan e de rícino; *ghee* na comida.

• Leve purgação utilizando Triphala.

• Administração nasal de óleo (*Nasya*), frequentemente para problemas psicológicos, como o óleo de mahanarayan.

• *Shirodhara* (água medicada, leite ou óleos fitoterápicos são derramados continuamente na testa durante 30 a 45 minutos).

• Uma dieta leve de alimentos mornos e tenros, evitando-se os duros, crus, secos e indigeríveis.

• Temperos suaves como gengibre fresco, cominho, cardamomo, erva-doce, coentro.

• Aumentar os alimentos doces, ácidos e salgados e minimizar os picantes, amargos e adstringentes.

Ervas

• Particularmente voltadas para equilibrar *Apana Vata*: ashwagandha, shatavari, assa-fétida, brahmi, bala, gokshura, guduchi, endro, semente de aipo, gengibre, pimenta-longa, haritaki, guggulu, alcaçuz, açafrão, tulsi,

DIETA PARA REDUÇÃO DE *VATA*

	DIMINUIR	AUMENTAR
FRUTAS	Frutas secas, frutas cruas, caqui, melancia, maçã crua, pera, romã, oxicoco.	Frutas doces, abacate, frutinhas silvestres, frutas cítricas, ameixa, melão (doce), tâmara (fresca), mamão, damasco, banana (madura), cereja, figo (fresco), uva, manga, pêssego, ameixa-seca (deixada de molho), abacaxi.
HORTALIÇAS	Hortaliças cruas, brotos, couve-flor, batata, tomate, aipo, berinjela, cebola (crua), melão amargo, brócolis, salada, couve--de-bruxelas, espinafre, pimentas em geral, kohlrabi, cogumelos, salsa, repolho (cru).	Hortaliças cozidas, beterraba, pepino, abobrinha, verduras, vagem, cebola (cozida), rabanete, abóbora-cheirosa, ervilha (cozida), aspargo, cenoura, alho, erva-doce, quiabo (cozido), batata-doce, alho-poró, pastinaca, abóbora.
GRÃOS	Pão com fermento, trigo--sarraceno, painço, arroz (integral), milho, aveia (seca), centeio, musli, *cream crackers*.	Cevada, arroz (branco e basmati), trigo, aveia (cozida), amaranto, quinoa, beterraba, quinoa.
ALIMENTOS DE ORIGEM ANIMAL	Cordeiro, coelho, porco, carne de veado.	Carne bovina, ovos, salmão, peixe branco, frango, pato, peru, frutos do mar, sardinha, atum.

DIETA PARA REDUÇÃO DE *VATA*	
	RECOMENDAÇÕES GERAIS
LEGUMINOSAS	Nenhuma, exceto feijão-mungo, tofu, urad dhal, lentilha vermelha
NOZES EM GERAL	Todos os tipos de nozes com moderação, especialmente quando moídas
SEMENTES	Todas as sementes com moderação, especialmente quando moídas
ADOÇANTES	Todos os adoçantes, exceto o açúcar branco
CONDIMENTOS	Todos os temperos são bons, exceto os picantes como pimenta-malagueta, gengibre seco, rabanete, raiz-forte
LATICÍNIOS	Todos os laticínios com moderação, exceto o queijo
ÓLEOS	Todos os óleos são benéficos, particularmente o de gergelim, o azeite de oliva e o *ghee*

valeriana, cardamomo, canela, feno--grego, alho, coentro, cominho, noz--moscada, cúrcuma, olíbano, cravo.

• Fórmulas: Triphala Guggulu, Hingwashtaka, Talisadi, Trikatu, Trikulu.

• *Rasayanas* (tônicos) ashwagandha, shatavari, bala, gotu kola, gokshura, bacopa, kapikachu, vidari khanda, Chayawanprash como um tônico geral; *Rasayana* para a digestão: Trikatu.

Chás

• As ervas podem ser tomadas isoladamente como chás ou incluídas em misturas da sua escolha: gengibre fresco, cardamomo, tulsi, cravo, erva--doce, capim-limão, palha de aveia, hortelã-pimenta, canela.

Veículos para medicamentos (*Anupana*)

• Leite morno, água quente, *ghee*. É melhor tomar os remédios antes das refeições.

Tratamento de *Pitta*

Os tipos *Pitta* são perfeccionistas; uma vez que decidem se comprometer a ficar curados, eles têm a disciplina necessária para aderir a uma dieta e tomar o remédio na hora certa! É provável que tenham uma lista dos alimentos que podem ou não comer e os recipientes adequados para as ervas.

Por essa razão, é fácil para eles extrair o melhor do tratamento.

A fim de manter *Pitta* em equilíbrio, ou de acalmá-lo quando ele estiver desequilibrado, é proveitoso entender o que perturba *Pitta*.

OS PRINCIPAIS LOCAIS DE *PITTA*

- **Estômago e intestino delgado**
- **Fígado e vesícula biliar**
- **Sangue**
- **Pele e suor, glândulas sebáceas**
- **Coração e mente**
- **Olhos**

Causas do agravamento de *Pitta*

- Tempo quente, aquecer-se demais.
- Luz forte, sol quente.
- Final da primavera e verão.
- Situações provocativas, raiva, ciúme, discussões, irritação, frustração.
- Perfeccionismo, ambição excessiva.
- Meio-dia e meia-noite, das 10 horas da noite às 2 horas da manhã, das 10 horas da manhã às 2 horas da tarde.
- Pular refeições.
- Repressão das emoções.
- Idade entre 18 e 50 anos.
- Excesso de trabalho, comprometimento exagerado, ambiente excessivamente competitivo.

- Alimentos picantes, ácidos e salgados, alimentos fritos.
- Cafeína, temperos picantes, álcool e drogas.
- Ir dormir tarde.
- Ler demais à noite.

Indícios de agravamento de *Pitta*

- Inflamação, frequentemente começando no estômago e no intestino, causando azia, acidez, gastrite e úlceras pépticas, apendicite.
- Problemas de pele inflamatórios, como eczema, urticária, herpes e furúnculos.
- Tonsilite (amigdalite), bronquite.
- Distúrbios do sangue, anemia, hipertensão.
- Tendência para sangramentos, como hemorragia nasal, regras muito intensas.
- Problemas oculares como conjuntivite, terçol e blefarite (inflamação da pálpebra).
- Calor e sintomas de ardência, febre, sudorese abundante.
- Sede, apetite aumentado, hipoglicemia, tontura, diarreia.

O café é estimulante, picante e aquece, e agrava Pitta.

- Problemas no fígado e na vesícula biliar, hepatite.
- Descoloração amarela (dos olhos, da pele, nas unhas, dos dentes e da urina).
- Cistite, ardência ao urinar, infecções do trato urinário.
- Dor de cabeça e enxaqueca.
- Problemas hormonais, TPM.

Bastante repouso, relaxamento e banhos frios reduzirão o calor de Pitta.

- Irritabilidade, intolerância, raiva, agressividade, arrogância, perfeccionismo, obsessões, competitividade exagerada, anorexia, vícios, alcoolismo, insônia.

Os sintomas pioram no calor e no período das 10 horas da noite às 2 horas da manhã e das 10 horas da manhã às 2 horas da tarde, e melhoram no tempo frio.

Tratamento de problemas de *Pitta* (*Pitta Shamana*)

- Relaxamento e repouso, ir para a cama cedo, idealmente às 10 horas da noite.
- Evitar trabalhar em excesso e gastar energia demais.
- Evitar se exercitar demais, especialmente quando estiver fazendo calor.
- Evitar situações provocativas, pessoas e situações estressantes.

- Beber bastante água fresca, suco de *aloe vera*.
- Relaxar em áreas frescas, como à beira da água, nadar, caminhar à beira-mar.
- Quando estiver quente, tomar banhos frios com ervas ou óleos refrescantes, entre eles camomila, lavanda, sândalo, gerânio, jasmim, capim-limão ou rosa.
- *Pranayama* com a respiração alternada.
- Laxativos suaves como a raiz de dente-de-leão ou Triphala para reduzir o excesso de *Pachaka Pitta*.
- Fazer massagens com óleos como o de coco ou de girassol, *aloe vera*, bringaraj, nilyadi ou óleo de brahmi.
- Aconselhamento, conversar, meditação para liberar emoções/raiva reprimidas.
- Palavras/música suaves, atividades não competitivas.
- Muitos alimentos e ervas doces, amargos e adstringentes.
- Redução de alimentos picantes, temperados, fritos, ácidos e salgados.
- Evitar o álcool, o tabaco e as drogas recreativas.

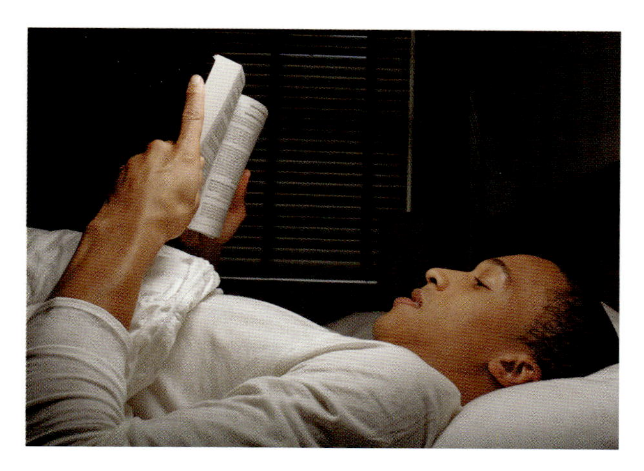

Ler livros até tarde da noite pode agravar Pitta.

DIETA PARA REDUÇÃO DE *PITTA*

	DIMINUIR	AUMENTAR
FRUTAS	Frutas cítricas, frutinhas silvestres, *grapefruit*, limão, ameixa (ácida), pêssego, caqui, damasco, banana, oxicoco, uva (verde), laranja (ácida), mamão, abacaxi (ácido).	Frutas doces, abacate, figo, manga, laranja (doce), abacaxi (doce), romã, uva-passa, maçã, uva (escura), melão, pera, ameixa (doce), ameixa seca.
HORTALIÇAS	Hortaliças picantes, cenoura, alho, pimenta (forte), espinafre, beterraba, berinjela, cebola e alho crus, rabanete, tomate.	Hortaliças doces ou amargas, brócolis, repolho, couve-flor, vagem, alface, quiabo, salsa, batata, abobrinha, aspargo, couve-de-bruxelas, pepino, aipo, verduras, cogumelos, ervilha, pimentas (verdes), brotos.
GRÃOS	Trigo-sarraceno, painço, arroz (integral), milho, aveia (seca), centeio.	Cevada, arroz (basmati), trigo, aveia (cozida), arroz (branco).
ALIMENTOS DE ORIGEM ANIMAL	Carne bovina, frutos do mar, ovos (gema), porco.	Frango ou peru (a carne branca), coelho, carne de veado, ovos (a clara), camarão (pequena quantidade), peixes brancos.
LATICÍNIOS	Leitelho, creme de leite azedo, queijo, iogurte.	Manteiga (sem sal), *ghee*, queijo cottage, leite.
ÓLEOS	Amêndoa, cártamo, milho, gergelim.	Coco, girassol, azeite de oliva, soja.

DIETA PARA REDUÇÃO DE *PITTA*

	RECOMENDAÇÕES GERAIS
LEGUMINOSAS	Todas as leguminosas com exceção da lentilha.
NOZES EM GERAL	Nenhuma noz, exceto a do coco.
SEMENTES	Nenhuma semente, excesso as de girassol e de abóbora.
ADOÇANTES	Todos os adoçantes, exceto o melado e o mel.
CONDIMENTOS	Nenhum tempero, exceto coentro, canela, cardamomo, erva-doce, gengibre fresco, cúrcuma, pimenta-longa e um pouco de pimenta-do-reino.

Ervas

- Coentro, cominho, rosa, bacopa, gotu kola, bringaraj, sariva, gokshura, *aloe vera*, amalaki, cúrcuma, shatavari, guduchi, punarnava, manjishta, nim, alcaçuz, açafrão.
- Fórmulas: Mahasudarshan, Pippaliamla (pippali e amla), Nimbadi (nim e guduchi), Pushyanuga (uma combinação de muitas ervas), Panchatikta ghrita.
- *Rasayanas*: amalaki, rosa, sariva, shatavari, bringaraj, suco de *aloe vera*, guduchi; *Rasayana* para o cérebro: bacopa, gotu kola e *ghee*.

Chás

- Beber muito chá, de morno a frio.
- Camomila, hibisco, alcaçuz, cominho, coentro, erva-doce, rosa, brahmi, hortelã, capim-limão.
- Chá de dente-de-leão.

Veículos para medicamentos (*Anupana*)

- Suco de *aloe vera*, *ghee*, água fria. Os remédios preparados no *ghee* são bons tônicos nervosos para *Pitta*. O *ghee* combina bem com ervas amargas, acentuando-as por meio das suas propriedades redutoras de *Pitta*. Geralmente, toma-se leite depois de ingerir os medicamentos.

Tratamento de *Kapha*

Os tipos *Kapha* são geralmente fortes e resilientes e não têm propensão para ficar doentes com frequência. Quando ficam, os sintomas costumam ser brandos e não muito graves. Eles tendem a só procurar um tratamento quando os sintomas já progrediram um pouco. Uma vez que começam um tratamento, eles se atêm a ele, mas os sintomas demoram a mudar.

A fim de manter *Kapha* equilibrado, ou acalmá-lo quando ele está desequilibrado, é proveitoso entender, antes de mais nada, o que efetivamente aumenta *Kapha*.

OS PRINCIPAIS LOCAIS DE *KAPHA*

- Estômago, boca, língua
- Sistema respiratório, garganta, membranas mucosas
- Cabeça
- Pâncreas
- Linfa
- Gordura

Causas do agravamento de *Kapha*

- Dormir de dia, dormir demais, acordar tarde.
- Falta de exercício e mudança, preguiça.
- Tempo frio e úmido, inverno.
- O início da manhã e o início da noite, das 6 às 10 horas da manhã, das 6 às 10 horas da noite.
- Não comer regularmente, comer demais.
- Excesso de alimentos doces, ácidos e salgados.
- Excesso de alimentos pesados, frios e úmidos.

O excesso de Kapha *está relacionado com um metabolismo lento, o que causa aumento de peso.*

Indícios de agravamento de *Kapha*

- Resfriados, catarro, tosse, congestão brônquica, febre do feno, asma.
- *Agni* (fogo digestivo) baixo, digestão e metabolismo lentos, salivação excessiva, náusea e peso após as refeições, prisão de ventre.
- Excesso de peso, obesidade, síndrome metabólica, diabetes do Tipo 2.
- Retenção de líquido, congestão linfática.
- Letargia, preguiça, motivação fraca, mentalidade nebulosa.
- Má circulação.
- Possessividade, consumismo, ganância, teimosia, aversão à mudança, repressão das emoções.
- Hipotireoidismo, colesterol alto.

Os sintomas pioram no frio, no tempo úmido e das 6 às 10 horas da manhã e das 6 às 10 horas da noite.

Tratamento dos problemas de *Kapha* (*Kapha Shamana*)

- Mais exercício, atividade vigorosa, fazer coisas diferentes, tentar manter a mente aberta.
- Redução das horas de sono, caso sejam excessivas, acordando bem antes das 8 horas da manhã (seis da manhã é preferível).
- Inalação de óleo/vapor, aplicação de calor.

DIETA PARA REDUÇÃO DE *KAPHA*

	DIMINUIR	AUMENTAR
FRUTAS	Frutas doces e ácidas, banana, figo (fresco), uva, melão, abacaxi, abacate, *grapefruit*, limão, laranja, mamão, ameixa.	Maçã, frutinhas silvestres, oxicoco, manga, pera, romã, uva-passa, damasco, cereja, figo (seco), pera, caqui, ameixa seca.
HORTALIÇAS	Hortaliças doces e suculentas, batata-doce, abobrinha, pepino, tomate.	Hortaliças picantes e amargas, beterraba, couve-de-bruxelas, cenoura, aipo, alho, alface, quiabo, salsa, pimentas em geral, rabanete, brotos, brócolis, repolho, couve-flor, berinjela, verduras, cogumelos, cebola, ervilha, batata (branca), espinafre.
GRÃOS	Trigo-sarraceno, painço, arroz (integral), milho, aveia (seca), centeio.	Cevada, arroz (basmati), trigo, aveia (cozida).
ALIMENTOS DE ORIGEM ANIMAL	Carne bovina, porco, cordeiro, frutos do mar.	Frango ou peru (a carne escura), coelho, carne de veado, camarão.

	RECOMENDAÇÕES GERAIS
LEGUMINOSAS	Todas as leguminosas exceto o feijão comum [*Phaseolus vulgaris*], o feijão de soja, a lentilha preta e o feijão-mungo.
NOZES EM GERAL	Nenhum tipo de noz.
SEMENTES	Nenhuma semente, exceto as de girassol e de abóbora.
ADOÇANTES	Nenhum tipo de adoçante, a não ser o mel bruto.
CONDIMENTOS	Todos os temperos são bons, exceto o sal.
LATICÍNIOS	Nenhum tipo de laticínio, a não ser *ghee* e leite de cabra.
ÓLEOS	Nenhum tipo de óleo, a não ser de amêndoa, milho ou girassol em pequenas quantidades.

Inalações com ervas estimulantes e descongestionantes podem ser usadas para eliminar o excesso de Kapha.

- Evitar alimentos doces, ácidos e salgados.
- Aumentar a ingestão de alimentos picantes, amargos e adstringentes.
- Fazer uma dieta leve com alimentos quentes e refeições regulares.
- Tomar uma grande quantidade de bebidas que aqueçam.
- Adicionar temperos picantes quando cozinhar.
- Administração nasal de óleos (*Nasya*), incluindo os óleos de eucalipto, nilyadi e vacha.

Ervas

- Punarnava, cúrcuma, gengibre, pippali, feno-grego, assa-fétida, pimenta-de-caiena, tulsi, bibhitaki, haritaki, canela, cravo, pimenta-do-reino, erva-doce, suco de *aloe vera*, cardamomo, guduchi, gurmar, guggulu, kanchanara.
- Fórmulas: Trikatu, Triphala, Triphala Guggulu, Talisadi com suco de limão.
- *Rasayanas*: para a digestão: Trikatu, Hingwashtaka; para problemas da tireioide: Kanchanar Guggulu, Triphala Guggulu.

Chás

- Gengibre, água quente com suco de limão, semente de aipo, canela, tulsi, cardamomo, chai, hortelã-pimenta, erva-doce, tomilho, cominho.

Veículos para medicamentos (*Anupana*)

- Mel, água quente. É melhor tomar os remédios após as refeições.
- Óleos para *nasya* ou inalação.

Massagem com óleo morno (*Abhyanga*)

Usar óleos interna e externamente (*Snehana*) é importante no Ayurveda, particularmente como um prelúdio da desintoxicação. Aplicar óleo de gergelim morno no corpo é relaxante e rejuvenescedor, aumenta o fluxo de energia, melhora a digestão e ajuda a liberar o estresse, as emoções reprimidas e as toxinas.

A massagem com óleo tem um importante efeito desintoxicante. Ao estimular os tecidos debaixo da pele, ela ajuda a impedir que as toxinas se acumulem no sistema e faz com que elas se escoem para o intestino a fim de que sejam eliminadas. É o rejuvenescimento e a desintoxicação em uma única experiência completamente jubilosa!

A preparação do óleo

Para uso externo, o óleo de gergelim é preparado aquecendo-se o óleo em banho-maria com uma ou duas gotas de água até que a água se evapore. Foi comprovado que o aquecimento do óleo aumenta seu efeito antioxidante. Quando tomado internamente, o óleo de gergelim prensado a frio é usado para umedecer as membranas *Vata* ressecadas e para amolecer e soltar toxinas secas e endurecidas. É melhor tomá-lo cru, em uma dosagem de uma a duas colheres de sopa diárias.

A prática de *Abhyanga*

É melhor fazer a *Abhyanga* diária pela manhã. Esfregue o óleo no

ADVERTÊNCIA

Evite *Abhyanga* logo depois de administrar enemas, eméticos ou purgantes, durante os primeiros estágios da febre ou se estiver sofrendo de indigestão.

ÓLEOS PARA OS *DOSHAS*

- **Óleos para *Vata***: gergelim, amêndoa, rícino, mahanarayan, ashwagandha, bala
- **Óleos para *Pitta***: coco, azeite de oliva, girassol, brahmi, bringaraj; *ghee* para uso interno
- **Óleos para *Kapha***: vacha, mostarda, linhaça

Massageie o óleo na pele e deixe-o penetrar de 5 a 15 minutos antes de tomar um banho quente de banheira ou de chuveiro.

corpo inteiro e deixe-o penetrar de 5 a 15 minutos, antes de tomar um banho morno de banheira ou de chuveiro. Esse tempo é suficiente para que o óleo seja absorvido, nutrindo e desintoxicando as camadas teciduais. O banho morno de banheira ou de chuveiro abre os poros, deixando que o óleo penetre ainda mais no corpo.

Para diminuir a tensão e aliviar a insônia, é melhor aplicar o óleo à noite antes de ir para a cama. A aplicação deve incluir as solas dos pés. O óleo deverá estar à temperatura ambiente no verão, porém precisa ser amornado no inverno. Óleos fitoterápicos ou essenciais podem ser adicionados para acentuar efeitos específicos desejados, como o de lavanda

O rico óleo extraído das sementes de gergelim está repleto de antioxidantes.

para o estresse e a tensão, o de olíbano para a dor artrítica, ou o de gengibre para aumentar a circulação.

O valor terapêutico do óleo de gergelim

O óleo de gergelim é um dos recursos mais importantes da medicina ayurvédica. Ele é um dos melhores remédios para equilibrar *Vata* e, como a perturbação de *Vata* está por trás dos desequilíbrios dos outros dois *doshas*, ele merece o lugar de honra entre os remédios. O óleo rico, quase sem odor, extraído das sementes de gergelim é estável e contém antioxidantes que impedem que ele fique rançoso (quando adequadamente armazenado), o que o torna popular como óleo de cozinha na Índia e na China. Ele é altamente nutritivo, rico em vitaminas A, B e E, bem como nos minerais ferro, cálcio, magnésio, cobre, ácido silícico e fósforo. Contém antioxidantes, ácido linoleico e ácido alfalinoleico, bem como lecitina, e isso pode ajudar a explicar seus benefícios para o cérebro e o sistema nervoso. Assim como o azeite de oliva, o óleo de gergelim é considerado bom para baixar níveis prejudiciais de colesterol.

As sementes brancas produzem a maior parte do óleo, mas na Índia dizem que o melhor óleo para a cura é aquele extraído das sementes pretas de gergelim.

Na Índia, o uso do óleo de gergelim na *Abhyanga* faz parte da vida do dia a dia e é um importante aspecto do Ayurveda. Ele é o óleo favorito para a massagem, pois a sua estrutura química lhe confere a capacidade exclusiva de penetrar na pele, nutrindo e desintoxicando até mesmo as camadas teciduais mais profundas. Acredita-se que ele beneficie todos os sete tecidos (*dhatus*). Ele é o melhor óleo para equilibrar *Vata*, mas também pode ser usado moderadamente para *Pitta* e *Kapha*.

Quando usado regularmente, o óleo de gergelim é maravilhoso na redução do estresse e da tensão, nutrindo o sistema nervoso e evitando distúrbios nervosos, aliviando a fadiga e a insônia e promovendo força e vitalidade. Os pacientes que o utilizam diariamente têm relatado se sentir mais fortes, mais resilientes ao estresse, com mais energia e uma maior resistência às infecções. As suas propriedades rejuvenescedoras aliviam a dor e os espasmos musculares, como a ciática, as cólicas menstruais, a dor nas costas e a dor nas articulações. Os antioxidantes explicam a sua reputação de retardar o processo de envelhecimento e aumentar a longevidade – indubitavelmente, olear regularmente a pele restaura a umidade dela, mantendo-a macia, flexível e com uma aparência jovem. Ele também lubrifica o corpo internamente, sobretudo as articulações e o intestino, e atenua os sintomas de secura, como tosses irritantes, articulações estalantes e fezes endurecidas.

Pesquisas sobre o efeito curativo da aplicação do óleo de gergelim estão começando a emergir. Aqueles que o utilizam diariamente descobriram que passaram a ter menos infecções bacterianas na pele e que ele mitiga os problemas nas articulações. Esse efeito pode estar relacionado com o ácido linoleico que compõe 40% do óleo de gergelim e possui efeitos antibacterianos e anti-inflamatórios. O óleo estimula a produção de anticorpos e aumenta a imunidade. Ele também tem propriedades anticancerígenas, tendo sido comprovado que ele inibe o desenvolvimento do melanoma maligno.

Capítulo 13: Tratamento dos *dhatus*

Quando os sete *dhatus* (tecidos) estão funcionando da melhor maneira possível, eles são descritos como estando *Dhatu-sara*, ou seja, funcionando idealmente, e o resultado é uma saúde vibrante.

Qualidades *Dhatu-sara*

- **Plasma (*Rasa-sara*)**: boa tez, pele radiante, cabelo sedoso e brilhante, boa capacidade de resistência, disposição alegre e resiliente.
- **Sangue (*Rakta-sara*)**: boa circulação com mãos e pés quentes, lábios e conjuntiva vermelhos, bochechas rosadas, língua rosada, pele tépida, boa energia, disposição alegre.
- **Músculo (*Mamsa-sara*)**: músculos bem desenvolvidos e tonificados, boa capacidade de resistência, coragem, estabilidade, forma do corpo belamente desenvolvida.
- **Gordura (*Meda-sara*)**: bom revestimento de gordura e lubrificação das articulações, das fezes, dos cabelos, dos olhos etc., cabelo brilhante, voz melodiosa, emocionalmente forte, repleto de amor, alegria e compaixão.
- **Osso (*Asthi-sara*)**: ossos e dentes fortes, físico alto, cabelo e unhas grossos, grandes articulações, paciente, estável, com boa resistência.
- **Nervo (*Majja-sara*)**: olhos grandes e límpidos, mente aguçada, sensível, boa memória, resiliente à dor.
- **Órgãos reprodutivos (*Shukra-sara*)**: olhos brilhantes, órgãos sexuais bem formados, capaz de amar.

Quando os dhatus *estão na sua melhor forma, a nossa pele brilha, o nosso cabelo é lustroso, a nossa mente é aguçada.*

Como os *dhatus* afetam os *doshas*

Embora os distúrbios dos *doshas* estejam por trás das mudanças fisiológicas e psicológicas que ocorrem na mente e no corpo, os *dhatus* estão situados nos locais efetivos da doença. Quando são adversamente afetados por problemas nos *srotas* (canais), eles se tornam conhecidos como *dushya*, "aquilo que pode se deteriorar".

Quando um *dosha* se intensifica e entra nos respectivos *dhatus*, ele cria distúrbios, particularmente quando existe uma fraqueza inerente em determinado *dhatu*. Isso pode acontecer devido a um traumatismo ou antiga lesão/*Karma* (ação), de modo que pode ser herdado. O *dosha* entra com o *Agni* (fogo digestivo) primeiro no *Rasa dhatu* (tecido plasmático), e assim por diante pelos sete *dhatus* até chegar a *Ojas* (energia e imunidade). No entanto, em algumas circunstâncias, quando *Ojas* está exaurido, *Vata* pode se tornar retrógrado (*Ojas*, *Shukra*, *Majja* etc.), o que é mais difícil de curar.

Entrada de *Vata* nos *dhatus*

- ***Rasa***: desidratação, entorpecimento, má circulação, pele seca, fria ou rachada, pele arrepiada, escleroderma (contração da pele), eczema, psoríase, tosse seca, coceira devido à secura, ausência de sudorese, pontadas de dor. **Ervas benéficas**: gengibre fresco, tulsi, shatavari.

- ***Rakta***: gota, doenças do coração, hipertensão, coágulos sanguíneos, varizes, arteriosclerose, facilidade para contusões, palpitações, má circulação, extremidades frias, feridas que curam devagar, anemia. **Ervas benéficas**: amalaki, shatavari, alcaçuz, gotu kola.

- ***Mamsa***: Paralisia de Bell, paralisia, miomas (fibroides uterinos), fraqueza e debilidade muscular, câimbras, contrações musculares, tiques, cansaço, falta de flexibilidade, dor muscular, tremores, má coordenação. **Ervas benéficas**: ashwagandha, bala, *ghee*, kapikachu.

- ***Medas***: diabetes, tuberculose, lipoma (tumor do tecido adiposo), ressecamento do tecido adiposo, perda de peso, debilitação, ausência de sudorese, olhos fundos, ossos proeminentes, caroços duros e pequenos, articulações frouxas, dor na região lombar. **Ervas benéficas**: alcaçuz, vidarikanda, shatavari, ashwagandha.

- ***Asthi***: osteoporose, sensibilidade nos dentes, unhas quebradiças, cabelo seco, perda de cabelo, articulações estalantes, dor nos ossos e nas articulações, cáries nos dentes, artrite degenerativa. **Ervas benéficas**: guggulu, ashwagandha, olíbano, cúrcuma.

O alcaçuz acalma Vata *e* Pitta *e pode ser usado para a entrada de* Vata *no* Rakta dhatu.

- ***Majja***: visão embaçada, anemia, problemas neurológicos e musculares, esclerose múltipla, epilepsia, ciática, entorpecimento, nevralgia, tremores, tontura, zumbido no ouvido, paralisia, problemas psicológicos, medo e ansiedade. **Ervas benéficas**: ashwagandha, jatamansi (uma excelente erva *tridóshica* para o sistema nervoso), vacha, brahmi, kapikachu.

- ***Shukra***: infertilidade, impotência, baixa imunidade, tuberculose, baixa contagem de espermatozoides, prostatite, regras dolorosas ou escassas, cistos uterinos, fibroide, medo, ansiedade, sentimento de não ser amado. **Ervas benéficas**: ashwagandha, kapikachu, vidarikanda, bala, shatavari.

- ***Ojas***: baixa imunidade (repetidas infecções), fraqueza profusa. **Ervas benéficas**: vidari, ashwagandha, shatavari, amalaki, bala.

Entrada de *Pitta* nos *dhatus*

- ***Rasa***: pele vermelha e inflamada, descoloração amarela, febre alta, nodos linfáticos inchados, dor de garganta, erupções cutâneas, acne, eczema, urticária, facilidade para contusões. **Ervas benéficas**:

A inflamação na garganta e a intumescência dos no linfáticos são causados pela entrada de Pitta *no* Rasa dh

nim, *aloe vera*, hortelã-pimenta, Mahasudarshan.

- ***Rakta***: problemas inflamatórios na pele, eczema, psoríase, infecções, furúnculos, colecistite (inflamação da vesícula biliar), icterícia, hepatite, fígado e baço aumentados, anemia, calor nas mãos e nos pés, ondas de calor, distúrbios de sangramento. **Ervas benéficas**: nim, manjishta, guduchi, amalaki.

- ***Mamsa***: gastrite, enterite, colite, úlceras, problemas cardíacos, abscessos, gengivite, apendicite, fibromialgia, infecção do tecido muscular, febre crônica, bursite. **Ervas benéficas**: Guduchi, Kaishore Guggulu, cúrcuma.

- ***Medas***: furúnculos, abscessos, tumores, diabetes, infecções no tecido adiposo, sudorese excessiva, urinação excessiva, sangue na urina, infecções do trato urinário. **Ervas benéficas**: nim, cúrcuma, manjishta, shankapushpi.

- ***Asthi***: osteomielite, artrite inflamatória, dor ardente nos ossos e articulações, abscesso ósseo. **Ervas benéficas**: Kaishore Guggulu, gotu kola.

- ***Majja***: neurite, meningite, ciática, entorpecimento, dor de cabeça, anemia. **Ervas benéficas**: gotu kola, brahmi, bringaraj, jatamansi.

- ***Shukra***: regras intensas, doença pélvica inflamatória, baixa contagem de espermatozoides, baixa fertilidade e imunidade, ressecamento dos fluidos reprodutivos, regras dolorosas e frequentes, sangramento na metade do ciclo menstrual, testículos ou próstata intumescidos, sangue no sêmen, prostatite, orquite (intumescência dos testículos), epididimite (intumescência do epidídimo). **Ervas benéficas**: Shankapushpi, rosa, guduchi, safed musli [*Chlorophytum borivilianum*] (erva afrodisíaca e que desenvolve a massa muscular), ashoka, shatavari.

- ***Ojas***: hiperpirexia (febre anormalmente elevada), baixa imunidade. **Ervas benéficas**: amalaki, gotu kola, guduchi, bringaraj.

Entrada de *Kapha* nos *dhatus*

- ***Rasa***: asma, bronquite, eczema úmido, verrugas, cistos, infecções fúngicas da pele, pele pálida, fria e pegajosa, tosse com escarro branco, glândulas intumescidas, náusea, congestão linfática, edema, febre branda, congestão dos seios nasais. **Ervas benéficas**: gengibre seco, kanchanara, Trikatu, pippali, cúrcuma.

- ***Rakta***: anemia, congestão da bile, pedras na vesícula biliar, colesterol alto, hipertensão, arteriosclerose, leucopenia (baixa contagem dos leucócitos), coágulos no sangue, anemia, embolia. **Ervas benéficas**: Manjishta, kutki (erva refrescante), daruharidra (reguladora do fígado), guggulu.

- ***Mamsa***: edema, músculos pesados, cansados e inchados, distúrbios do coração, insuficiência cardíaca congestiva, miomas, intumescência cística do tendão muscular, hipertrofia muscular. **Ervas benéficas**: Kanchanar Guggulu, arjuna, cúrcuma, punarnava.

- ***Medas***: excesso de tecido adiposo com excesso de peso, sensação de peso, cansaço, suores frios, fibroide, lipoma, diabetes, degeneração gordurosa do fígado. **Ervas benéficas**: Kutki, Triphala Guggulu, gurmar.

- ***Asthi***: excrescências nos ossos, osteoma, articulações artríticas inchadas, excesso de cabelo. **Ervas benéficas**: Punarnava Guggulu, Gokshuradi Guggulu.

- ***Majja***: Problemas neurológicos, esclerose múltipla, ausência de sensibilidade nervosa, reações lentas, letargia, depressão, anemia, tumores no cérebro. **Ervas benéficas**: Brahmi, vacha, olíbano.

- ***Shukra***: disfunção sexual, infertilidade, tumores uterinos, cistos,

fibroide, hipertrofia prostática benigna, baixa imunidade, tumores benignos, tumores nos testículos, diabetes, cálculos prostáticos, (pedras na próstata). **Ervas benéficas**: Kapikachu, gokshura, ashwagandha.

A entrada de Kapha *no* Majja dhatu *pode causar letargia e depressão.*

- ***Ojas***: baixa imunidade, pneumonia repetida. **Ervas benéficas**: Pippali, bibhitaki, gokshura, guggulu.bibhitaki, gokshura, guggulu

Capítulo 14: O Ayurveda e a mente

A mente tem sido chamada de espelho da consciência pura, que irradia a luz do nosso eu interior (o Atman), o mundo incondicionado além do espaço e do tempo. A mente pode ser vivenciada como consciência, inteligência e sabedoria, porque a luz da consciência pura brilha por meio dela. A mente é o veiculo da consciência – ela não é a consciência em si. Ela reflete a consciência, que reside no coração e permeia todo o nosso ser. Se permanecemos na mente, ficamos no mundo condicionado, ao passo que, quando liberados na consciência pura, somos livres.

Se realmente investigarmos a natureza da mente, iniciaremos uma jornada dentro do nosso próprio ser, tornando-nos ao mesmo tempo o observador e a coisa observada. Descobriremos todas as forças que trabalham dentro de nós e veremos como cada um de nós é um microcosmo do macrocosmo, uma réplica do cosmo, o nosso eu interior ou consciência, um só com a pura consciência passiva (Brahma). Como afirma o Charaka Samhita, "Aquele que enxerga igualmente todo o universo no seu próprio eu, e o seu próprio eu em todo o universo, é possuidor do verdadeiro conhecimento".

A mente é um espelho da consciência pura, que irradia a luz do nosso eu interior.

A anatomia sutil da mente

Os *manovahasrotas* são os canais sutis da mente. De acordo com os antigos textos, o canal ou *srota* da mente é o corpo inteiro, que se abre para os órgãos sensoriais.

Nesse sentido, o Ayurveda é um sistema verdadeiramente holístico. Não existe nenhuma separação real entre a mente e o corpo, já que o corpo é considerado a cristalização da mente. Com a ajuda da sabedoria ayurvédica, é possível ter um entendimento mais amplo da mente que inclui o nosso corpo físico e o nosso eu imortal mais profundo.

A mente e o coração

No Ayurveda, a mente e o coração são a mesma coisa. É dito que a mente reside no coração, o que significa tanto o coração físico quanto o coração da nossa consciência pura.

Os três *doshas* residem no coração. Ele é a sede de *Prana, Tejas* e *Ojas*, os aspectos sutis dos *doshas* e dos três *gunas Sattva, Rajas e Tamas.* Isso significa que o nosso estado mental e emocional é influenciado pelo equilíbrio dessas qualidades; e, do mesmo modo, a mente tem o poder de influenciar nossa saúde física. Todos os pensamentos e sentimentos que temos, cada mudança de disposição de ânimo, nossos gostos e antipatias, atrações e aversões têm seu impacto nos *doshas* e, subsequentemente, na nossa saúde. A saúde mental é um estado de bem-estar sensorial, mental, intelectual e espiritual.

A consciência universal e cósmica

De acordo com a filosofia *Sankhya* (ver p. 18), *Purusha* é a consciência universal que tudo permeia, a suprema inteligência. *Prakruti* (natu-

Todos os nossos pensamentos e sentimentos têm impacto sobre os doshas *e, subsequentemente, sobre a nossa saúde.*

reza primordial) é a força de criação por trás de tudo no universo, tanto das coisas grosseiras quanto das sutis. Ela é composta por três qualidades primordiais, ou *gunas*: *Sattva, Rajas* e *Tamas*. O Atman é o eu interior, que é divino – o Deus interior. A consciência pura se torna mais densa e resulta na matéria que produz a mente, os sentidos e os cinco elementos.

Mahat é a inteligência cósmica base da criação e de todas as leis e os princípios seguidos por tudo no mundo manifestado. *Mahat* é universal e individual; ela consiste nas grandes verdades por trás da vida, a mente universal ou divina, até o nível celular. Cada célula tem uma micro-*mahat*, ou consciência celular, governando sua inteligência, que possibilita que ela mantenha a atividade metabólica correta para seu tipo particular.

O aspecto interior da mente

O aspecto interior da mente (*Antahkarana*) é composto por quatro partes:

- *Buddhi* (sabedoria interior)
- *Chitta* (o depósito das nossas experiências)
- *Manas* (a mente exterior)
- *Ahamkara* (ego/o sentimento de "sei-dade", a consciência de que eu sou).

Buddhi

Na alma individual, *Mahat* se torna *Buddhi*, que deriva da palavra *Buddh*, a qual (assim como a palavra

Buda) significa "tornar-se desperto", "compreender" ou "conhecer". É a inteligência da alma por meio da qual podemos discernir a verdade, e ela nos confere um senso de individualidade. *Buddhi* é aquela dimensão interior do coração/mente que é atraída por Brahma (consciência universal), a nossa parte que pode se tornar iluminada quando é libertada dos apegos externos. Ela é descrita no Katha Upanishad (I, 3), em que é comparada ao cocheiro de um cavalo e carruagem: as rédeas do cocheiro representam a mente inferior (*Manas*), os cavalos são os cinco sentidos e a carruagem representa o corpo.

Chitta

Esse é o depósito de todas as nossas experiências, entre elas os *Samskaras* – as influências de todas as nossas experiências (incluindo as de vidas passadas), que inconscientemente governam muitas das nossas características mentais e emocionais. A mente absorve as impressões captadas pelos cinco sentidos e armazena-as em *Chitta*, no coração, que então se torna o receptáculo de pensamentos, sensações e sentimentos. Eles exercem um impacto direto sobre a nossa experiência da vida, pois se tornam os óculos por meio dos quais enxergamos o mundo e por sua vez afetam significativamente a nossa saúde mental e física.

Chitta nadi é o canal por meio do qual os nossos *Samskaras* fluem para o mundo exterior e distorcem a nossa experiência, e depois as experiências do mundo exterior dos sentidos fluem para o mundo interior do coração, onde são armazenadas. O fluxo para fora dá origem à mente exterior e às emoções, que é *Manas*, e o fluxo para dentro vai para a mente interior, que é *Buddhi*.

Manas

O aspecto externo de *Chitta* se chama *Manas* – a nossa faculdade pensante genérica. Ela é responsável pela organização das informações recebidas a partir do mundo exterior dos cinco sentidos.

Como esse aspecto da mente está relacionado com os sentidos, ele pode vivenciar incessantes sensações mentais e emocionais, que envolvem desejos mundanos e o apego à forma externa, que trazem com eles a turbulência e o sofrimento.

É *Manas* que atrai a consciência para ser encarnada ou reencarnada na existência material como uma alma individual. A sabedoria e o discernimento de *Buddhi* leva a alma encarnada de volta em direção ao coração espiritual, desfazendo a nossa identificação com o mundo material e ajudando-nos a abdicar dos desejos mundanos, possibilitando com isso a liberação (*Moksha*).

Buddhi *é a inteligência da alma e deriva da palavra "Buddha" que significa "tornar-se desperto".*

Ahamkara

Ahamkara nos confere um sentimento de individualidade, a "seidade", a consciência de que eu sou, sinônimo do nosso conceito do ego. Ele cria a ilusão de "mim" e do "meu" – de que somos indivíduos independentes com a nossa própria consciência particular, e não parte da consciência universal ou divina. Por conseguinte, ele cria a dualidade e o sentimento de que estamos separados dos outros.

Ahamkara é criado por *Buddhi*, de modo que, em última análise, está subordinado a ele.

Quando nossa mente está em estado de *Ahamkara*, podemos nos identificar inconscientemente com alguma coisa que geralmente está fora

Nosso Ahamkara *pode fazer com que nos identifiquemos com um carro novo, imaginando que ele nos confere* status.

de nós mesmos. Pode ser uma coisa material (como um carro novo), que sentimos que nos confere algum tipo de *status*, ou um conceito ou ideia (como uma crença religiosa) que, se for ameaçado, poderá até mesmo nos fazer ir à guerra. Em *Akamkara*, um estado de *Rajas* (agitação/energia) predomina porque, ao nos identificarmos com uma pequena parte da criação e rejeitarmos tudo o mais como "não sendo eu", nós nos tornamos propensos ao sofrimento mental, como orgulho, raiva, ódio e ciúme.

A sabedoria de *Buddhi*

O coração fornece uma ponte entre a mente individual (*Buddhi*) e a mente e consciência universal (*Mahat*). Sem a identificação ou separação de *Ahamkara*, a mente individual pode vivenciar a sua verdadeira natureza como a mente universal. A causa suprema da doença é a ignorância, a ilusão de que a "seidade", a consciência de que eu sou, é real; assim sendo, a cura para todas as doenças reside na sabedoria diferenciadora de *Buddhi*, que pode dispersar essa ilusão, e a verdadeira saúde envolve nos libertarmos do ciclo de reencarnação e sofrimento e compreendermos que somos *Purusha*, ou consciência pura.

As formas mentais dos *doshas*

Prana, *Tejas* e *Ojas* são as formas mais sutis dos três *doshas*, que exercem sua influência na mente. Eles cumprem funções semelhantes àquelas das suas três formas no cérebro físico (*Prana Vata*, *Sadhaka Pitta* e *Tarpaka Kapha*), porém em nível mais sutil. Eles também são perturbados pelas coisas que perturbam os *doshas* de maneira geral (consulte o Cap. 12).

Prana

A forma mental de *Vata* se chama *Prana* e é a nossa força vital e o alento da vida. No nível celular, ela é o fluxo da inteligência, da comunicação entre cada célula que mantém coeso o nosso organismo. *Prana* nos confere inspiração e positividade, a vontade de viver, crescer e curar a nós mesmos, e nos conecta com o nosso eu interior. Quando *Prana* está em repouso, ele se torna uma pura consciência jubilosa.

O excesso de *Prana* causa a perda do controle mental, pois a força vital perde a sua conexão com o cérebro e o corpo, causando a perda da coordenação sensorial e motora, e nos torna predispostos a problemas de aprendizado e de comportamento, como o Transtorno do Déficit de Atenção e Hiperatividade (TDAH). Podemos nos sentir sem base, estressados e alienados, com um senso de identidade deficiente.

A insuficiência de *Prana* causa a falta de energia mental, entusiasmo e curiosidade. A nossa força vital e a energia curativa diminuem, e a receptividade e a criatividade são inibidas. A mente e os sentidos podem ficar embotados e pesados, perdemos a motivação, e as nossas atitudes podem se tornar conservadoras e rígidas.

Tejas

A forma mental de *Pitta* se chama *Tejas*; ela é o fogo da mente, a inteligência celular. *Tejas* promove a inteligência, a razão, a paixão por aprender, o foco, a autodisciplina, a percepção e a clareza mental. Podemos potencialmente vivenciar um puro êxtase. O excesso de *Tejas* pode dar origem a uma mente excessivamente crítica e diferenciadora, à dúvida, raiva, irritabilidade e inimizade. As pessoas com excesso de *Tejas* podem ser difíceis de agradar e tenderem a acessos de mau humor. A insuficiência de *Tejas* pode causar a incapacidade de investigar ou discernir, levando-nos a aceitar as coisas sem análise crítica e a perder o poder de aprender com a experiência. Pode nos levar a ser passivos e impressionáveis e excessivamente influenciáveis pelos outros a ponto de carecer de propósito e perder o rumo.

Ojas

A forma mental de *Kapha* é *Ojas*, o fluido vital do corpo em forma sutil na mente. *Ojas* promove força mental, estabilidade, resistência, paciência, calma, boa memória e concentração prolongada, felicidade, contentamento e alegria. Ele conecta e sustenta nosso bem-estar físico-mental-espiritual. *Ojas* é, essencialmente, a nossa paz de espírito e é regenerado por meio da meditação. O excesso de *Ojas* causa uma sensação de peso e embotamento na mente, bem como a complacência e a falta de disposição para mudar e crescer.

O equilíbrio das ações

Um *Ojas* de modo geral elevado é muito menos problemático do que um excesso de *Prana* ou de *Tejas*, que são os principais fatores nos distúrbios mentais. *Prana* elevado resseca *Ojas*, e *Tejas* elevado o atrofia. Por conseguinte, o excesso de *Prana* e *Tejas* acompanham um *Ojas* baixo. De acordo com Charaka, "quando *Ojas* está baixo, a pessoa sente medo, fica fraca, se preocupa, seus sentidos ficam perturbados, sua tez não é bonita, sua mente é fraca, ela é desagradável e magra". Podemos carecer de autoconfiança, ter dificuldade de concentração, memória fraca e falta de fé. A exaustão nervosa ou problemas mentais podem se desenvolver.

Prana, *Tejas* e *Ojas* controlam *Vata*, *Pitta* e *Kapha* no corpo. Entre os fatores que os equilibram estão a meditação, a prece, o autoestudo, o sono profundo e o relaxamento, o uso correto das cores, aromas e pedras preciosas. *Prana* em particular é fortalecido quando passamos algum tempo na natureza e comungamos com as "forças cósmicas". Virtudes como a fé, o amor, a receptividade, a compaixão e o entendimento também são importan-

O sono profundo ajuda a manter Prana, Tejas *e* Ojas *em equilíbrio.*

tes. Entre os fatores que causam desequilíbrios de *Prana, Tejas* e *Ojas* estão o uso de drogas (medicinais ou recreativas), a exposição excessiva à influência dos meios de comunicação de massa, à televisão ou ao computador, e sensações exageradamente fortes, como cores excessivamente fortes, ruído alto, estresse, emoções excessivas ou simuladas e práticas de meditação incorretas. O excesso de exercícios respiratórios (*Pranayama*) pode agravar *Prana*.

Os *doshas* e a mente

Podemos observar o efeito que a perturbação dos três *doshas* causa em *Prana*, *Tejas* e *Ojas* por meio dos distúrbios mentais e emocionais que comumente vivenciamos. Os três principais subtipos dos *doshas* particularmente relacionados com nosso estado mental e emocional estão descritos abaixo.

Prana Vata

Conectado com funções cerebrais mais elevadas, *Prana Vata* governa o movimento da mente, dos pensamentos e dos sentimentos. Ele poderia estar relacionado com a atividade neuroelétrica do cérebro. Ele promove entusiasmo, inspiração, adaptabilidade mental, a habilidade de comunicar e coordenar as ideias. Quando perturbado, pode dar origem a inquietação, ansiedade, insegurança, medo, insônia, pesadelos e problemas neurológicos físicos, como palpitações, tremores, epilepsia e demência. *Prata Vata* é considerado o aspecto mais importante de *Vata* e dirige os outros quatro sub*doshas* de *Vata*. Como *Vata* dirige o corpo como um todo, manter *Prana Vata* em equilíbrio afeta significativamente a nossa saúde de um modo geral.

Sadhaka Pitta

Nossa saúde mental e emocional é bastante afetada por *Sadhaka Pitta* – o *Pitta* no coração e na mente. Ele governa as substâncias bioquímicas (neurotransmissores como a dopamina e a serotonina) no cérebro e é responsável pelo fluxo do sangue pelo coração, bem como pelas emoções ligadas a ele. É esse aspecto de *Pitta* que digere e metaboliza as experiências e determina nossas reações a elas.

Quando em equilíbrio, *Sadhaka Pitta* promove emoções harmoniosas, autoconfiança, desejos saudáveis, energia, motivação, paixão e um sentimento de realização. Quando desequilibrado, ele dá origem a emoções negativas, entre elas a autocrítica, a baixa autoestima e as variações de humor, nos faz ficar irritados ou zangados, excessivamente analíticos ou críticos, agressivos, exageradamente ambiciosos, ciumentos, mordazes ou ríspidos. Os tipos *Pitta* estão propensos a ficar exacerbados nos momentos de pressão, como antes de exames, entrevistas e competições, porque são altamente competitivos e temem o fracasso. Eles têm a tendência de reprimir as emoções até que sua raiva explode. Chorar e se expressar é importante para que os tipos *Pitta* possam liberar a tensão. Eles podem ter dores de cabeça, sen-

Chorar é importante para os tipos Pitta, *ajudando-os a liberar as suas emoções.*

O excesso de Tarpaka Kapha *pode fazer com que nos sintamos pesados e letárgicos e nos levar a comer "comida reconfortante".*

sações de ardência na cabeça e nos olhos e palpitações. A insônia é um sintoma de perturbação de *Sadhaka Pitta*, mas é diferente da insônia de *Vata*. As pessoas *Pitta* ficam acordadas entre 10 horas da noite e 2 horas da manhã, sobrecarregadas por responsabilidades, com pensamentos autocríticos. Elas podem ser facilmente magoadas e sofrem de sentimentos de desesperança e de sensação de fracasso, o que pode conduzir à depressão.

A depressão do tipo *Pitta* não deve ser encarada levianamente. Ela pode ser profunda e duradoura. Se não for tratada, pode conduzir a uma depressão grave, como transtorno bipolar, tendências suicidas ou um comportamento autodestrutivo, como o uso excessivo de drogas e de álcool, o que só faz exacerbar o problema. Isso pode provocar um desequilíbrio em *Tarpaka Kapha* (veja abaixo), responsável por coordenar o coração e a mente, causando problemas adicionais na mente (*Prana Vata*), em cujo caso os três *doshas* são perturbados.

Tarpaka Kapha

Está localizado no cérebro, no coração e no fluido cerebrospinal. Proporciona nutrição, força, proteção e lubrificação para os nervos. *Tarpaka* significa "contentamento". Ele possui um movimento dirigido para dentro, possibilitando que sintamos a alegria interior de sermos nós mesmos. Quando em equilíbrio, *Tarpaka Kapha* nos dá a luz nos olhos, o brilho da pele, coragem, firmeza, estabilidade mental e emocional, resiliência ao estresse, lucidez mental e alegria de viver. As pessoas *Kapha* são geralmente mais serenas e resilientes, demorando mais a reagir emocionalmente. Quando estressadas, tendem a ficar letárgicas, retraídas e com pouca motivação. Elas podem se tornar possessivas, excessivamente apegadas a pessoas ou coisas. Poderão comer mais, e a comida reconfortante é escolha provável. Elas ganham peso com facilidade e relutam em fazer exercício. Podem ficar sentadas durante horas aparentemente sem fazer praticamente nada, talvez assistindo à televisão. A deficiência de *Tarpaka Kapha* pode causar descontentamento, mal-estar, nervosismo e insônia, bem como sintomas de excesso de *Prana Vata*. A meditação promove sua secreção.

Equilibrando os *doshas*

A mente é um recurso maravilhoso que podemos utilizar para obter informações do mundo que nos cerca, com a ajuda dos cinco sentidos. Temos a capacidade de usar produtivamente a nossa mente, mas também podemos ficar à mercê de seu estilo turbulento e podemos acumular *Ama* mental (toxinas) a partir de experiências não digeridas e agarrar-nos a pensamentos não resolvidos e emoções negativas.

De maneira geral, equilibrar os *doshas* ajudará a corrigir desequilíbrios de aspectos específicos deles que se relacionam com a mente e o coração (consulte o Cap. 12). Você encontrará abaixo algumas diretrizes.

Prana Vata

• Caminhe ao ar livre ao nascer do sol e respire profundamente. Isso ajuda a abrir os canais, estimula a digestão e a eliminação, eliminando qualquer *Ama* do dia anterior.
• Não resista aos impulsos naturais, pois isso pode desequilibrar *Vata* e contribuir para a ansiedade e desequilíbrio emocional.
• Faça em si mesmo uma *Abhyanga* diária (massagem com óleo morno). A sensação do toque está associada

às emoções e ajuda a equilibrar *Vata* e a acalmar a ansiedade e o estresse. Depois da massagem, tome um banho morno para eliminar as toxinas que foram expulsas das células durante a massagem.

- Use *Asanas* ou posturas yogues para melhorar a digestão, purgar toxinas dos canais e células do corpo que contribuem para o *Ama* mental e melhorar a saúde como um todo.
- Inale óleos aromáticos, entre eles jatamansi, vetiver, olíbano, jasmim, rosa e sândalo.
- Faça *Pranayama* (exercícios respiratórios).

Ervas benéficas: tagarah, ashwagandha, rosa, vacha, jatamansi, shankapushpi, shatavari, bringaraj, açafrão, noz-moscada, alcaçuz, cominho preto, bala, kapikachu.

Sadhaka Pitta

- Passe algum tempo do lado de fora em um belo lugar na natureza, especialmente à beira da água.
- Beba chá de rosa ou de camomila quando precisar de uma bebida calmante.
- Evite o esforço excessivo, tanto mental quanto físico.
- Faça uma massagem diária com um óleo refrescante e relaxante, como o de coco ou de gergelim, que contenha óleos essenciais de rosa, camomila, sândalo, coentro ou capim-limão.
- Ouça uma música reconfortante e relaxante, descontraia-se e relaxe.
- Vá para a cama antes das 10 horas da noite. Descansar suficientemente é fundamental para a saúde emocio-

Inalar óleos aromáticos é uma maneira maravilhosa de equilibrar Prana Vata.

O Pranayama *é uma das maneiras mais eficazes de equilibrar os* doshas.

nal, e adormecer durante o período *Kapha* da noite gera um sono profundo e repousante que revigora tanto a mente quanto o corpo.

Ervas benéficas: rosa, camomila, amalaki, shatavari, bringaraj, *aloe vera*, manjishta, sariva, bacopa, gotu kola, jatamansi, shankapushpi, sândalo, açafrão, alcaçuz.

Tarala Kapha

• Acorde ao amanhecer. Acordar depois das 6 horas da manhã faz com que os *srotas* (canais) fiquem obstruídos por *Ama*, o que causa letargia, embotamento da mente, baixo astral e uma lenta comunicação entre o coração e a mente.

• Procure não dormir de dia.

• Pratique uma boa quantidade de exercícios vigorosos, faça coisas diferentes e tente manter a mente aberta.

• Faça *Nasya*, ou administração nasal de óleos, entre estes o óleo de eucalipto, nilyadi ou vacha.

Ervas benéficas: tulsi, rosa, vacha, pippali, gotu kola, bacopa, olíbano, shankapushpi, açafrão.

Nossa constituição mental e emocional (*Manas Prakruti*)

O equilíbrio dos três *gunas* (*Sattva, Rajas* e *Tamas*) na nossa constituição mental causa um profundo efeito sobre nosso estado mental e emocional (consulte o Cap. 3).

Existem três categorias amplas de *Prakrutis* mentais (personalidades). Uma pessoa é considerada *sátvica, rajásica* ou *tamásica* de acordo com a predominância dos *gunas* que, por sua vez, afetam os três *doshas*. Embora a interação de todos os três seja necessária, quando *Sattva* (a qualidade do amor, harmonia e virtude) predomina, ele tende a resultar no equilíbrio correto dos três *gunas*. Quando *Sattva, Rajas* e *Tamas* agem juntos em harmonia, esse equilíbrio é conhecido como "puro *Sattva*".

A mente *sátvica*

Podemos alterar nossa *Manas Prakruti* por meio de pensamentos, ações, alimentação, ervas e estilo de vida. O Ayurveda é essencialmente *sátvico*, defendendo um modo de vida com amor, fé, paz, não violência e outras virtudes *sátvicas*. Ao ter uma alimentação saudável e viver um estilo de vida harmonioso com amor, sabedoria e outros atributos *sátvicos*, podemos vivenciar um maior sentimento de paz, alegria e realização. O Ayurveda recomenda um código de conduta física (*Svasthavitta*) e qualidades virtuosas (*Sdavritta*). Ele envolve o seguinte:

- Um regime de saúde diário (*Dinacharya*, ver p. 146), começando com uma massagem com óleo (*Abhyanga*) para remover toxinas e estimular o fluxo de inteligência natural no corpo
- Um regime de saúde sazonal (*Rtucharya*, ver p. 204)

Passar algum tempo ao ar livre, na natureza, sentado à beira da água, purifica os sentidos e aumenta Sattva.

- Meditação para dissolver o estresse arraigado e promover harmonia, criatividade e clareza
- Uma alimentação *sátvica* saudável em harmonia com seu tipo de corpo (ver p. 88)
- Exercício regular
- *Pranayama*
- Alimentos e água puros
- Evitar toxinas como pesticidas, álcool e tabaco
- Purificação ou *Panchakarma* (consulte o Cap. 17)
- Terapias como Shirodhara e a massagem Marma (estimulação dos 107 pontos Marma para aumentar *Prana* e equilibrar os *doshas*)
- Sono adequado
- Passar algum tempo ao ar livre, na natureza, caminhando ao sol, sentado à beira da água, a fim de purificar os sentidos
- Equilíbrio de atividade, repouso e relaxamento, e tempo para refletir
- Ter relacionamentos amorosos e carinhosos
- Ser amável e tolerante e evitar a raiva e as críticas
- Consulte também *Rasayana*, ou terapia do rejuvenescimento, no Cap. 18.

O papel da meditação

De acordo com o famoso médico indiano e ayurvédico Deepak Chopra, "O princípio norteador do Ayurveda é que a mente exerce uma influência extremamente profunda no corpo, e para ficarmos livres da doença precisamos entrar em contato com nossa consciência, equilibrá-la e estender esse equilíbrio para o corpo".

A fim de ajudar a equilibrar a mente e as emoções e erradicar o sofrimento que vivenciamos no estado em que estamos desconectados da nossa fonte de luz interior, precisamos aquietar o incessante tagarelar da mente e mergulhar no nosso interior. A meditação pode nos ajudar a canalizar nossa consciência na direção do eu interior, e ela tem a capacidade de transformar completamente nosso estado mental, possibilitando a união com o espírito. Por meio da meditação, podemos observar os movimentos da mente, os pensamentos, os sentimentos e as sensações enquanto eles vêm e vão, entrando na consciência da testemunha consciente. Uma vez que podemos ser observadores da mente, isso significa que não somos a mente – ela é um instrumento para nosso uso.

Os benefícios da meditação

A prática diária da meditação também pode ajudar a eliminar o *Ama* mental e emocional, bem como evitar o acúmulo de mais *Ama*. Quando ficamos ansiosos, receosos, descontentes ou zangados, uma cadeia de eventos fisiológicos é desencadeada; hormônios e substâncias bioquímicas inundam o nosso corpo a partir do hipotálamo, a pituitária e as glândulas suprarrenais, causando poderosos efeitos em todo o corpo. No estresse agudo, nosso batimento cardíaco au-

A meditação e a repetição de um mantra ajudam a aquietar a mente e harmonizam nossos corpos interiores.

menta, o fluxo de sangue para os nossos músculos é aumentado, nossas pupilas se dilatam e mais oxigênio flui por nossos pulmões. No estresse crônico, nosso corpo permanece em estado de elevada estimulação durante longos períodos, e hormônios cuja função é nos proteger são secretados em excesso e, com o tempo, esgotados. Isso tem o efeito de exaurir *Ojas*, nossa energia vital e imunidade. Pesquisas sobre a meditação mostram que ela pode intensificar *Ojas*, aumentar nossa resiliência ao estresse, reduzir os níveis de cortisol, baixar a pressão arterial e reduzir emoções negativas como o medo, a agressividade e a raiva. Foi constatado que até mesmo doenças causadas por um *Ama* arraigado, como as do coração, a hipertensão e a apoplexia, melhoram significativamente com a meditação.

Existem muitas formas diferentes de meditação, mas o emprego de técnicas de concentração que nos ajudam a observar nossos pensamentos é comum a todas. Os mantras – sons, sílabas, palavras ou frases (geralmente extraídas das escrituras e dotadas de um poder especial – podem ser entoados para estabelecer um campo de força. Eles também podem ser repetidos suave ou mentalmente, e os seus tons sutis terão o efeito de aquietar a mente, harmonizando os corpos interiores e estimulando as nossas qualidades espirituais latentes.

Pranayama

Os exercícios respiratórios são conhecidos como *Pranayama*. *Prana* é a força vital, e *Pranayama* aumenta *Agni*, abre e purifica os canais mentais (*Manovahasrotas*) que conduzem oxigênio para o cérebro e aumenta *Ojas*. Ele intensifica a clareza mental e equilibra as emoções.

O ideal é praticar o *Pranayama* bem cedo pela manhã ao ar livre. Você encontrará abaixo alguns dos exercícios mais populares, geralmente feitos em uma postura confortável, na posição sentada.

Respiração do fole (*Bhastrika*)

Ela consiste basicamente de uma respiração profunda, para dentro e para fora do nariz, com a ênfase em expelir o máximo de ar possível dos pulmões na exalação. Levante os ombros quando inalar, a fim de criar mais espaço pulmonar. A repetição de várias respirações é considerada uma rodada. Você pode começar com duas rodadas de cinco respirações e aumentar gradualmente para rodadas de vinte respirações. Geralmente terminamos uma rodada inalando profundamente e depois voltamos a respirar normalmente durante dois minutos antes de iniciar outra rodada. Se você se sentir tonto, faça uma pausa e depois prossiga após respirar normalmente algumas vezes.

Bhastrika intensifica a oxigenação, o metabolismo, a circulação do sangue e a função cardíaca. Ele desobstrui o nariz e a mente e ajuda a liberar sentimentos negativos como a raiva, o pesar e a depressão. É bom para a obesidade, a diabetes, o colesterol elevado, o hipotiroidismo e a dor muscular. Evite praticá-lo se tiver hipertensão, depois de um recente ataque cardíaco e quando estiver grávida ou menstruada.

O Pranayama *é geralmente praticado ao ar livre, bem cedo pela manhã, em uma posição sentada confortável.*

Respiração do crânio brilhante (*Kapalabhati*)

Sente-se na beirada da cadeira, inspire profundamente e, em seguida, solte o ar. Agora, inspire e expire vigorosamente, inalando e exalando rapidamente o ar, com ênfase na exalação – mais ou menos como se você estivesse assoando o nariz.

A inalação e o movimento abdominal acontecerão espontaneamente. Termine com uma inalação e exalação profundas. O iniciante poderá fazer duas rodadas com vinte exalações em cada uma. Faça pequenos intervalos entre cada rodada. Você poderá aumentar o número de exalações e rodadas quando se sentir pronto, podendo chegar a cem por minuto.

Kapalabhati purifica o sistema respiratório e massageia todos os órgãos internos, levando sangue fresco para nutri-los e ajudar a função deles; de 200 a 300 por dia é bom para a próstata, ovários, para a formação de novas células sanguíneas, para a função hepática, imunidade e função cerebral. *Kapalabhati* incrementa o suprimento de oxigê-

nio e purifica o sangue, ajuda a tonificar os músculos abdominais e a reduzir a gordura abdominal; também elimina a raiva e o calor de *Pitta* estagnado no fígado. Pratique-o antes da meditação, pois ele melhora a concentração e ajuda a aquietar a mente. Evite-o durante a menstruação e a gravidez.

A respiração alternada melhora a clareza mental e elimina velhos padrões mentais e emocionais.

Respiração alternada (*Anuloma Viloma*)

Coloque o polegar direito sobre a narina direita e inspire pela narina esquerda. Em seguida, feche a narina

esquerda com o dedo anular da mão direita e solte o ar pela narina direita. Em seguida, inspire pela narina direita, recoloque o polegar sobre a narina direita e solte o ar pela narina esquerda.

Repetir essa respiração trinta vezes em uma rodada tem o efeito de equilibrar os hemisférios direito e esquerdo do cérebro, melhorar a clareza mental, a concentração e a percepção, bem como eliminar velhos padrões mentais e emocionais. Também auxilia a meditação.

Respiração da abelha (*Brahmari*)

Sente-se, levante os braços e coloque um polegar sobre cada ouvido, com os indicadores sobre o Terceiro Olho no centro da testa e os outros dedos sobre os olhos. Inspire profundamente e, ao soltar o ar, emita um zumbido como o das abelhas. Isso faz vibrar a garganta, a tireoide e o coração, ajudando-os a permanecer saudáveis.

Inicialmente, repita essa respiração sete vezes e vá aumentando o número de vezes até alcançar 17 repetições. *Brahmari* é bom para as glândulas pituitária e pineal, bem como para o sistema endócrino de modo geral. Ele aquieta a mente e é benéfico para os olhos.

Ervas para a saúde mental e emocional

As ervas que têm efeito nutritivo e adjuvante na mente são conhecidas como *Medhya Rasayanas*. *Medhya* diz respeito à mente e ao intelecto, ao passo que *Rasayana* é uma terapia tônica ou rejuvenescedora. Essas ervas fortalecem a memória e a concentração.

De acordo com o Ayurveda, a capacidade mental está no auge quando os três aspectos de *Buddhi* – *dhi* (aprendizado), *dhriti* (retenção) e *smriti* (recordação) – estão funcionando bem tanto individualmente quanto em conjunto. Os *Medhya Rasayanas* são bons para estimular cada aspecto individual da capacidade mental, porque promovem a coordenação entre as células, entre a mente e o corpo e entre os sentidos.

Como tônicos calmantes para os nervos, os *Medhya Rasayanas* nutrem profundamente os tecidos neurológicos, fornecendo nutrientes moleculares específicos para o cérebro, que podem promover a saúde mental e ajudar a aliviar problemas mentais, emocionais e comportamentais. Dessa maneira, eles têm a capacidade de produzir calma e tranquilidade. Eles têm efeitos adaptogênicos e rejuvenescedores e aumentam a resiliência ao estresse e retardam os efeitos do envelhecimento no cérebro.

Existe outra categoria de ervas que causa um efeito adjuvante e rejuvenescedor não apenas no coração e no sistema cardiovascular, mas também no coração emocional. Essas ervas são conhecidas como *Hridaya Rasayanas*. Assim como as ervas *Medhya* intensificam a capacidade mental e intelectual, esses incríveis remédios aumentam nossa capacidade de tolerar o estresse físico e emocional no coração e eliminam toxinas que bloqueiam os canais físicos e mentais.

OS MELHORES *MEDHYA RASAYANAS*

- **Ashwagandha** (*Withania somniferum*)
- **Brahmi** (*Bacopa monniera*)
- **Gotu kola** (*Centella asiatica*)
- **Shankapushpi** (*Evolvulus pluricaulis*)
- **Vacha** (*Acorus calamus*)
- **Shatavari** (*Asparagus racemosus*)
- **Krishna jiraka** (*Nigella sativa*)
- **Bala** (*Sida cordifolia*)
- **Kapikachu** (*Mucuna pruriens*)
- **Guduchi** (*Tinospora cordifolia*)
- **Bringaraj** (*Eclipta alba*)
- **Haritaki** (*Terminalia chebula*)
- **Alcaçuz** (*Glycyrrhiza glabra*)
- **Pippali** (*Piper longum*)
- **Rosa** (*Rosa* sp.)

OS MELHORES *HRIDAYA RASAYANAS*

- **Arjuna** (*Terminalia arjuna*)
- **Amalaki** (*Emblica officinalis*)
- **Ashoka** (*Saraca indica*)
- **Bala** (*Sida cordifolia*)
- **Gotu kola** (*Centella asiatica*)
- **Guggulu** (*Commiphora mukul*)
- **Punarnava** (*Boerhavia diffusa*)
- **Tagarah** (*Valeriana wallichii*)
- **Tulsi** (*Ocimum sanctum*)
- **Vasaka** (*Adhatoda vasica*)
- **Canela** (*Cinnamomum zeylanicum/cassia*)
- **Coentro** (*Coriandrum sativum*)
- **Rosa** (*Rosa* sp.)

PARTE 4

Recursos do Tratamento Ayurvédico

As ervas são um importante aspecto do tratamento ayurvédico, e a lista nesta parte do livro descreve cinquenta das ervas ayurvédicas mais comumente usadas. A lista é seguida por uma seleção de preparados e fórmulas, por uma vista-d'olhos no *Panchakarma*, ou as cinco práticas de purificação do Ayurveda, e por uma discussão do conceito do *Rasayana*, ou terapia de rejuvenescimento.

Capítulo 15: Lista de ervas ayurvédicas

Esta lista descreve detalhadamente cinquenta ervas comumente usadas na medicina ayurvédica. São fornecidos os nomes científicos, sânscritos e populares, seguidos de um resumo de informações úteis: as partes das plantes que são usadas, bem como qualidade, o sabor, a potência e o efeito pós-digestivo; o *dosha* predominante, bem como os *dhatus* e os *srotas* afetados; são apresentados ainda uma descrição das ações da erva, uma nota sobre quaisquer recomendações e detalhes da dosagem relevante.

A NOTE ON DOSAGES

Throughout this chapter the dosages are given in metric. Below are some simple conversions.

- 5 ml = 1 teaspoon, 15 ml = 1 tablespoon/½ fl oz, 25 ml = 1 fl oz, 100 ml = 3½ fl oz
- 3 gm = ½ teaspoon, 5 gm = 1 teaspoon/¼ oz, 15 gm = 1 tablespoon/½ oz, 25 gm = 1 oz, 50 gm = 2 oz

ABREVIATURAS DOS *DOSHAS*

V: *Vata*

P: *Pitta*

K: *Kapha*

Um sinal de menos depois da abreviatura (p. ex.: P-) significa que a erva diminui o *dosha*; um sinal de mais (P+) significa que a erva o aumenta.

As ervas ayurvédicas são descritas de acordo com as qualidades e os sabores, bem como segundo seus efeitos sobre os doshas, dhatus *e* srotas.

Acorus calamus

(Vacha, Cana-cheirosa, Cálamo-aromático, Dringo)

Parte usada: rizoma
Qualidade: leve, incisiva, seca
Sabor: amargo, picante, adstringente
Potência: aquece
Pós-digestivo: picante
Dosha: VK- P+
Dhatu: plasma, músculo, gordura, nervo, reprodutivo
Srota: nervoso, digestivo, respiratório, circulatório, reprodutivo

AÇÕES

Nervina, antiespasmódica, carminativa, sedativa, analgésica, expectorante, descongestionante, emética, laxativa, diurética, febrífuga, anti-inflamatória, antimicrobiana, hipotensiva, anticonvulsiva, rejuvenescedora, estimulante.

Um tônico *sátvico* altamente respeitado para a mente, vacha aumenta a clareza mental, a concentração e a elocução verbal. Ela purga os canais sutis de toxinas e obstruções, promove a circulação cerebral e a função do cérebro. É frequentemente combinada com gotu kola a fim de favorecer a meditação.

Ao estimular *Agni*, vacha estimula o apetite, a digestão e a absorção, ajudando a eliminar *Ama*. Ela é útil na obesidade e para aliviar as cólicas, a flatulência e as úlceras pépticas. Suas propriedades antimicrobianas e descongestionantes são benéficas nas infecções do intestino, na bronquite, sinusite, tosse, asma e laringite. O óleo é benéfico externamente para as articulações artríticas dolorosas. Quando usada nasalmente, revitaliza *Prana*.

Advertências: provoca vômito se usada em grandes quantidades.

Dosagem: de 1 a 5 g do pó, de 1 a 5 ml da tintura diariamente.

Acorus calamus

Adhatoda vasica

(Vasaka, Adusa, Nogueira-da-índia, Noz de Malabar, *Justicia adhatoda*)

Parte usada: raiz, folhas, flores
Qualidade: leve, seca
Sabor: amargo, adstringente
Potência: fria
Pós-digestivo: picante
Dosha: KP- V+
Dhatu: plasma, sangue, gordura
Srota: respiratório, circulatório, digestivo

AÇÕES

Broncodilatadora, expectorante, adstringente, antimicrobiana, analgésica, anti-inflamatória, antialérgica, vasodilatadora, cardiotônica, hemostática, antiespasmódica, alterativa, estíptica, tônico uterino, facilita o parto, febrífuga.

Refrescante e adstringente, vasaka elimina a inflamação e o calor de *Pitta* elevado, particularmente no *Rakta dhatu*. Ela reduz a náusea, a diarreia e a disenteria, cura úlceras e interrompe sangramentos. Nos pulmões, acaba com a congestão e alivia a asma, as infecções da garganta, a tosse, a febre e as alergias.

Vasaka é um tônico para o coração, baixa a pressão arterial e purifica o sangue. Elimina as toxinas de *Kapha* no *Rasa dhatu* e é benéfica para os problemas de pele inflamatórios. Alivia os distúrbios urinários e ajuda a contrair os músculos, o que a torna benéfica para o prolapso uterino.

Advertências: deve ser evitada durante a gravidez (embora seja útil algumas semanas antes do parto para facilitá-lo). Seu excesso pode causar hipotensão. É melhor usá-la sob a orientação de um praticante.
Dosagem: de 0,5 a 1,5 g do pó das folhas/decocção de 2 a 3 vezes ao dia

Aloe vera

(Kumari, *Aloe Vera*, Aloe, Babosa)

Parte usada: gel, folhas
Qualidade: oleosa, pegajosa
Sabor: amargo, doce, picante, adstringente
Potência: refrescante
Pós-digestivo: doce
Dosha: VPK= (P-)
Dhatu: todos
Srota: digestivo, excretório, circulatório, órgãos reprodutores femininos

AÇÕES

Alterativa, anti-inflamatória, antelmíntica, digestiva, probiótica, laxativa, tônico amargo, colagoga, rejuvenescedora, melhora a imunidade, antiviral, antitumoral, emenagoga, diurética, demulcente, vulnerária.

O límpido gel mucilaginoso do interior das folhas exerce ação refrescante e reconfortante no corpo. Quando misturado com água, ele forma o suco que é tomado para os problemas associados ao calor e à inflamação e também é um excelente rejuvenescedor. Ele é particularmente benéfico para o excesso de *Pitta* no sangue e para as pessoas impetuosas e ardentes, propensas a ter problemas de provocação e ficar coléricas, irritáveis e autocríticas.

Um bom tônico amargo para o fígado e o trato digestivo, o suco de *aloe* estimula a secreção das enzimas digestivas, equilibra o ácido estomacal, ajuda a digestão e regula o metabolismo do açúcar e da gordura. Ele elimina toxinas, acalma e protege o revestimento intestinal, reduz a dor e a inflamação e tem um efeito suavemente antibiótico. Fortalece a flora intestinal e ajuda a combater micro-organismos nocivos no estômago, bem como infecções no intestino e a disbiose. Pode ser usado para colite, úlceras pépticas, diarreia, prisão de ventre, síndrome do intestino irritável (SII) e problemas inflamatórios no intestino, entre eles a colite ulcerativa.

Como tônico reprodutivo, o suco de *aloe* regula a menstruação e alivia problemas de *Pitta* de forte sangramento, coágulos, TPM e calor, tanto físicos, como nas ondas de calor, quanto emocionais durante a menopausa.

Externamente, a *aloe* pode ser aplicada a cortes, lesões e problemas de pele, tanto alérgicos quanto inflamatórios. Ela cura queimaduras, incluindo a queimadura do sol, e a que ocorre depois da terapia de radiação. É usada em loções para rejuvenescer a pele e reduzir rugas, bem como no caso de hemorroidas a fim de aliviar a dor e acelerar a cura. Ela também cura problemas inflamatórios nos olhos.

Advertências: o suco amarelo amargo da película que cobre as folhas é um poderoso laxante. Evite tomá-lo na gravidez, para sangramentos uterinos e na apendicite. Ocasionalmente, a *aloe* pode causar dermatite de contato. Pode interagir com glicosídeos cardíacos.

Dosagem: de 30 a 60 ml do suco diariamente.

Aloe vera

Andrographis paniculata

(Kalamegha, Kirata)

Parte usada: partes aéreas
Qualidade: leve, seca, penetrante
Sabor: amargo, picante
Potência: refrescante
Pós-digestivo: picante
Dosha: PK- V+
Dhatu: plasma, sangue, gordura
Srota: digestivo, respiratório, circulatório, urinário

Andrographis paniculata

AÇÕES

Imunoestimulante, anti-inflamatória, tônico amargo, colagoga, hepatoprotetora, febrífuga, anódina, antimicrobiana, antiviral, antifúngica, antiparasítica e antelmíntica, antimalárica, antioxidante, probiótica, alterativa.

Conhecida como o "rei das ervas amargas" devido o seu sabor muito amargo, a andrographis possui efeitos maravilhosamente refrescantes e purificadores, eliminando o excesso de calor e de *Pitta* do sangue. Ela é valorizada no Ayurveda por aumentar a imunidade, evitando e combatendo a febre, a toxicidade e as infecções agudas. Pode ser tomada para infecções no peito, pneumonia, tonsilite (amigdalite), laringite, infecções do ouvido, resfriados, gripe, sinusite, doença de Lyme, leptospirose, bem como problemas pós-virais, herpes, HIV, hepatite A (e possivelmente B e C) e malária. Talvez proteja contra o câncer.

A *Andrographis* é uma excelente erva para a digestão. Ela melhora a digestão e a absorção, reduz a inflamação e alivia indigestão, flatulência, gastrite, colite e úlceras pépticas. Ela é especialmente benéfica para refrescar o excesso de *Pachaka Pitta*, que pode causar calor, azia, indigestão, acidez, ardência e diarreia. Também ajuda a restabelecer a flora normal do intestino e combate infecções gastrointestinais agudas, a disenteria bacteriana e amébica, vermes, parasitas e candidíase. Ela estimula o fluxo da bile a partir do fígado, ajuda a digerir gorduras, reduz *Ranjaka Pitta* elevado e protege o fígado contra o dano das toxinas, do álcool e da infecção.

Baixa o nocivo colesterol LDL e protege contra a aterosclerose, as doenças cardíacas e os coágulos. Ao reduzir *Pitta*, a *Andrographis* ajuda a eliminar as inflamações e infecções do sistema urinário. Ela também é excelente para problemas de pele quentes e inflamatórios como eczema, urticária, acne, furúnculos e abscessos.

Externamente, pode ser usada como creme/loção para problemas de pele com inflamação e infecção, como uma ducha/lavagem para vaginite e como enxaguante/gargarejo para aftas, dor de garganta e doenças da gengiva.

Advertências: ela tem um possível efeito antifertilidade. Evite usar durante a gravidez e na presença de *Vata* elevado. Use com cautela com medicamentos imunossupressores e anticoagulantes.

Dosagem: de 1 a 6 g da erva seca diariamente como pó ou infusão.

Anethum graveolens

(Sowa, Endro, Aneto)

Parte usada: folhas, sementes
Qualidade: leve, seca, penetrante
Sabor: picante, amargo
Potência: quente
Pós-digestivo: picante
Dosha: VK- P+
Dhatu: plasma, músculo, nervo, sistema reprodutor
Srota: digestivo, respiratório, sistema reprodutor feminino

Anethum graveolens

AÇÕES

Carminativa, expectorante, diurética, antiespasmódica, galactagoga, vermífuga, analgésica, relaxante, digestiva, anti-inflamatória, antioxidante, antimicrobiana, tônico cerebral, probiótica.

Um conhecido digestivo, essa erva altamente aromática estimula o apetite, a digestão e a absorção, reduz os espasmos e alivia as cólicas, a flatulência, a indigestão, a náusea, a prisão de ventre e a diarreia. Na Índia, é usada para vermes. Ela ajuda a restabelecer a flora intestinal normal e é benéfica para a disbiose.

Como tônico cerebral, o endro alivia o cansaço, mas também é um bom relaxante para a tensão e dor muscular do tipo *Vata*, para a insônia e distúrbios relacionados com o estresse, entre eles a menstruação dolorosa e a asma. Ele é administrado às mulheres antes do parto a fim de suavizar as contrações, e aumenta a produção de leite nas mulheres que estão amamentando. Devido a seus efeitos diuréticos, ele mitiga as infecções do trato urinário.

Dosagem: de 1 a 3 g da semente em pó até três vezes ao dia.

Asparagus racemosus

(Shatavari, Aspargo)

Parte usada: raiz
Qualidade: pesada, gordurosa
Sabor: doce, amargo
Potência: refrescante
Pós-digestivo: doce
Dosha: VP- K+ (em excesso)
Dhatu: todos
Srota: digestivo, sistema reprodutor feminino, respiratório

AÇÕES

Tônico nutritivo, rejuvenescedora, galactagoga, adaptogênica, antiespasmódica, calmante para os nervos, anti-inflamatória, demulcente, refrigerante, diurética, afrodisíaca, expectorante, antibacteriana, alterativa, antitumoral, antiácida, antidiarreica.

Excelente tônico nutritivo e o mais importante rejuvenescedor *sátvico* para as mulheres, shatavari é traduzido como “aquela que possui cem maridos”. Ele é refrescante e umidificante, restabelecendo o equilíbrio quando o corpo e a mente estão inflamados e exauridos, aliviando as membranas mucosas secas e inflamadas no trato respiratório, nos rins, no estômago e nos órgãos sexuais. Equilibra os hormônios femininos, aumenta a fertilidade, alivia a TPM, problemas menstruais e da menopausa, a baixa libido, e aumenta o suprimento de leite durante a lactação.

Shatavari refresca e mitiga problemas inflamatórios no trato digestivo, entre eles a indigestão ácida, a gastrite, as úlceras pépticas, problemas inflamatórios no intestino, como a doença de Crohn e a colite ulcerativa, e, com seus poderes de aliviar a sede e proteger os fluidos, é benéfica para a diarreia crônica e a disenteria. É suavizante e refrescante para a cistite, dissolve pedras e a gravela e reduz a retenção de líquido.

Com suas propriedades adaptogênicas, shatavari aumenta a imunidade e estimula o crescimento e o desenvolvimento dos bebês e das crianças. Estimula os leucócitos, aju-

Asparagus racemosus

dando-os a combater as infecções, é um bom antifúngico para a candidíase e o corrimento vaginal e tem propriedades antibacterianos contra uma gama de bactérias, entre elas a salmonela, a *E. coli* e a pseudômonas, e antivirais contra o herpes. Shatavari protege as células que produzem sangue na medula óssea, auxiliando na recuperação depois da exposição a produtos químicos tóxicos. É um bom remédio para a convalescença e tem propriedades anti-inflamatórias contra a gota e a artrite.

Shatavari tem afinidade com a mente e é usado para promover a memória e a clareza mental, bem como para o TDAH nas crianças, frequentemente combinado com tônicos cerebrais como o gotu kola. Shatavari é calmante, reduz a ansiedade e melhora a resiliência ao estresse. Externamente, como um ingrediente do óleo Mahanarayan, é usado para reduzir o desenvolvimento do tecido cicatricial depois das cirurgias. Acalma a pele a abranda problemas de *Vata*, entre eles as articulações rígidas e doloridas, o torcicolo e os espasmos musculares.

Advertências: evite usar na presença de *Kapha* elevado, *Agni* baixo, *Ama* e catarro.
Dosagem: de 3 a 5 g do pó duas vezes ao dia.

Azadirachta indica

(Nimba, Nim, Neem)

Parte usada: folhas, sementes, óleo, casca
Qualidade: leve, gordurosa
Sabor: amargo, adstringente
Potência: fria
Pós-digestivo: picante
Dosha: KP- V+ (em excesso)
Dhatu: plasma, sangue, gordura, reprodutivo
Srota: circulatório, digestivo, urinário, respiratório, reprodutor

AÇÕES

Febrífuga, antisséptica, vulnerária, antelmíntica, inseticida, alterativa, anti-inflamatória, expectorante, tônico amargo, hepatoprotetora, hipoglicêmica, antimalárica, antibacteriana, antifúngica, antiviral, adstringente, antifertilidade, emenagoga.

O nim é uma das melhores ervas antissépticas e desintoxicantes do Ayurveda, excelente para combater infecções e sintomas caracterizados pelo calor e pela inflamação.

Seu sabor amargo estimula o apetite e a digestão e aumenta o fluxo da bile a partir do fígado. Ela intensifica a função do fígado e o protege dos danos causados pelas toxinas, drogas e medicamentos, quimioterapia e vírus. É excelente para acidez, azia, indigestão, úlceras pépticas, náusea e vômito, infecções intestinais, disbiose e vermes. Ela regula o metabolismo, ajudando na perda de peso, e baixa o açúcar no sangue. O efeito refrescante do nim reduz o "calor" na mente, aliviando a ansiedade e o estresse, a irritabilidade, a raiva e a depressão. Reduz o colesterol e a pressão arterial e ajuda a regular o coração. É usada para a artrite inflamatória e para eliminar problemas de pele, entre eles o eczema, a acne, a psoríase, os furúnculos e os abscessos.

O nim também ajuda a acabar com as infecções e o muco na tosse e nas infecções pulmonares, é usado para diminuir a febre e é excelente na prevenção e no tratamento da malária. Uma decocção das sementes é usada na Índia para o parto retardado e doloroso, pois ele estimula as contrações uterinas, e como um tônico depois do parto.

Externamente, o óleo é excelente para problemas de pele e é amplamente usado em inseticidas não tóxicos e em linimentos para articulações inflamadas e dores musculares.

Advertências: deve ser evitado na gravidez. Pode reduzir a fertilidade e causar náusea e reações de hipersensibilidade. Use com cuidado nos pacientes diabéticos que estiverem tomando insulina.

Dosagem: de 10 a 20 ml diários da tintura das folhas, de 2 a 4 g diários da casca em pó, de 5 a 10 gotas do óleo em um óleo base para uso externo.

Bacopa monniera

(Brahmi, Bacopa)

Parte usada: partes aéreas
Qualidade: leve, fluente
Sabor: amarga, doce, adstringente
Potência: refrescante
Pós-digestivo: doce
Dosha: VPK= V+ (em excesso)
Dhatu: todos, especialmente o plasma, o sangue, o nervo
Srota: digestivo, nervoso, circulatório, excretório

AÇÕES

Adaptogênica, antidepressiva, tônico nervoso, diurética, sedativa, cardiotônica, reju-

Azadirachta indica

venescedora, antiespasmódica, carminativa, broncodilatadora, anticonvulsiva, imunoestimulante, anti-inflamatória, antisséptica, antifúngica, antioxidante.

Brahmi deriva seu nome de *Brahma*, que quer dizer "consciência pura" devido à capacidade de acalmar a turbulência mental e favorecer a meditação. A erva é frequentemente confundida com gotu kola (ver p. 299), também chamada de Brahmi no norte da Índia. Bacopa é considerada um *Rasayana* (rejuvenescedor) para o cérebro e o tecido nervoso e é particularmente benéfica para aliviar distúrbios de *Vata* e o de *Sadhaka Pitta*. É uma erva maravilhosa para melhorar a função cerebral e a capacidade de aprendizado, aumentando a concentração e a memória, sendo usada como remédio para a epilepsia, ansiedade, insônia, bem como para o TDAH e a síndrome de Asperger, a doença de Alzheimer, a doença de Parkinson, demência, agitação e doenças mentais. Ela aumenta a resiliência ao estresse, combate a exaustão nervosa e traz alívio à depressão. Também é usada para corrigir o hipotireoidismo.

Bacopa monniera

Bacopa também pode ser receitada para tosse e resfriados, bronquite e asma, e atua como um diurético refrescante no intuito de aliviar a cistite e a bexiga irritável. É um bom remédio relaxante para a diarreia associada ao estresse, à prisão de ventre e à síndrome do intestino irritável; já que pode conter o apetite, é melhor combiná-la com ervas digestivas que aquecem, como o gengibre ou o cardamomo. Ela é purificadora, pois ajuda a eliminar metais pesados do corpo por meio da quelação (removendo da corrente sanguínea acoplando-se a eles). Ela é benéfica para os problemas de pele relacionados com o estresse como o eczema, e suas propriedades anti-inflamatórias ajudam a aliviar a dor nas articulações.

Externamente, o óleo ou o suco/pasta da folha fresca pode ser aplicado nas articulações para aliviar a dor, e na cabeça para desobstruir a mente e trazer alívio à dor de cabeça.

Advertências: doses elevadas podem aumentar a pressão arterial.

Dosagem: duas xícaras diárias da infusão, de 2,5 a 5 gotas da tintura duas vezes por dia, 2 g do pó duas vezes por dia.

Bauhinia variegata

(Kanchanara, Pata-de-vaca)

Parte usada: casca
Qualidade: seca, leve
Sabor: amargo, adstringente
Potência: refrescante
Pós-digestivo: picante
Dosha: KP- V+
Dhatu: sangue, músculo, gordura, osso
Srota: reprodutor, excretório

AÇÕES

Alterativa, linfática, adstringente, anti-inflamatória, hemostática, tônico para os ossos, vulnerária, tônico uterino, antiespasmódica, expectorante.

Com sua afinidade pelo *Meda dhatu*, kanchanara é excelente para glândulas intumescidas, inchaços e tumores associados ao excesso de *Kapha*. A erva tem ação desintoxicante e ajuda a eliminar problemas inflamatórios da pele. Ela é específica para problemas ginecológicos associados ao excesso de *Kapha*, entre eles os fibroides, cistos, ovários policísticos e a endometriose. Ela reduz o sangramento profuso.

Ela é um bom adstringente para a diarreia, as hemorroidas e o prolapso. Ao reduzir *Avalambaka Kapha*, ela reduz o catarro e acaba com a tosse. Devido à afinidade pelo *Asthi dhatu*, ela pode ser usada para a osteoporose. Uma decocção pode ser usada como gargarejo para a dor de garganta.

Advertência: deve ser evitada durante a gravidez e na presença de prisão de ventre.

Dosagem: de 1 a 10 g diários do pó, de 3 a 15 ml diários da tintura.

Bauhinia variegata

Boerhavia diffusa

(Punarnava, Erva-tostão)

Parte usada: a planta inteira
Qualidade: seca, leve
Sabor: amargo, doce
Potência: refrescante
Pós-digestivo: picante
Dosha: VKP- V+ (em excesso)
Dhatu: plasma, sangue, gordura, nervo, reprodutor
Srota: urinário, digestivo, carminativo

AÇÕES

Alterativa, tônico para o sangue, diurética, rejuvenescedora, tônico renal, digestiva, carminativa, hipoglicêmica, antelmíntica, adstringente, anti-hemorrágica.

Punarnava é famosa como rejuvenescedor; aumenta *Ojas*, fortalece os rins e fomenta energia e vitalidade. Ela é boa para diminuir a retenção de líquido associada ao excesso de *Kapha*, para combater infecções da bexiga, pedras nos rins, edemas oriundos de uma função cardíaca deficiente, bem como para a falta de ar. Ela estimula a digestão e alivia as cólicas, a flatulência e a diarreia. Reduz o sangramento menstrual abundante. Por reduzir o *Meda dhatu*, pode ser usada para a diabetes e a obesidade.

Ela é benéfica para articulações inchadas, com excesso de líquido, artrite e gota, pois desloca as toxinas e o fluido das articulações e dos tecidos, ajudando na eliminação deles pelos rins.

Advertências: use com cautela nos casos de desidratação, bem como quando combinada com medicamentos sedativos, antidepressivos e antiepilépticos. Ela pode potencializar os inibidores de ACE.
Dosagem: de 250 a 500 mg diários do pó, de 3 a 15 ml da tintura diariamente.

Boerhavia diffusa

Boswellia serrata

(Shallaki, Olíbano)

Parte usada: resina
Qualidade: seca, leve, penetrante
Sabor: amargo, picante, doce, adstringente
Potência: aquece e refresca
Pós-digestivo: picante
Dosha: VKP=
Dhatu: todos
Srota: circulatório, nervoso, reprodutor, musculosquelético

AÇÕES

Anti-inflamatória, alterativa, antiespasmódica, analgésica, antiartrítica, antitumoral, afrodisíaca, descongestionante, reduz o colesterol, vulnerária.

O olíbano elimina toxinas, acelera a cura e reduz o inchaço e a dor na artrite reumatoide e em osteoartrite, tendinite, bursite, luxações repetitivas, gota, dores e espasmos musculares, dores nervosas e esclerose múltipla, bem como problemas inflamatórios no intestino, como a doença de Crohn e a colite ulcerativa.

Reduz o colesterol, fortalece os vasos sanguíneos e melhora o fluxo de sangue para as articulações e o tecido reprodutivo, melhorando a função erétil e sexual, e alivia a congestão uterina, os fibroides, os cistos e a menstruação dolorosa com coágulos.

O olíbano também desobstrui as vias aéreas e diminui o catarro e a tosse, sendo benéfico para a bronquite e a asma. Ele torna a respiração mais profunda e abre a mente e tem também um efeito meditativo.

Externamente, pode ser usado em ferimentos e contusões, hemorroidas e problemas de pele como furúnculos, psoríase e urticária.

Advertências: deve ser evitado durante a gravidez.

Dosagem: de 250 mg a 1 g diários do pó purificado.

Centella/Hydrocotyle asiatica

(Mandukaparni, Brahmi, Gotu Kola, Centelha asiática, Centelha, Pata-de-cavalo)

Parte usada: partes aéreas
Qualidade: leve, seca
Sabor: doce, amargo, adstringente
Potência: refrescante
Pós-digestivo: doce
Dosha: VPK=
Dhatu: plasma, sangue, músculo, gordura, osso, nervo
Srota: nervoso, circulatório, digestivo, muscular, reprodutor

AÇÕES

Tônico nervoso, anticonvulsiva, analgésico, sedativo, tônico cerebral, cardiotônica, imunoestimulante, febrífuga, alterativa, diurética, antelmíntica, vulnerária, rejuvenescedora, tônico capilar.

Centella asiatica

O gotu kola é bom para a memória e a concentração e protege contra o processo de envelhecimento e a doença de Alzheimer. É excelente para *Sadhaka Pitta* elevado e para crianças com dificuldades de aprendizado, como TDAH, autismo e a síndrome de Asperger. Alivia o estresse, a ansiedade, a insônia e a depressão e também acalma a turbulência mental. Reforça as glândulas suprarrenais e ajuda a repor as reservas de energia.

O gotu kola fortalece a imunidade e ajuda a combater infecções, entre elas a *Pseudomonas*, *Streptococcus* e *Herpes simplex*. Suas propriedades desintoxicantes e anti-inflamatórias são excelentes para a artrite, a gota e problemas de pele como eczema, psoríase, herpes, furúnculos e acne. Ele traz alívio para indigestão nervosa, acidez e úlceras.

O gotu kola é uma importante erva para a circulação. Depois de um trauma como uma cirurgia, ele estimula a microcirculação para a região e acelera a cura. Ele promove o crescimento do cabelo e das unhas, aumenta a integridade elástica da pele, reduz a celulite e protege a pele contra a radiação. Evita o sangramento e é útil para anemia. É usado na presença de edemas, insuficiência venosa, varizes e fissuras anais.

Externamente, o suco fresco ou um cataplasma/decocção das folhas secas acelera a cura de ferimentos, queimaduras, queloides, cervicite, vaginite, varizes e úlceras e também hemorroidas. Quando preparado em óleo de coco, pode ser aplicado à cabeça para acalmar a mente, promover o sono, aliviar a dor de cabeça e evitar a queda de cabelo; ele é aplicado à pele nos casos de eczema e herpes.

Advertências: ele pode potencializar a ação dos ansiolíticos (medicamentos usados no tratamento da ansiedade).

Dosagem: de 50 a 100 ml da infusão duas vezes ao dia, de 1 a 3 g do pó duas vezes ao dia.

Cinnamomum zeylanicum/cassia

(Twak, Canela)

Parte usada: casca interna, óleo
Qualidade: seca, leve, penetrante
Sabor: picante, doce, adstringente
Potência: aquece
Pós-digestivo: doce
Dosha: VK- P+ (em excesso)
Dhatu: plasma, sangue, músculo, nervo, reprodutor
Srota: respiratório, digestivo, nervoso, circulatório, urinário, reprodutor

Cinnamomum zeylanicum

AÇÕES

Antimicrobiana, antioxidante, afrodisíaca, tônica, imunoestimulante, nervina, analgésica, melhora o humor, adaptogênica, estimulante circulatório, antiespasmódica, adstringente, digestiva, diaforética, carminativa, alterativa, expectorante, diurética, reduz o colesterol.

Um tônico que aquece maravilhosamente e tem sabor delicioso para combater infecções e melhorar a digestão, a canela aumenta *Ojas* e é uma panaceia quase universal. Ela é *sátvica* e excelente para os problemas de *Vata*, melhorando a resistência ao estresse, aliviando a fadiga e o baixo astral, a tensão e a ansiedade, bem como a dor de cabeça e a dor de dente. Ela melhora a memória, a concentração e a motivação.

A canela estimula a digestão e a absorção, trazendo alívio para indigestão, anorexia, cólicas, náusea, distensão abdominal e flatulência decorrentes de um *Agni* baixo. Suas propriedades adstringentes protegem o revestimento intestinal contra a irritação e as infecções, as inflamações e as úlceras, e ela ainda combate diarreia, disenteria, candidíase e disbiose. Ela reforça a eficácia da insulina, ajudando a prevenir e melhorar a diabetes.

A canela estimula a circulação, alivia a doença de Raynaud, aumenta o fluxo de sangue para as articulações (ajudando, desse modo, a melhorar a artrite) e baixa o colesterol. Elimina *Vata* e *Kapha* dos pulmões. Quando tomada quente, ajuda na eliminação de infecções bacterianas e virais, febres, resfriados, catarro, tosse e infecções do pulmão. Ela fortalece os rins e alivia a cistite e as infecções do trato urinário.

Rica em magnésio, a canela ajuda a manter a densidade óssea e o equilíbrio hormonal. Ela é benéfica durante TPM, para aliviar regras irregulares, dolorosas e abundantes, e, como tônico reprodutivo, ajuda a melhorar a libido baixa, a impotência, os cistos ovarianos, os fibroides, a endometriose e as infecções, entre elas o corrimento vaginal.

Externamente, pode ser usada em inalações como um descongestionante para resfriados, dor de garganta, tosse, sinusite e catarro; em uma massagem com óleo para músculos tensos e doloridos; e como ablução para cortes, ferimentos, mordidas, picadas, ferroadas e problemas infecciosos da pele.

Advertências: deve ser evitada na gravidez e em casos de *Pitta* elevado.

Dosagem: de 1 a 10 g diários da casca/pó, de 3 a 15 ml diários da tintura.

Commiphora mukul

(Guggulu, Guggul, Mirra indiana)

Parte usada: resina
Qualidade: leve, seca, penetrante
Sabor: amargo, picante
Potência: aquece
Pós-digestivo: picante
Dosha: VPK= P+ (em excesso)
Dhatu: todos
Srota: digestivo, respiratório, circulatório, nervoso

AÇÕES

Anti-inflamatória, alterativa, nervina, antiespasmódica, analgésica, expectorante, adstringente, cardiotônica, baixa o colesterol, antioxidante, diaforética, antimicrobiana, imunoestimulante, rejuvenescedora, vulnerária, estimulante da tireoide, emenagoga, regulador metabólico.

Um remédio ayurvédico com a excelente reputação de eliminar as toxinas do corpo e baixar o colesterol nocivo, o guggulu é um maravilhoso rejuvenescedor, particularmente para *Vata* e *Kapha*. Ele inibe a formação de coágulos e reduz a aterosclerose, ajuda a evitar as doenças do coração e a angina, além de reduzir o risco da apoplexia e da embolia pulmonar. É excelente para incrementar a imunidade. Aumenta a contagem dos leucócitos, ajudando a combater infecções, e desinfeta secreções, entre elas o suor, o muco e a urina. Suas propriedades antimicrobianas e antiespasmódicas são benéficas quando há tosse, infecções pulmonares e coqueluche.

Commiphora mukul

O guggulu é um bom anti-inflamatório e um remédio purificador para gota e artrite, lumbago e ciática. Ele é tradicionalmente usado para curar fraturas e ferimentos profundos e para regenerar o tecido nervoso. Reduz a inflamação nas doenças de pele agudas e crônicas, entre elas a acne nódulo-cística, estimulando a cura.

É uma excelente erva para o sistema reprodutor. Tem a capacidade de destruir tumores como os lipomas e tem uma afinidade com o abdômen inferior, reduzindo fibroides, cistos, a endometriose e a síndrome ovariana policística. Ajuda a regular o ciclo menstrual e a evitar coágulos.

Guggulu é uma das melhores ervas para a digestão e o metabolismo, especialmente o metabolismo da gordura, e ajuda a reduzir o excesso de peso e a obesidade regulando a glândula tireoide. Ele pode reduzir o açúcar no sangue na diabetes.

Externamente, guggulu pode ser usado como gargarejo para a tonsilite (amigdalite) e para aftas, e também como uma loção/creme para o eczema e a acne.

Advertências: pode reduzir o efeito de anti-hipertensivos como o propranolol e o Diltiazem; use com cautela se aliado a uma medicação hipoglicêmica. Evite usá-lo nas infecções renais agudas, no sangramento uterino excessivo, no hipertireoidismo, durante a gravidez e a amamentação.

Dosagem: dois comprimidos de duas a três vezes ao dia.

Coriandrum sativum

Coriandrum sativum

(Dhanya, Coentro)

Parte usada: sementes, folhas
Qualidade: leve, oleosa
Sabor: doce, amarga, picante
Potência: refrescante
Pós-digestivo: doce
Dosha: VPK=
Dhatu: plasma, sangue, músculo, nervo, reprodutor
Srota: digestivo, nervoso, urinário, respiratório

AÇÕES

Carminativa, digestiva, antimicrobiana, diurética, descongestionante, antiespasmódica, antioxidante, alterativa, nervina, rejuvenescedora, afrodisíaca, analgésica, diaforética.

As sementes são antimicrobianas, e as folhas frescas são ricas em vitaminas antioxidantes e minerais e extraem as toxinas. Essa erva refresca distúrbios de *Pitta* quentes e inflamatórios, dores de cabeça, enxaqueca, dores musculares e nevralgia. Promove a clareza mental, melhora o humor e a memória e alivia a letargia e a ansiedade.

Suaviza as cólicas menstruais, a TPM e as ondas de calor. No chá quente, as sementes combatem as infecções eruptivas, a febre, os resfriados, a gripe, a tosse e o catarro, alergias como o eczema e a febre do feno e distúrbios urinários. O coentro estimula a digestão e a absorção e alivia a dor abdominal, a flatulência, a azia e a indigestão nervosa.

Externamente, o suco/chá da folha alivia a pele inflamada e pode ser usado como gargarejo para a dor de garganta e a afta, ou como uma loção para a conjuntivite.

Dosagem: de 3 a 5 g diários do pó.

Cuminum cyminum

(Jeera, Cominho)

Parte usada: sementes
Qualidade: seca, leve
Sabor: amargo, picante
Potência: refrescante
Pós-digestivo: picante
Dosha: VPK= P+ (em excesso)
Dhatu: plasma, sangue, músculo, reprodutor
Srota: digestivo, respiratório, reprodutor

AÇÕES

Carminativa, digestiva, descongestionante, alterativa, antiespasmódica, diurética, galactagoga.

Bastante conhecido por suas propriedades digestivas, o cominho estimula o apetite, a digestão e a absorção, e elimina toxinas do intestino. Ele alivia a flatulência, a distensão abdominal e a má digestão causados pelo excesso de *Vata* e *Kapha*. É particularmente benéfico para a náusea e a indigestão causada pelo *Vata* ascendente quando ele redireciona o *Apana Vata* para baixo. O cominho também é bom para a diarreia, já que absorve fluidos do intestino grosso.

Cuminum cyminum

Ele elimina o *Avalambaka Kapha* excessivo dos pulmões, aliviando o catarro, a tosse, as infecções pulmonares e a asma. Tem afinidade pelo sistema reprodutor feminino, reduzindo as dores e inflamações e incentivando a produção de leite nas mães que estão amamentando, particularmente quando combinado com shatavari.

Dosagem: de 0,5 a 6 g diários do pé, de 3 a 15 ml diários da tintura.

Curcuma longa

(Haldi, Cúrcuma)

Parte usada: rizomas
Qualidade: seca, leve
Sabor: picante, amargo, adstringente
Potência: quente
Pós-digestivo: picante
Dosha: VPK= PV+ (em excesso)
Dhatu: todos
Srota: digestivo, circulatório, respiratório, reprodutor

AÇÕES

Antioxidante, anti-inflamatória, alterativa, digestiva, analgésica, estimulante, carminativa, vulnerária, antibacteriana, baixa o colesterol, evita os coágulos.

Uma grande ajuda para a digestão (particularmente de proteínas e gorduras), a cúrcuma promove a absorção e o metabolismo e ajuda na perda de peso. Ela estimula a função hepática, ajuda na desintoxicação e protege o fígado contra dano das toxinas. Como probiótico, regula a flora intestinal e pode ser usada depois de antibióticos e para a candidíase, vermes, indigestão, azia, flatulência, distensão abdominal, cólicas e diarreia. Suaviza o revestimento intestinal, protegendo-o contra os efeitos do estresse, do excesso de ácido, dos medicamentos e de outros irritantes, e reduzindo o risco de gastrite e úlceras. Ela baixa o açúcar no sangue na diabetes.

A cúrcuma é excelente para o sistema imunológico, repele infecções como os resfriados, a dor de garganta, a tosse e a febre. É benéfica para problemas de pele como a acne e a psoríase, bem como para problemas nos rins e na bexiga. Poderoso antioxidante, ela protege contra o dano dos radicais livres e o câncer, especialmente do cólon e da mama. Estimula a produção de células que combatem o câncer e ajuda a proteger contra as toxinas ambientais e os efeitos tóxicos do cigarro.

A cúrcuma baixa os níveis de colesterol e inibe os coágulos do sangue, ajudando a evitar as doenças cardíacas e arteriais. Ela é um poderoso anti-inflamatório, excelente para a artrite. É muito valorizada pelas pessoas que praticam yoga devido a seu efeito benéfico sobre os ligamentos.

Externamente o pó, misturado com água ou gel de *aloe vera*, pode ser aplicado em picadas de insetos, nos problemas e ferimentos da pele inflamados e infeccionados. Ela

Curcuma longa

reduz a coceira, alivia a dor e promove a cura do câncer de pele e desacelera o envelhecimento. Você pode usá-la como enxaguante bucal para a gengiva inflamada e a dor de dente.

Advertências: evite doses elevadas na gravidez e na presença de úlceras pépticas e pedras na vesícula biliar. Use com cuidado em conjunto com anticoagulantes e anti-inflamatórios não esteroides.

Dosagem: de 1 a 10 g diários do pó, de 5 a 15 ml diários da tintura.

Cymbopogon citratus

(Bhu Trna, Capim-limão)

Parte usada: folhas
Qualidade: seca, leve, penetrante
Sabor: amargo, picante, ácido
Potência: refrescante
Pós-digestivo: picante
Dosha: VPK= V+ (em excesso)
Dhatu: plasma, sangue, músculo, nervo
Srota: digestivo, respiratório, urinário, sistema reprodutor feminino

AÇÕES

Digestiva, febrífuga, analgésica, expectorante, anti-inflamatória, emenagoga, antiespasmódica, diurética, galactagoga, descongestionante, antelmíntica.

O capim-limão eleva *Agni* e elimina *Ama*, estimulando a digestão sem agravar *Pitta*, porque é refrescante. Ele regula *Samana Vata* e alivia a flatulência, a distensão, a dor e a cãimbra abdominais e os vermes.

O capim-limão alivia as cólicas menstruais decorrentes do excesso de *Vata* ou *Pitta* e estimula a produção de leite. É um diurético reconfortante para a cistite e a retenção de líquido. Reduz *Avalambaka Kapha* nos pulmões, elimina o muco na tosse na bronquite e alivia os espasmos e a congestão na asma.

Em infusões quentes, abaixa a febre.

Externamente, o óleo aumenta a circulação e alivia a dor e a inflamação das articulações artríticas. Pode ser aplicado nos problemas de pele e na alopecia.

Dosagem: de 1 a 9 g diários do pó, de 5 a 15 ml diários da tintura.

Cyperus rotundus

(Musta, Mustaka, Tiririca, Tiririca-do-Brejo, Erva-coco)

Parte usada: raiz
Qualidade: seca, leve
Sabor: amargo, picante, adstringente
Potência: refrescante
Pós-digestivo: picante
Dosha: PKV= V+ (em excesso)
Dhatu: plasma, sangue, músculo, nervo
Srota: digestivo, circulatório, reprodutor

AÇÕES

Carminativa, emenagoga, probiótica, alterativa, adstringente, antelmíntica, analgésica, febrífuga, digestiva, galactagoga, equilibra os hormônios.

Um excelente digestivo para elevar *Agni* e eliminar *Ama* sem agravar *Pitta*, a musta regula *Samana Vata* e *Apana Vata*, aliviando a dor, os espasmos, a flatulência, a distensão abdominal, a má-digestão, a absorção e a diarreia. Ela ajuda a restaurar a flora intestinal, combate a disbiose e alivia a inflamação. Devido à afinidade por *Ranjaka Pitta* no fígado, a musta estimula a secreção da bile, o metabolismo e a desintoxicação.

Ela é excelente para combater a febre, já que elimina o calor e *Ama* do *Rasa dhatu* e do *Rakta dhatu* e regula *Agni*. Ela reduz as regras dolorosas, a dor no seio e a TPM. Purifica e nutre o leite materno.

Dosagem: de 0,5 a 12 g diários do pó, de 3 a 15 ml diários da tintura.

Cyperus rotundus

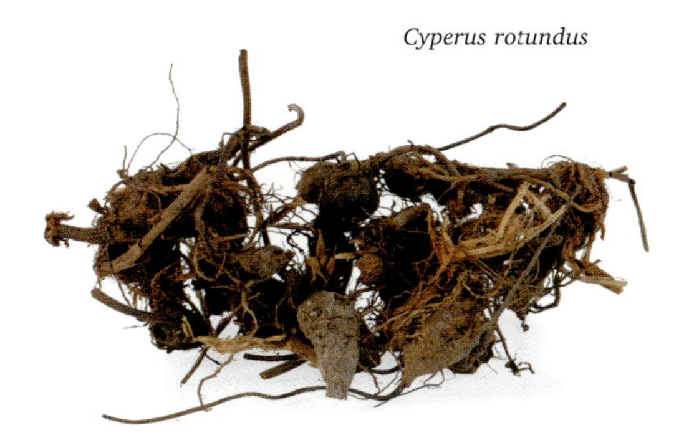

Eclipta alba

Eclipta alba

(Bringaraj, Erva-botão, Agrião-do-brejo)

Parte usada: folhas
Qualidade: leve, seca
Sabor: picante, amargo, doce
Potência: refrescante
Pós-digestivo: picante
Dosha: VPK= P *Rasayana*
Dhatu: plasma, sangue, osso, nervo
Srota: digestivo, nervoso, circulatório, respiratório, urinário, reprodutor

AÇÕES

Tônica e protetora hepática, hipotensiva, alterativa, purgativa, antioxidante, antimicrobiana, rejuvenescedora, febrífuga, anti-inflamatória, hemostática, antelmíntica.

Uma esplêndida erva rejuvenescedora, a bringaraj tem propriedades antioxidantes, aumentando a longevidade e protegendo contra o processo de envelhecimento. Ela melhora a memória e a concentração e ajuda a evitar o declínio mental relacionado com a idade e a doença de Alzheimer, bem como o agrisalhar e a calvície prematuros. Ela é tradicionalmente usada para a vertigem, o declínio da visão e da audição.

Excelente para distúrbios de *Sadhaka Pitta*, bringaraj reduz a pressão arterial e alivia as palpitações nervosas. Acalma a tensão nervosa e a ansiedade e é benéfica para a irritabilidade e a raiva, a insônia e a agitação mental decorrente de *Pitta* ou *Vata* elevados. Também é usada para a anemia. Ela tem efeitos refrescantes e anti-inflamatórios e beneficia muitos sintomas de *Pitta* caracterizados pelo calor. Suas propriedades antimicrobianas e descongestionantes ajudam a combater as infecções respiratórias e o catarro.

Bringaraj melhora a digestão e a absorção e ajuda na eliminação das toxinas, estimulando o intestino. Ela estimula o fluxo da bile a partir do fígado e é excelente para problemas hepáticos, incluindo a cirrose e a hepatite. Protege o fígado contra o dano causado por infecções, medicamentos, produtos químicos e álcool e ajuda o fígado no seu trabalho de purificação. Ela é benéfica para problemas da pele, entre eles a urticária, o eczema, a psoríase e o vitiligo, reduzindo a coceira e a inflamação, e dizem que ela promove uma tez brilhante. Ela fortalece o tecido ósseo e ajuda a evitar a perda de dentes.

Externamente, o óleo, que é preparado fervendo-se folhas frescas com óleo de coco ou de gergelim, promove um cabelo saudável, ajuda a evitar que a pessoa fique calva e com cabelos grisalhos e alivia os distúrbios inflamatórios da pele. O suco da folha é aplicado nos pequenos cortes, lesões e queimaduras.

Dosagem: de 5 a 10 ml do suco fresco três vezes por dia, de 3 a 5 g do pó duas vezes por dia.

Eletteria cardamomum

Elettaria cardamomum

(Ela, Cardamomo)

Parte usada: semente
Qualidade: leve, seca
Sabor: picante, doce
Potência: aquece
Pós-digestivo: picante
Dosha: VK- P+ (em excesso)
Dhatu: plasma, sangue, nervo
Srota: digestivo, respiratório, circulatório, nervoso

AÇÕES

Carminativa, antiespasmódica, descongestionante, expectorante, diaforética, digestiva, laxativo suave, estimulante circulatório, nervina.

O cardamomo levanta o ânimo e induz a um estado calmo e meditativo. Ele acalma a tensão e a ansiedade, a letargia e a exaustão nervosa, e melhora a memória e a concentração. Ele aquece e é revigorante e também melhora a digestão e a absorção, além de aliviar as dores e os espasmos musculares. Atenua os problemas digestivos relacionados com o estresse, a indigestão, as cólicas, a flatulência, a prisão de ventre, a náusea, o vômito e o enjoo causado pelas viagens. Ele combate o excesso de acidez e evita a sonolência depois das refeições.

Esse tempero alivia a dor de garganta e elimina o catarro e é usado para resfriados, tosse, asma e infecções pulmonares. Ele estimula a circulação e aumenta a energia. Fortalece a bexiga fraca, ajudando a incontinência das crianças e evitando que elas urinem na cama e beneficiando também as infecções do trato urinário.

Externamente, o óleo pode ser usado em uma massagem para a dor nas articulações.

Advertências: use com cautela na presença do refluxo gastroesofágico e de pedras na vesícula biliar.

Dosagem: dois comprimidos duas ou três vezes ao dia, ou de 5 a 100 ml de infusão quente.

Emblica officinalis/Phyllanthus emblica

(Amalaki, Groselheira-da-índia)

Parte usada: fruto
Qualidade: leve, seca
Sabor: doce, ácida, picante, amarga
Potência: refrescante
Pós-digestivo: doce
Dosha: VPK=
Dhatu: todos
Srota: digestivo, excretório, circulatório

Emblica officinalis

AÇÕES

Antimicrobiana, refrescante, rejuvenescedora, antioxidante, hepatoprotetora, baixa o colesterol, anti-inflamatória, laxativa, hipoglicêmica, digestiva, nutritiva, diurética.

Um tônico maravilhoso, especialmente para *Pitta*, amalaki alivia o calor, a inflamação e a ardência em todo o corpo. Suas propriedades purificadoras e nutritivas ajudam a purificar o sangue, reconstruir os tecidos depois de uma lesão ou doença, melhorar a visão e trazer alivio às alergias. Ele fortalece os dentes e os ossos e promove o crescimento do cabelo e das unhas. É benéfico para a anemia, pois interrompe o sangramento e aumenta a contagem das células vermelhas do sangue.

Amalaki melhora a digestão e a absorção e é bom para úlceras pépticas, acidez, anorexia, náuseas, vômitos, gastrite, colite e hemorroidas. Ele é um dos ingredientes do purificador intestinal Triphala, para a prisão de ventre e a síndrome do intestino irritável. Suas propriedades anticoagulantes protegem o fígado e também regulam o açúcar do sangue. Ele é usado com suco de limão nos casos de disenteria aguda e com sementes de feno-grego na presença de diarreia crônica.

Famoso por aliviar a debilidade que se segue às doenças, o estresse ou na velhice, o amalaki é o principal ingrediente do Chayawanprash, um tônico cerebral, melhorando a memória e a concentração e acalmando a raiva e a irritabilidade. Ele reduz o colesterol e ajuda a evitar a formação de coágulos, protegendo o sistema cardiovascular.

O amalaki aumenta a imunidade. Possui uma atividade antimicrobiana contra vírus, bactérias e fungos, e ajuda a combater a candidíase, a tosse, os resfriados, a gripe, as infecções pulmonares, a asma e as infecções do trato urinário. Ele pode desacelerar o crescimento das células cancerosas.

Externamente, é usado em óleos/sabonetes capilares a fim de evitar a queda de cabelo e como um ingrediente dos produtos de cuidados da pele contra os danos da oxidação.

Dosagem: de 5 a 30 g diários do pó, de 5 a 15 ml diários da tintura.

Evolvulus alsinoides

(Shankapushpi)

Parte usada: folhas
Qualidade: gordurosa, leve
Sabor: amargo, picante, adstringente
Potência: refrescante
Pós-digestivo: doce
Dosha: VPK=
Dhatu: plasma, nervo, reprodutor
Srota: nervoso, excretório, reprodutor

AÇÕES

Calmante para os nervos, sedativa, tônico cerebral, laxativa, vulnerária, hemostática, digestiva, antiespasmódica.

Shankapushpi é um dos melhores tônicos cerebrais e uma magnífica erva calmante, excelente para os distúrbios nervosos, entre eles dor, ansiedade, insônia, tontura e convulsões. Com sua ação descendente, ele reequilibra *Apana Vata* e melhora a digestão e a eliminação. É usado para problemas digestivos associados ao estresse como as cólicas e a prisão de ventre. Ajuda a interromper os sangramentos nos sistemas digestivo, urinário e reprodutor. Como tônico reprodutivo, é usado para promover a fertilidade.

Devido às propriedades purificadoras, shankapushpi purifica o sangue e ajuda a limpar a pele, especialmente no caso de problemas de pele associados ao estresse.

Advertências: ele pode potencializar os medicamentos sedativos.

Dosagem: de 2 a 10 g diários da erva seca, de 3 a 15 ml diários da tintura.

Evolvulus alsinoides

Ferula asafoetida

(Hing, Assa-fétida)

Parte usada: sementes
Qualidade: incisiva, quente e gordurosa
Sabor: amargo, picante
Potência: aquece
Pós-digestivo: picante
Dosha: VK- P+
Dhatu: plasma, sangue, músculo, osso, nervo
Srota: digestivo, respiratório, nervoso, excretório, circulatório, reprodutor

AÇÕES

Carminativa, digestiva, antelmíntica, antiespasmódica, diurética, analgésica, emenagoga, expectorante, estimulante cardíaco.

Fortalecedora e calmante, a assa-fétida é excelente para *Vata*. Tomada antes das refeições, ela melhora o apetite e a digestão e alivia a distensão abdominal, a flatulência, a prisão de ventre e as cólicas. Ela equilibra a flora intestinal.

Ao regular *Apana Vata*, atenua distúrbios nervosos, como dor, cãimbras, músculos tensos, ciática, exaustão e convulsões. É excelente para a tosse, a asma, a febre e a coqueluche.

Estimula o fluxo do sangue para o útero e regula a menstruação. É boa para as regras dolorosas, a baixa libido, a impotência e a infertilidade, bem como para os problemas urinários, entre eles a cistite. Ela reduz a congestão de *Kapha* e é purificadora após o parto.

Externamente, pode ser aplicada na genitália para tratar da impotência.

Advertências: use com cautela com *Pitta*, inflamação do fígado e durante a gravidez.

Dosagem: de 100 mg a 1 g diários do pó ou de 1 a 3 ml da tintura três vezes ao dia.

Ferula asafoetida

Foeniculum vulgare

(Madhurika, Erva-doce, Funcho)

Parte usada: sementes
Qualidade: seca, leve
Sabor: amargo, picante, doce
Potência: refrescante
Pós-digestivo: doce
Dosha: VPK= P+ (em excesso)
Dhatu: plasma, sangue, músculo, nervo
Srota: digestivo, respiratório, urinário, nervoso, reprodutor

AÇÕES

Carminativa, digestiva, antiespasmódica, diurética, galactagoga, expectorante, emenagoga.

A erva-doce melhora *Agni* sem agravar *Pitta* e ameniza distúrbios inflamatórios, especialmente quando combinada com alcaçuz. Ela elimina toxinas, redireciona o fluxo de *Apana Vata* para baixo e alivia a indigestão, a flatulência, a náusea, o vômito, a distensão abdominal, as cãimbras e as hemorroidas. Mastigar as sementes depois das refeições acomoda a digestão e evita a flatulência e a distensão.

Seus efeitos diuréticos refrescam *Pitta*, aliviam o edema e a cistite, ajudam a acalmar a pele inflamada e a eliminar a febre.

A erva-doce também nutre o cérebro e os olhos e é excelente quando os músculos tensos restringem o fluxo de *Vata*. Ela reduz a congestão de *Kapha* no peito, aliviando a tosse e a asma. Faz descer a menstruação, alivia as cólicas menstruais e aumenta o fluxo do leite materno.

Dosagem: de 500 mg a 9 g diários do pó, de 3 a 15 ml diários da tintura.

Foeniculum vulgare

Glycyrrhiza glabra

(Yastimadhu, Alcaçuz)

Parte usada: raízes descascadas e estolhos
Qualidade: pesada, úmida
Sabor: doce, amargo
Potência: doce
Pós-digestivo: refrescante
Dosha: VPK= K+ (em excesso)
Dhatu: todos
Srota: digestivo, respiratório, nervoso, excretório, reprodutor

AÇÕES

Demulcente, expectorante, tônica, laxativa, emética, anti-inflamatória, febrífuga, diurética, adaptogênica, tônico para as suprarrenais, rejuvenescedora, sedativa, hepatoprotetora, antiácida.

Uma extraordinária erva restauradora e rejuvenescedora, com afinidade pelos sistemas digestivo e endócrino, o alcaçuz ajuda a harmonizar as qualidades de outras ervas, reduzindo o calor, a secura e a toxicidade. Ela alivia a acidez, a azia e a indigestão, as cólicas, os problemas inflamatórios e as úlceras pépticas. O alcaçuz é um laxativo suave, que atenua a prisão de ventre. Ele aumenta o fluxo da bile a partir do fígado e baixa o colesterol. Protege o fígado contra o dano das toxinas e das infecções.

O alcaçuz, que é adaptogênico, tônico fortalecedor por intermédio da sua ação sobre as glândulas suprarrenais, melhora a resiliência ao estresse físico e mental. De natureza *sátvica*, ele nutre o cérebro, promove boa visão e memória, cabelo e pele saudáveis. Possui efeitos antialérgicos semelhantes aos da cortisona (porém sem os efeitos colaterais); é benéfico quando retiramos os esteroides ortodoxos e também para aliviar a febre, o eczema, a conjuntivite e a asma.

Um expectorante calmante, o alcaçuz alivia a irritação e a inflamação no peito, a dor de garganta e a tosse seca, a congestão brônquica, a asma e as infecções pulmonares. Ele aumenta a imunidade e ajuda a combater os vírus, entre eles o *Cytomegalovirus* e o *Herpes simplex*. É benéfico na convalescença e tem propriedades anti-inflamatórias que combatem a artrite e os problemas de pele, entre eles o eczema e a psoríase. Ele se acopla às substâncias químicas tóxicas e aos carcinógenos, ajudando a retirá-los do corpo. Suas suaves propriedades estrogênicas são benéficas tanto nos problemas da menopausa quanto nos da menstruação.

Externamente, pode ser usado como um pó misturado com *ghee*, aplicado a ferimen-

Glycyrrhiza glabra

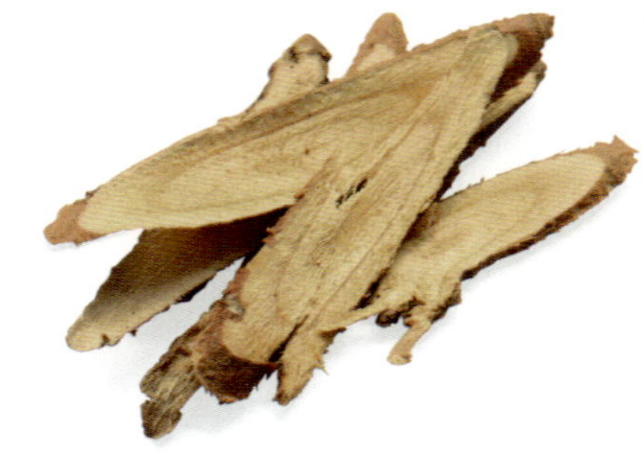

tos, herpes, eczema e psoríase. Uma decocção com cúrcuma ou Triphala pode ser usada como uma ducha para o corrimento vaginal.
Advertências: evite o uso prolongado e as grandes doses. O alcaçuz pode aumentar a retenção de líquido e causar hipertensão. Deve ser evitado durante a gravidez. Pode causar perda de potássio se combinado com diuréticos/laxantes. Pode potencializar a prednisolona.
Dosagem: de 3 a 5 g diários do pó.

Gymnema sylvestre

(Gurmar)

Parte usada: folha
Qualidade: leve, seca
Sabor: amargo, adstringente
Potência: refrescante
Pós-digestivo: picante
Dosha: PK- V+
Dhatu: plasma, sangue, gordura, reprodutor
Srota: digestivo, circulatório, urinário, reprodutor

AÇÕES
Antidiabética, adstringente, diurética, laxativa, refrescante, baixa o colesterol, antiobesidade.

Gurmar é famosa por equilibrar o açúcar do sangue. Seu nome em sânscrito significa "destruidor de doce", porque comer as folhas frescas entorpece os receptores amargos e doces na língua e reduz a ânsia por doces e o excesso de apetite. Isso é proveitoso para a perda de peso.

Gurmar ajuda no controle da diabetes Tipos 1 e 2, bem como dos distúrbios de açúcar no sangue. Ela aumenta a produção de insulina do pâncreas, regula os níveis de glicose do sangue, estimula a regeneração das células beta no pâncreas que liberam insulina e impedem a adrenalina de estimular o fígado para produzir glicose. Ela também baixa o colesterol.
Advertências: ela pode agravar o refluxo gastroesofágico. Evite usar nos casos de hipoglicemia e de problemas cardíacos. Caso esteja tomando medicamentos hiperglicêmicos e insulina, monitore os níveis de açúcar do sangue.
Dosagem: de 5 a 10 g diários do pó, de 10 a 20 ml diários da tintura.

Hemidesmus indicus

(Sariva, Salsaparrilha-indiana)

Parte usada: casca da raiz
Qualidade: leve, oleosa
Sabor: amargo, doce, adstringente
Potência: refrescante
Pós-digestivo: doce
Dosha: VPK=
Dhatu: sangue, plasma, músculo, reprodutor, gordura
Srota: digestivo, circulatório, nervo, reprodutor

AÇÕES

Digestiva, laxativa, depurativa, anti-inflamatória, expectorante, antiespasmódica, diurética, febrífuga, tônico para a fertilidade, anti-hemorrágica, adstringente, refrescante, antimicrobiana, diaforética, demulcente, antioxidante, afrodisíaca.

Sariva é um excelente remédio refrescante e purificador para o excesso de *Pitta*. Ele é um *Rasayana* ou tônico rejuvenescedor, já que tem propriedades anabólicas e fortalecedoras. A erva aumenta o apetite e a digestão e é usada para anorexia, indigestão, flatulência, distensão abdominal e diarreia. Ela elimina *Ama* e a disbiose e é um bom remédio purificador para os distúrbios do sangue, a gota, a artrite e as glândulas intumescidas.

Ela estimula o fluxo da bile a partir do fígado e apoia este último em seu trabalho de purificação. Aumenta a imunidade e é benéfica para as doenças autoimunes como a artrite reumatoide, a psoríase e o lúpus. Ela alivia problemas inflamatórios da pele, entre eles o eczema, a psoríase, o impetigo, a escabiose (sarna), o herpes, a tinha e a urticária.

Sariva reduz a febre do tipo *Pitta*, incluindo a febre da malária. Quando misturada com água quente ou com mel, ela reduz *Kapha* nos pulmões, elimina os resfriados, o catarro, a tosse, a bronquite e a asma.

Ela também relaxa os músculos tensos e acalma as emoções. Ela equilibra os três *doshas* na mente, particularmente no caso de um distúrbio de *Sadhaka Pitta*, que causa irritabilidade, intolerância, raiva, crítica, autocrítica, TPM e depressão.

Sariva equilibra os hormônios, reduz as regras abundantes, melhora a fertilidade e ajuda a evitar os abortos espontâneos. Como erva afrodisíaca, melhora o desempenho sexual e a mobilidade do esperma. Também ajuda a evitar e tratar a anemia. Ela purifica e aumenta a produção de leite materno e é benéfica para a cistite do tipo *Pitta* com ardência, bem como para pedras nos rins e a gravela.

Externamente, uma pasta aplicada à pele reduz a inflamação, o intumescimento e a ardência do tipo *Pitta*. Sariva também é usada em preparados para o corrimento vaginal. O suco fresco é usado para a conjuntivite.

Dosagem: de 50 a 100 ml diários de uma infusão quente, de 3 a 6 g diários do pó.

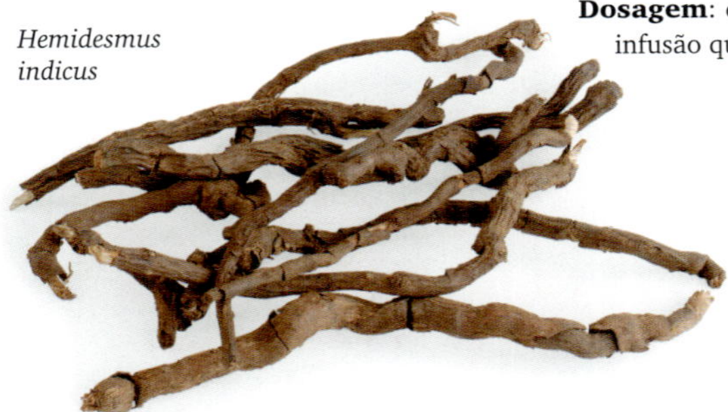

Hemidesmus indicus

Momordica indica

(Karella/Karavella, Erva-de-são-caetano, Melão-de-são-caetano)

Parte usada: a planta inteira
Qualidade: seca, leve
Sabor: amargo, picante
Potência: quente
Pós-digestivo: picante
Dosha: VKP=
Dhatu: plasma, sangue, músculo, gordura
Srota: digestivo, urinário, excretório

AÇÕES

Antidiabética, carminativa, digestiva, vermífuga, tônico amargo, diurética, litotríptica, alterativa, vulnerária, anti-inflamatória, emenagoga, galactagoga.

Uma hortaliça muito amarga que lembra o pepino, a karella é excelente para reduzir *Kapha* e baixar o açúcar do sangue. Ela é um bom tônico amargo para a anorexia, os distúrbios do fígado, a prisão de ventre, as hemorroidas, as infecções intestinais, os vermes e os parasitas. Ela aumenta a absorção de nutrientes e ferro e combate a anemia. Elimina as toxinas do intestino e o excesso de ácido pela urina. É usada em problemas e nas pedras nos rins e na retenção de líquido. Como purificadora do sangue, ela elimina os problemas inflamatórios da pele.

Externamente, o suco da folha é aplicado aos problemas da pele e às hemorroidas, bem como nos olhos nos casos de cegueira noturna.

Advertências: Deve ser evitada durante a gravidez e nos pacientes que estejam sendo tratados com uma medicação hipoglicêmica.

Dosagem: 60 ml diários do suco fresco para diabetes, de 5 a 10 g diários da hortaliça seca, de 3 a 15 ml diários da tintura.

Momordica indica

Mucuna pruriens

(Kapikachu, Feijão-da-flórida)

Parte usada: semente
Qualidade: pesada, gordurosa
Sabor: doce, amargo
Potência: quente
Pós-digestivo: doce
Dosha: VK- P=
Dhatu: todos, especialmente nervoso e reprodutor
Srota: nervoso, reprodutor, respiratório

Mucuna pruriens

AÇÕES

Tônica, rejuvenescedora, adstringente, antelmíntica, afrodisíaca, baixa o açúcar do sangue e a prolactina, anti-hemorrágica, espermatogênica, alucinógena (em doses elevadas), antiespasmódica, antioxidante.

Famoso como remédio para a doença de Parkinson, pois as sementes contêm L-dopa, kapikachu é um excelente tônico para os nervos, especialmente para os distúrbios de *Vata*. Ele é um dos melhores tônicos reprodutivos e afrodisíacos, usado para a baixa libido, a impotência, a baixa contagem de espermatozoides e a infertilidade.

É um bom digestivo e antiespasmódico para a dor intestinal e a flatulência, os espasmos e a prisão de ventre. O pó misturado com uma colher de chá de *ghee* é benéfico na asma e na tosse presa.

Advertências: deve ser evitado na presença de *Ama* e da congestão. Pode irritar o intestino e, quando tomado em excesso, pode ser excessivamente estimulante. É frequentemente combinado com leite e mel a fim de aumentar seu efeito restaurador.

Dosagem: de 3 a 10 g do pó duas ou três vezes ao dia, de 3 a 15 ml diários da tintura

Myristica fragrans

(Jati-phala, Noz-moscada)

Parte usada: semente
Qualidade: leve, oleosa, penetrante
Sabor: picante, amargo, adstringente
Potência: aquece
Pós-digestivo: picante
Dosha: VK- P+
Dhatu: plasma, músculo, osso, nervo, reprodutor
Srota: digestivo, nervoso, excretório, reprodutor

Myristica fragrans

AÇÕES

Adstringente, sedativa, carminativa, afrodisíaca, emenagoga, estimulante circulatório, expectorante, digestiva, tônico hepático, antelmíntica, analgésica, anticonvulsiva.

A noz-moscada é excelente para acalmar *Vata* e um grande afrodisíaco. Ela mitiga as convulsões, a dor, a insônia, a agitação, a má concentração, a síndrome da perna inquieta e a artrite. Ela é um tônico reprodutivo para a infertilidade, a baixa libido, a impotência, as regras irregulares e dolorosas. Ela é benéfica para os problemas da próstata e a incontinência.

Esse tempero também estimula a digestão e a absorção, refreia a diarreia e o vômito, os espasmos, a náusea e a distensão abdominal. A noz-moscada alivia a indigestão, os distúrbios hepáticos, a colite e os vermes. Quente e penetrante, ela elimina *Kapha* dos pulmões e atenua a tosse, o catarro e a rinite.

Externamente, pode ser usada como uma pasta/um óleo para a dor de cabeça, a artrite e os problemas de pele.

Advertências: deve ser evitada na presença de *Pitta* elevado e não deve ser usada concomitantemente com sedativos, anti-hipertensivos e antidepressivos. É intoxicante em doses elevadas (mais de 6 g).

Dosagem: para dormir, 1/8 de colher de chá em leite morno antes de deitar, de 0,5 a 6 g ou de 1 a 6 ml diários da tintura.

Nigella sativa

(Kalonji/Krishna Jiraka, Cominho-preto)

Parte usada: sementes
Qualidade: seca, leve, penetrante
Sabor: picante, amargo
Potência: aquece
Pós-digestivo: picante
Dosha: VK- P+ (em excesso)
Dhatu: plasma, sangue, reprodutor
Srota: digestivo, urinário, sistema reprodutor feminino, excretório, respiratório

AÇÕES

Antialérgica, digestiva, antiespasmódica, tônico hepático, depurativa, equilibra os hormônios, calmante para os nervos, galactagoga, anti-inflamatória.

Essas apetitosas sementes acalmam e fortalecem a digestão, particularmente quando esta é perturbada por *Vata*. Elas aliviam a flatulência, a distensão abdominal, os vermes e os parasitas, além de ajudar o metabolismo da gordura. Elas eliminam o excesso de *Kapha* dos pulmões, mitigando a asma, a tosse e as alergias como a febre do feno.

Bom tônico para o cérebro, kalonji acalma a mente e melhora a memória e a concentração. Purifica o fígado, atenua os distúrbios inflamatórios oculares e as dores de cabeça do tipo *Pitta*. Também reduz cistos e tumores, especialmente no seio, elimina *Kapha* do útero (como no caso de fibroides e de cistos) e reduz os sintomas de *Vata*, entre eles as regras dolorosas e irregulares. Ele também aumenta a produção de leite materno.

Externamente, o óleo é aplicado para a alopecia. Ele é usado como *Nasya* nos problemas respiratórios.

Advertências: deve ser evitado durante a gravidez.

Dosagem: de 1 a 10 g diários do pó, de 3 a 12 ml diários da tintura.

Nigella sativa

Ocimum sanctum

(Tulsi, Manjericão-santo)

Parte usada: folhas
Qualidade: leve, penetrante, seca
Sabor: picante, amargo
Potência: aquece
Pós-digestivo: picante
Dosha: VK- P+
Dhatu: plasma, sangue, nervo, reprodutor
Srota: respiratório, digestivo, nervoso, circulatório, urinário

AÇÕES

Demulcente, antimicrobiana, expectorante, anticatarral, antiespasmódica, probiótica, hipoglicêmica, antelmíntica, febrífuga, nervina, adaptógena, imunoestimulante, digestiva, laxativa, anti-histamínica, hipotensiva, diurética.

Uma das plantas mais sagradas na Índia, o tulsi tem efeito edificante e fortalecedor na mente e no corpo. Um maravilhoso adaptógeno, ele aumenta a resiliência ao estresse físico e emocional. Elimina a letargia e a congestão que deprimem o espírito e confundem a mente e atenua a ansiedade, a depressão, a insônia e os problemas associados ao estresse, como a dor de cabeça, os problemas de pele e a síndrome do intestino irritável. Ele baixa o açúcar no sangue, o colesterol e os níveis dos triglicerídeos.

Descongestionante, expectorante e antiespasmódico, tulsi elimina a tosse, as infecções pulmonares, resfriados, febres, dores de garganta e a gripe, bem como as alergias induzidas por histaminas, entre elas a asma e a rinite. Ele é frequentemente usado com gengibre e pimenta-do-reino para tratar a asma. Ajuda a combater micro-organismos, entre eles o *E. coli*, o *Staphylococcus aureus*, o *Mycoplasma tuberculosis* e o *Aspergillus*.

Tulsi é antiespasmódico e aquece a digestão, melhorando o apetite, a digestão e a absorção, além de aliviar os espasmos, as cólicas, a flatulência e a distensão abdominal. Ele é usado em casos de anorexia, náusea, vômitos, dores abdominais, prisão de ventre, úlceras pépticas, irritação do revestimento intestinal, infecções, disbiose e vermes.

Tulsi aumenta a imunidade e é anti-inflamatório, além de proteger as células saudáveis contra a toxicidade causada pela radiação e pela quimioterapia. Ele emite ozônio, uma forma instável de oxigênio que ajuda a decompor substâncias químicas e expulsar organismos condutores de doenças, como vírus, bactérias e insetos.

Tulsi ajuda a eliminar toxinas por intermédio do seu efeito diurético e mitiga a urinação dolorosa, a cistite e as infecções do trato urinário.

Externamente, o suco de folhas frescas pode ser aplicado a problemas de pele, entre eles as erupções cutâneas, o pé de atleta (frieira) e a acne. Seu efeito antibiótico acelera a cura.

Advertências: deve ser evitado durante a gravidez.

Dosagem: de 15 a 20 ml do suco fresco com mel duas vezes ao dia, de 60 a 85 ml da infusão três vezes ao dia.

Ocimum sanctum

Phyllanthus amarus/niruri

(Bhumiamalaki, *Phyllanthus*, Quebra-pedra)

Parte usada: folhas
Qualidade: seca, leve
Sabor: amargo, adstringente, doce
Potência: refrescante
Pós-digestivo: doce
Dosha: VPK=
Dhatu: plasma, sangue, gordura, osso, reprodutor
Srota: digestivo, reprodutor, urinário, esquelético

AÇÕES

Antiviral, diurética, alterativa, colagoga, laxativa, antilítica, imunorregulatora, hemostática, hepatoprotetora, digestiva, anti-inflamatória, adstringente, hipoglicêmica.

Purificador para o fígado e a vesícula biliar, bhumiamalaki é um magnífico remédio para a hepatite aguda e crônica, bem com para as pedras na vesícula biliar, protegendo o fígado contra os danos causados pelas substâncias químicas, os medicamentos e as drogas e o tabaco. Ele elimina problemas de pele inflamatórios, entre eles o eczema e a urticária. Por acalmar *Pitta*, ele alivia a hiperacidez, os problemas inflamatórios no intestino, a diarreia e a disenteria, eliminando o calor e a inflamação do abdômen inferior e reduzindo o sangramento profuso e a urinação dolorosa.

Ele ajuda a dissolver pedras nos rins e a gravela e regula os níveis de açúcar no sangue. É excelente para a baixa imunidade, especialmente na presença de distúrbios como a encefalite miálgica, o HIV, a gripe e o herpes.

Externamente, é usado para inflamações na pele e problemas oculares.

Advertências: deve ser evitado na gravidez.
Dosagem: de 1 a 6 mg diários das folhas, de 5 a 15 ml diários da tintura

Piper longum

(Pippali, Pimenta-longa)

Parte usada: raiz, sementes
Qualidade: leve, penetrante, oleosa
Sabor: picante
Potência: aquece
Pós-digestivo: doce
Dosha: VK- P+
Dhatu: plasma, sangue, gordura, nervo, reprodutor
Srota: circulatório, digestivo, respiratório, reprodutor

AÇÕES

Estimulante, carminativa, laxativa, diurética, febrífuga, tônica, expectorante, antelmíntica, digestiva, emoliente, antisséptica, emenagoga, rejuvenescedora, afrodisíaca, analgésica, estimulante cardíaco.

A pippali aquece e energiza, sendo um excelente tônico quando estamos com frio e exaustos e o melhor *Rasayana* para *Kapha*. Usada com gengibre e pimenta-do-reino na famosa fórmula Trikatu, ela aumenta *Agni* e elimina toxinas no intestino e o muco nos pulmões, estimula o apetite, a digestão e a absorção em até 30% e intensifica dessa maneira os efeitos das ervas e dos remédios controlados. Ela alivia a anorexia, as cólicas, a flatulência, a indigestão e a prisão de ventre, combate a amebíase, a verminose e a candidíase e aumenta a capacidade do fígado de decompor as toxinas. Ela reduz o dano causado ao fígado por álcool, drogas, medicamentos e substâncias químicas.

Pippali estimula a circulação, reduz o colesterol nocivo e ajuda a combater a anemia. Ela aumenta o suprimento de sangue para o cérebro e acalma os problemas nervosos associados a *Vata*, como a tensão e os espasmos, a inquietação, a ansiedade e a insônia; ela também alivia problemas relacionados com o estresse como a dor de cabeça, a prisão de ventre e a síndrome do intestino irritável. Ela é um bom tônico reprodutivo que aquece e é energizante, pode ser incluída nos remédios para infertilidade e regras dolorosas e é conhecida como um afrodisíaco.

Com seus efeitos antimicrobianos, pippali beneficia o sistema imunológico e é especialmente benéfica para os distúrbios de *Kapha*, resfriados, catarro, tosse, bronquite, febre, asma e problemas alérgicos, entre eles a febre do feno e o eczema. Suas propriedades antioxidantes podem explicar seus efeitos como um *Rasayana*. A raiz é usada na gota, na artrite e na dor nas costas devido a seus efeitos anti-inflamatórios.

Externamente é usada em linimentos para a dor e o inchaço e é um bom repelente contra os mosquitos.

Advertências: deve ser evitada nos casos de acidez e durante a gravidez. Pode aumentar a absorção das drogas e dos medicamentos.

Dosagem: de 0,5 a 1 g da semente e da raiz em pó misturado no leite duas vezes ao dia, como Trikatu 3 ml na água quente e mel três vezes ao dia antes das refeições.

Piper longum

Plantago ovata

(Ispaghula, Psílio, Plantago)

Parte usada: sementes, casca da semente
Qualidade: gordurosa, pesada, viscosa
Sabor: doce
Potência: fria
Pós-digestivo: doce
Dosha: VP- K+
Dhatu: plasma, sangue, músculo
Srota: digestivo, excretório, respiratório

AÇÕES

Laxativa, demulcente, anti-inflamatória, antelmíntica, expectorante, emoliente.

Laxante demulcente para aumentar o bolo fecal, o psílio é excelente para a prisão de ventre proveniente da secura, bem como a diarreia, retirando toxinas, muco, bactérias, vermes e amebas do intestino e ajudando a resolver problemas inflamatórios no intestino e a disbiose. Ele ameniza as úlceras pépticas e pode reduzir os níveis de açúcar no sangue na diabetes Tipo 2.

A sua fibra solúvel ajuda a reduzir o colesterol nocivo. Como um demulcente suavizante, ele alivia a tosse do tipo *Vata*, bem como a dor e a irritação na cistite.

Externamente, ele é anti-inflamatório e tem propriedades extrativas, sendo útil para dores de cabeça e furúnculos.

Advertências: quando em excesso, pode reduzir *Agni* e agravar *Kapha* e *Ama*. Seu uso prolongado pode reduzir a fertilidade. Tome duas horas depois de outras medicações, pois ele pode tornar a absorção mais lenta. Ele pode requerer mudanças na medicação para a diabetes.

Dosagem: de 5 a 10 g diários do pó com bastante líquido.

Plantago ovata

Plumbago zeylanica

(Chitrak, Plumbago)

Parte usada: raiz
Qualidade: seca, leve, penetrante
Sabor: picante, amarga
Potência: muito quente
Pós-digestivo: picante
Dosha: VK- P +
Dhatu: plasma, sangue, osso, reprodutor
Srota: digestivo, nervo, reprodutor

AÇÕES
Estimulante, carminativa, afrodisíaca, abortiva, analgésica, rubefaciente, antelmíntica, digestiva, adstringente, diaforética.

Quente e condimentado, o chitrak é um poderoso remédio que aquece, estimulando *Agni* e eliminando toxinas, estimulando o apetite, a digestão e a absorção, bem como o metabolismo. Ele é magnífico para fogo digestivo baixo, anorexia, indigestão, cólicas, flatulência, distensão abdominal e diarreia, bem como para distúrbios do fígado, hemorroidas e vermes.

Ele desloca o *Vata* estagnado causado pela congestão de *Kapha*, sendo excelente para problemas nervosos, artrites dolorosas com fluido, e problemas de pele, entre eles o vitiligo. Elimina o catarro e a tosse, a rinite e a febre, ajudando a resolver distúrbios menstruais e do pós-parto e também a impotência.

Externamente, ele é rubefaciente para a artrite e os problemas de pele, entre eles o vitiligo. Pode causar a formação de bolhas.

Plumbago zeylanica

Advertências: deve ser evitado na gravidez, na presença de *Pitta* elevado. Use moderadamente com outras ervas, ghee ou suco de limão; uma dose excessiva pode causar ardência, vômito e diarreia.
Dosagem: de 250 mg a 3 g do pó, de 1 a 6 ml da tintura.

Pueraria tuberosa

(Vidari Kanda)

Parte usada: tubérculo
Qualidade: pesada, gordurosa
Sabor: doce
Potência: fria
Pós-digestivo: doce
Dosha: PV- K+
Dhatu: plasma, sangue, músculo, gordura
Srota: reprodutor, nervoso digestivo

AÇÕES

Diurética, nutritiva tônica, anabólica, galactagoga, colagoga, alterativa, carminativa, cardiotônica, hemostática, demulcente, afrodisíaca, rejuvenescedora.

Parente da batata-doce, vidari é doce, umidificante e nutritiva. É um famoso tônico rejuvenescedor para *Vata* e o sistema reprodutor, sendo especialmente benéfica para a exaustão nervosa, a debilidade, o peso inferior ao normal, a convalescença e a velhice. Vidari aumenta a produção de espermatozoides, a energia e o desempenho sexual, e melhora a fertilidade. Ela reduz as regras abundantes, fortalece as mulheres depois do parto e aumenta a produção de leite materno, pois nutre o *Rasa dhatu* e os canais que conduzem o leite.

Vidari equilibra *Vata* e *Pitta* no abdômen inferior e elimina a inflamação e o ressecamento do trato digestivo; é benéfica na prisão de ventre e nos distúrbios do trato urinário, aliviando a dor e a cistite. Ela atenua a dor de garganta, a rouquidão, a tosse e o catarro.

Dosagem: de 1 a 15 g diários do pó, de 3 a 10 ml diários da tintura.

Rubia cordifolia

(Manjishta, Ruiva-indiana, Ruiva-da-índia)

Parte usada: raiz
Qualidade: pesada, seca
Sabor: doce, amarga, adstringente
Potência: quente
Pós-digestivo: picante
Dosha: PK- V+
Dhatu: plasma, sangue, nervos, músculos
Srota: circulatório, reprodutor, osso, nervoso, excretório

AÇÕES

Alterativa, diurética, emenagoga, adstringente, febrífuga, antitumoral, hemostática, rejuvenescedora, anti-inflamatória, antioxidante, hepatoprotetora, digestiva.

Uma das melhores ervas desintoxicantes que reduzem *Pitta*, manjishta elimina o calor e *Ama* do corpo, e é um bom remédio para a febre e distúrbios inflamatórios. Ela é excelente para problemas de pele renitentes, reduz o calor e a coceira nos casos de eczema, psoríase, herpes, acne, escabiose e pé de atleta, e quando tomada com mel é usada para o vitiligo. Ela também é uma das principais ervas para interromper o sangramento, como nas regras abundantes, nas hemorragias nasais, nas úlceras perfuradas e nos problemas inflamatórios do intestino.

Manjishta melhora a imunidade e tem sido usada para aliviar problemas inflamatórios no peito e infecções, entre eles a tuberculose, a asma alérgica, a artrite e problemas autoimunes. Manjishta é extremamente benéfica para o fígado e o protege contra os danos das infecções e das toxinas, sendo usada nos casos de hepatite. Com suas propriedades antioxidantes, ela tem a reputação de ser um rejuvenescedor.

Manjishta melhora o apetite e elimina toxinas do intestino, e é benéfica nos casos de diarreia e sangramentos, da doença de Crohn, de vermes e de disenteria. Ela alivia os distúrbios nervosos associados ao excesso de *Pitta*, como irritabilidade, intolerância, raiva, depressão e baixa autoestima.

Ela tem a capacidade de dissolver o acúmulo de *Kapha* na bexiga, no fígado e nos rins, incluindo as pedras nos rins e a gravela. Ela também é benéfica para infecções do trato urinário, sangue na urina, regras dolorosas e irregulares e a endometriose associada ao excesso de *Pitta* e de *Kapha*. É usada para evitar o aborto espontâneo e purifica o leite materno.

Externamente, manjishta interrompe os sangramentos e acelera a cura de cortes e ferimentos. Ela também alivia os problemas oculares inflamatórios. A pasta misturada com mel é usada para problemas de pele inflamatórios e úlceras.

Advertências: deve ser evitada na presença de *Vata* elevado.

Dosagem: de 1 a 3 g diários do pó, de 60 a 120 ml diários da decocção.

Rubia cordifolia

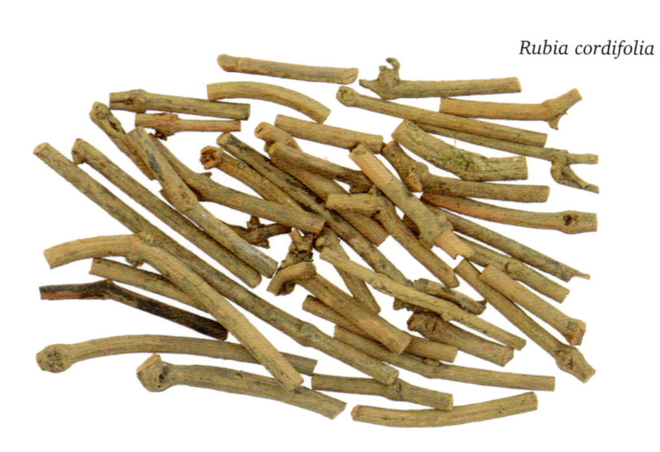

Saraca indica

(Ashoka, Açoca)

Parte usada: casca
Qualidade: leve, seca
Sabor: amarga, adstringente
Potência: fria
Pós-digestivo: picante
***Dosha*:** KP- V+
***Dhatu*:** sangue, músculo, gordura, reprodutor
***Srota*:** sistema reprodutor feminino, circulatório

AÇÕES

Adstringente, tônico uterino, alterativa, analgésico, diurético, cardiotônica, antelmíntica, hemostática, antiespasmódica, calmante dos nervos.

Ashoka é um excelente tônico para o útero, particularmente para reduzir o sangramento abundante. Como ela fortalece os músculos uterinos e elimina a congestão, é boa para o prolapso, para regras dolorosas e irregulares, fibroides, cistos e ainda para a endometriose. Ajuda a prevenir os abortos espontâneos.

Ela é benéfica em caso de problemas nervosos do tipo *Vata*, acalmando a ansiedade, a inquietação e também aliviando a dor e a insônia. Ela tonifica o revestimento intestinal, protegendo-o contra a irritação e as infecções. Ashoka alivia a indigestão, gastrite, colite, úlceras pépticas, hemorroidas com sangue, diarreia, disenteria e vermes. Como diurético, ela reduz a retenção de líquido, alivia a cistite e ajuda a evitar a formação de pedras e gravela.

Externamente, ela é aplicada para aliviar a dor nervosa.

Advertências: de 1 a 9 g diários do pó, de 3 a 15 ml diários da tintura.

Saraca indica

Sida cordifolia

(Bala, Malva)

Parte usada: raiz, folhas
Qualidade: gordurosa, pesada
Sabor: amargo, doce
Potência: doce
Pós-digestivo: refrescante
Dosha: VPK= K+ (em excesso)
Dhatu: todos, especialmente o nervo
Srota: nervoso, reprodutor, circulatório, urinário, respiratório

AÇÕES

Adstringente, estomacal, tônica, febrífuga, demulcente, diurética, antiespasmódica, analgésica, antimicrobiana, adaptogênica, rejuvenescedora, nervina.

Excelente tônico e rejuvenescedor, bala é uma das melhores ervas adaptogênicas e nutritivas para *Vata*, aumentando *Ojas*, estimulando a energia, a vitalidade e a imunidade, a fertilidade e a resiliência ao estresse. Na realidade, *bala* significa literalmente "força". Ela alivia a tensão, a ansiedade, a exaustão nervosa e a insônia, bem como as dores de cabeça, o herpes-zóster e a dor nervosa, muscular e a das articulações.

Bala alivia a tosse seca, a asma e as infecções crônicas associadas à debilidade, entre elas a bronquite, a bronquiectasia e a encefalite miálgica. Ela ameniza os problemas inflamatórios no intestino, entre eles a gastrite, a acidez, a colite, a síndrome do intestino irritável, as cólicas e a flatulência, além de aliviar as infecções do trato urinário.

Externamente, é usada como óleo para dor muscular e nervosa, artrite e distúrbios oculares.

Advertências: ela contém efedrina e pode interagir com os inibidores de MAO, os esteroides e os betabloqueadores.

Dosagem: de 1 a 3 g em uma decocção de leite de 2 a 3 vezes ao dia.

Terminalia bellirica

(Bibhitaki)

Parte usada: fruto
Qualidade: seca, leve
Sabor: doce, adstringente
Potência: aquece
Pós-digestivo: doce
Dosha: VPK= V+ (em excesso)
Dhatu: plasma, músculo, osso, nervo
Srota: respiratório, digestivo, excretório, nervoso

Terminalia belerica

AÇÕES

Laxativa, expectorante, broncodilatadora, nervina, antimicrobiana, tônica, imunoestimulante, anti-inflamatória, adstringente, antelmíntica, litotrófica, antioxidante, rejuvenescedora, anti-histamínica.

Excelente rejuvenescedor para *Kapha* e os pulmões, bibhitaki melhora a imunidade e, quando tomada em pó com mel, pode aliviar a tosse, os resfriados, a dor de garganta e o catarro, bem como as alergias, entre elas o eczema, a asma e a rinite.

Ela purifica e regula o intestino e é incluída nas receitas para hemorroidas, vermes, diarreia e prisão de ventre. Ela alivia problemas inflamatórios do intestino como a colite, a doença de Crohn e as úlceras e é responsável por um terço da famosa fórmula Triphala. Bibhitaki protege o fígado e pode ser usada no tratamento de problemas do fígado e pedras na vesícula biliar. Apesar de aquecer, ela não agrava *Pitta*.

Bibhitaki é um bom tônico para o cérebro, especialmente no caso de problemas de *Vata*, entre eles a insônia. Ela é benéfica nos casos de artrite, baixa o colesterol e remove o acúmulo de *Kapha* no trato urinário que causam as pedras e a gravela.

Externamente, acelera a cura das feridas. Também é usada nos óleos para cabelo e em problemas de pele. O pó pode ser misturado com um pouco de água e usado como gargarejo para a dor de garganta e a voz debilitada.

Dosagem: 2 g do pó duas vezes por dia.

Terminalia chebula

(Haritaki)

Parte usada: fruto, folhas, pedúnculo, casca

Qualidade: leve, seca

Sabor: principalmente amargo e adstringente; também ácido, picante, doce

Potencia: aquece

Pós-digestivo: doce

Dosha: *tridóshica*

Dhatu: todos

Srota: respiratório, digestivo, excretório, nervoso

AÇÕES

Tônica, anti-inflamatória, laxativa, adstringente, antisséptica, diurética, alterativa, carminativa, demulcente, febrífuga, broncodilatadora, antelmíntica, cardiotônica, vulnerária, hipotensiva, antioxidante, adaptogênica, rejuvenescedora.

Excelente antioxidante, tônico nervoso e cerebral, haritaki melhora a resiliência ao estresse, é benéfica para o intelecto e a visão, aumenta a longevidade e é recomendada para todos os distúrbios de *Vata*. Ela protege o coração e as artérias contra o dano dos radicais livres, reduz a pressão arterial e baixa o colesterol nocivo, ajudando assim a desacelerar o processo de envelhecimento e fazendo jus à reputação de rejuvenescedora.

Ao aumentar *Agni*, ela estimula o apetite, a digestão e a absorção, corrige o fluxo de

Terminalia chebula

Apana Vata e regula o intestino, corrigindo tanto a prisão de ventre quanto a diarreia, dependendo da dosagem. Ela é excelente para todos os problemas digestivos de *Vata*, aliviando a indigestão, as cólicas, a flatulência, a prisão de ventre, as hemorroidas, a síndrome do intestino irritável, a diarreia e o vômito. Também pode ser usada para infecções como *Shigella* spp. e *Salmonella typhi*, e também no caso de parasitas, entre eles as amebas, e ainda para a inflamação da membrana mucosa e as úlceras. Os frutos verdes são mais laxativos do que os maduros, que são mais adstringentes.

Haritaki aumenta a imunidade e ajuda a combater infecções bacterianas e virais. Pode ser usada para infecções do trato urinário e cistite, candidíase e *Cytomegalovirus*, podendo ter atividade antitumoral. Suas propriedades adstringentes são úteis no caso do prolapso bem como para reduzir as secreções excessivas, entre elas o catarro, a tosse com muco, a sudorese e a menorragia. Ela alivia a febre e a asma, purifica o leite materno e elimina problemas de pele.

Externamente, haritaki pode ser usada como gargarejo e enxaguante bucal para aftas, gengiva com sangramento/infectada e dor de garganta.

Advertências: deve ser evitada na gravidez, na desidratação, na emaciação e na presença de *Pitta* elevado.

Dosagem: de 3 a 6 g diários do pó como laxante, 1 g diário do pó como um *Rasayana*, de 55 a 110 ml diários da decocção; para efeito laxante, use com água morna; para efeito adstringente, use com água fria.

Tinospora cordifolia

(Guduchi, Amrit)

Parte usada: pedúnculo, raiz
Qualidade: leve, oleosa
Sabor: amargo, adstringente, picante, doce
Potencia: quente
Pós-digestivo: doce
Dosha: VPK=
Dhatu: plasma, sangue, músculo, nervo, gordura, reprodutor
Srota: circulatório, digestivo

AÇÕES

Digestiva, adstringente, rejuvenescedora, nervina, tônica, alterativa, antimicrobiana, febrífuga, diurética, antioxidante, adaptógena, hepatoprotetora, colagoga, anti-inflamatória, probiótica.

Um excelente *Rasayana*, especialmente para *Pitta*, guduchi aumenta a imunidade, a longevidade, a energia e a vitalidade. Ajuda a combater as infecções, aumenta a resiliência ao estresse emocional e físico, estimula a função cerebral e alivia a tensão. Por aumentar a imunidade, guduchi alivia as infecções respiratórias agudas, a febre, a tosse, os resfriados, a gripe, a sinusite e as alergias, entre elas a febre do feno e a asma. Quando tomada antes de cirurgia, ajuda a evitar complicações pós-operatórias, entre elas as infecções. Ela tem uma atividade antioxidante e antitumoral e protege contra os efeitos tóxicos da quimioterapia e radioterapia.

Tinospora cordifolia

Guduchi melhora a digestão, a absorção e a função hepática, é benéfica para a flora intestinal e elimina *Ama* do intestino e dos *srotas*, particularmente do cérebro. Estimula o metabolismo de todos os tecidos, especialmente o adiposo, ajudando a regular o peso. Por reduzir o calor e a inflamação, guduchi ameniza a acidez, a gastrite, as úlceras pépticas, a diarreia, as infecções intestinais, a náusea e o vômito. Também é usada com *ghee* em casos de prisão de ventre. Ela protege o fígado contra o dano causado por toxinas, medicamentos, drogas e álcool; ela ajuda a regeneração do fígado e é usada para a hepatite crônica. Guduchi elimina o calor, as toxinas e o ácido úrico ao aumentar a urinação, e alivia as doenças inflamatórias e autoimunes, entre elas a artrite reumatoide, a psoríase e o lúpus. Traz alívio para a gota (misturada ao óleo de rícino) e à artrite (associada ao gengibre).

Ela também é benéfica em problemas de *Pitta*, entre eles a anemia e o sangramento (como no sangramento da gengiva e das hemorroidas). Reduz o colesterol e ajuda a estabilizar os níveis de açúcar. É usada para problemas inflamatórios da pele renitentes como o eczema, sendo também um tônico reprodutivo para casos de impotência e debilidade sexual.

Externamente, como pó misturado com água ou gel de *aloe vera*, é aplicada a problemas inflamatórios da pele.

Advertências: deve ser evitada na gravidez.

Dosagem: de 3 a 5 g do pó duas vezes ao dia.

Tribulus terrestris

(Gokshura, Abrolho)

Parte usada: fruto
Qualidade: pesada, oleosa
Sabor: doce, amargo
Potência: refrescante
Pós-digestivo: doce
Dosha: VPK=
Dhatu: plasma, sangue, nervo, reprodutor
Srota: urinário, reprodutor, nervoso, respiratório

AÇÕES

Diurética, litotríptica, digestiva, adstringente, antelmíntica, laxativa, demulcente, cardiotônica, rejuvenescedora, afrodisíaca, nervina, analgésica.

Excelente *Rasayana* para *Pitta* e *Vata*, gokshura promove a clareza, acalma os nervos e alivia a dor. Ela é tradicionalmente tomada com uma quantidade igual de gengibre seco para a dor nervosa e a das costas.

É um excelente tônico energético quando tomada com ashwagandha, a fim de aumentar a resiliência ao estresse e melhorar a energia e o desempenho esportivo.

Tomada em uma decocção com leite, ela atua como afrodisíaco. Fortalece o trato reprodutivo, e é usada para a infertilidade, baixa libido, impotência e problemas da próstata. Ela também ajuda a evitar o aborto espontâneo e acelera a recuperação depois do parto.

Tônico renal rejuvenescedor e reconfortante, gokshura alivia o edema, a cistite, a hematúria, as infecções do trato urinário e a incontinência. Estimula a eliminação das toxinas, das pedras e da gravela, trazendo alívio para a gota, a artrite e a ciática. Ela melhora a circulação cardíaca, reduz a pressão arterial e é um bom expectorante para a tosse e a asma.

Externamente, o óleo é usado em casos de alopecia e calvície prematura.

Advertências: deve ser evitada na gravidez.

Dosagem: de 2 a 5 g diários do pó, de 60 a 100 ml diários de decocção com água ou leite.

Trigonella foenum-graecum

(Methi, Feno-grego, Alforba)

Parte usada: sementes, folhas usadas como hortaliça ou salada
Qualidade: leve, oleosa
Sabor: picante, adstringente, doce, amargo
Potência: quente
Pós-digestivo: picante
Dosha: VK- P+
Dhatu: plasma, sangue, gordura, nervo, reprodutor
Srota: digestivo, excretório, respiratório, reprodutor

Tribulus terrestris

AÇÕES

Digestiva, laxativa, demulcente, nutritiva, galactagoga, expectorante, antimicrobiana, anti-hipertensiva, hipoglicêmica, baixa o colesterol, rejuvenescedora, afrodisíaca, diurética.

Altamente nutritivo, o feno-grego auxilia a digestão e é um bom tônico para a convalescença e a debilidade. Sua fibra mucilaginosa ameniza a gastrite, a acidez e as úlceras pépticas. Ele atua como laxante no intuito de aumentar o bolo fecal nos casos de prisão de ventre. Inibe a absorção dos carboidratos e do colesterol e dissolve a gordura, reduz a pressão arterial e os coágulos, ajudando a prevenir as doenças cardiovasculares e a diabetes.

O feno-grego aumenta a libido e reduz os sintomas da menopausa. Ele pode aumentar os seios e estimula o fluxo de leite. É um expectorante para a tosse e antiviral para os resfriados e a gripe. Como diurético, ajuda na eliminação das toxinas.

Externamente, é usado para problemas de pele e aftas.

Advertências: deve ser evitado na gravidez e também não deve ser usado com medicamentos antidiabéticos e anticoagulantes.

Dosagem: de 1 a 3 g do pó duas vezes por dia.

Valeriana wallichii

(Tagarah, Valeriana indiana)

Parte usada: raízes
Qualidade: leve, oleosa
Sabor: amargo, picante, adstringente, doce
Potência: aquece
Pós-digestivo: picante
Dosha: VPK=
Dhatu: plasma, sangue, músculo, nervo
Srota: digestivo, respiratório, nervoso

Valeriana wallichi

AÇÕES

Antiespasmódica, nervina, hipotensiva, carminativa, digestiva, estimulante cardíaco, laxativa, estimulante hepático.

Tagarah aquece e estabiliza, sendo excelente em casos de ansiedade, tensão, ataques de pânico, agitação, histeria e, quando tomada antes de ir para a cama, de insônia. Boa alternativa para os sedativos ortodoxos, ela ajuda no período de abstinência das drogas e do cigarro. Como auxilia a memória e a concentração, ela é útil nos casos de TDAH.

Tagarah pode ser usada para problemas do coração e de pressão arterial associados ao estresse, entre eles as palpitações. Ela estimula a digestão, regula *Apana Vata* e ameniza a tensão e as cãimbras musculares associadas a *Vata*, a prisão de ventre, a dor, a flatulência, a distensão abdominal e as cólicas menstruais. Ela elimina o catarro e é benéfica nos casos de asma e tosse presa.

Pode ser aplicada externamente, como uma pasta, em casos de dores de cabeça, sobre ferimentos, fraturas e artrite a fim de acelerar a cura.

Advertências: deve ser evitada durante a gravidez, nos casos de *Pitta* elevado e em combinação com anti-hipertensivos.

Dosagem: de 1 a 3 g diários do pó.

Vitex negundo

(Nirgundi, Árvore-da-castidade de 5 folhas)

Parte usada: a planta inteira
Qualidade: leve, seca
Sabor: amargo, picante, adstringente
Potência: aquece
Pós-digestivo: quente
Dosha: VK- P+ (em excesso)
Dhatu: sangue, nervo, osso, reprodutor
Srota: reprodutor, digestivo, nervoso

AÇÕES

Adstringente, analgésica, anti-inflamatória, hepatoprotetora, antialérgica, antibacteriana, vulnerária, nervina, antiespasmódica, sedativa, rejuvenescedora.

Excelente para *Vata*, nirgundi nutre o cérebro e os nervos, ameniza a dor e alivia a dor de cabeça, a ciática, a artrite, a TPM, a memória e a concentração deficientes. Ela ajuda nos casos de abstinência das drogas e alivia os espasmos musculares e as cólicas menstruais.

Vitex negundo

Ao intensificar *Agni* e eliminar *Ama*, nirgundi melhora a digestão e a absorção. Alivia a indigestão, a flatulência, a disbiose, os vermes e a hepatite. Reduz a febre, a inflamação e os problemas de pele. Por eliminar *Kapha* dos pulmões, nirgundi ajuda a eliminar o catarro, a tosse e a asma. Como diurético, alivia a cistite e o edema.

Externamente, é usada para limpar feridas, conjuntivite, equimoses, distensões, problemas de pele, dores de cabeça e aftas; é benéfica também como tônico capilar e no combate às infecções do ouvido.

Advertências: deve ser evitada com medicamentos sedativos/antidepressivos e durante a terapia de reposição hormonal.

Dosagem: de 10 a 12 ml diários do suco da folha, de 1 a 3 g diários do pó.

Withania somnifera

(Ashwagandha, Cereja de inverno, Ginseng indiano)

Parte usada: raiz
Qualidade: leve, oleosa
Sabor: doce, amargo, picante
Potência: quente
Pós-digestivo: doce
***Dosha*:** VK- P+
Dhatu: sangue, músculo, gordura, osso, nervo, reprodutor
Srota: reprodutor, nervoso, respiratório

AÇÕES

Sedativa, calmante para os nervos, nutritiva, rejuvenescedora, anti-inflamatória, adaptogênica, antioxidante, tônica, afrodisíaca, adstringente, antiespasmódica, anticonvulsiva, diurética, cardioprotetora, hipotensiva, estimulante da tireoide, imunomodulatória.

Ashwagandha é um tônico nervoso nutritivo e *Rasayana*, especialmente para *Vata*. Ela promove energia, força e vitalidade e é recomendada durante a convalescença, para a fraqueza e a emaciação, bem como para os problemas da velhice, entre eles memória deficiente, visão insatisfatória, artrite e insônia. Suas propriedades antioxidantes limitam os danos causados pelos radicais livres e reduzem o envelhecimento.

Ashwagandha melhora a resiliência ao estresse físico e emocional, sendo excelente quando estamos desgastados por uma doença crônica, estresse, ansiedade, excesso de trabalho, ataques de pânico, exaustão nervosa ou insônia. Ela é uma erva *sátvica*, gera a calma, sabedoria e clareza, e ajuda as crianças com problemas de comportamento e TDAH.

Ashwagandha melhora a imunidade e pode ajudar a evitar e tratar o câncer, aumentando a sensibilidade das células cancerosas à terapia de radiação, tornando-a mais eficaz. Ela é um bom analgésico e anti-inflamatório para problemas nas articulações e pode ajudar nos problemas autoimunes, entre eles a esclerose múltipla, a psoríase, a espondilite anquilosante e a artrite reumatoide. A

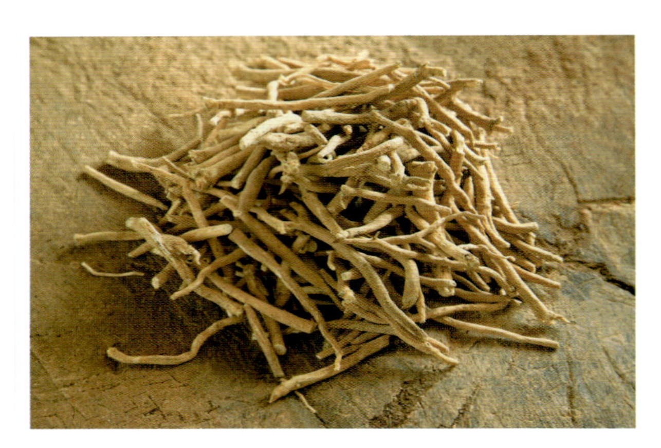

Withania somniferum

ashwagandha aumenta a resistência às infecções respiratórias e é usada em casos de alergias, rinite e asma devido a *Vata* agravado.

Ashwagandha é o melhor regulador de *Apana Vata*, que governa o abdômen inferior. É uma erva excelente para problemas urinários, regras dolorosas e problemas menstruais associados com o excesso de *Vata*, incluindo as regras irregulares e escassas, bem como a endometriose. Ela é famosa por corrigir a infertilidade e como tônico reprodutivo masculino.

Externamente, o óleo é usado em casos de articulações doloridas, ombro congelado (capsulite adesiva), dores nervosas como a ciática, entorpecimento, espasmos musculares e dor nas costas. Ela cura ferimentos, ulcerações e problemas de pele secos e pruriventes, como o eczema e a psoríase.

Advertências: deve ser evitada durante a gravidez, na presença de excesso de *Pitta*.
Dosagem: 5 g do pó, em água ou leite mornos, duas vezes por dia.

Zingiber officinale

(Adrak [fresco], Sunthi [seco], Gengibre)

Parte usada: rizomas
Qualidade: leve, oleosa
Sabor: picante
Potencia: aquece
Pós-digestivo: doce
Dosha: VK- P+
Dhatu: todos
Srota: digestivo, respiratório, circulatório

AÇÕES

Termogênica, periférica, estimulante circulatório periférico, carminativa, laxativa, digestiva, expectorante, diurética, afrodisíaca, antiemética, analgésica, antelmíntica, anti-inflamatória, antiplaqueta, antioxidante, diaforética.

Por ser picante e aquecer, o gengibre é um auxílio maravilhoso para a digestão, excelente em caso de enjoo durante viagens, a náusea da gravidez e o enjoo causado pela ingestão excessiva de comida, pela ansiedade e pelas infecções. Ele aumenta o apetite, é benéfico nos casos de anorexia e elimina as toxinas e a disbiose, melhorando a saúde e a vitalidade e aumentando a imunidade. Ele é bom nos casos da síndrome do intestino irritável e das alergias alimentares. Analgésico e relaxante, também alivia as cólicas e os espasmos, a flatulência e a distensão abdominal, e também as dores abdominais causadas pela diarreia e pela disenteria.

O gengibre aumenta a imunidade e combate as infecções bacterianas e virais, como as infecções intestinais, os resfriados e a gripe e a bronquite aguda e crônica. Ele é excelente quando tomado quente no início das infecções respiratórias. Elimina a febre, o catarro, a dor de cabeça, a tosse, as infecções pulmonares, a bronquite, a bronquiectasia e a asma.

Zingiber officinale

O gengibre é *sátvico* e rejuvenescedor. Como antioxidante, protege contra o processo de envelhecimento. Estimula o coração e a circulação, criando uma sensação de calor e bem-estar e restaurando a vitalidade. Ele reduz os coágulos do sangue e é benéfico nos casos de tontura, má circulação, geladura e da doença de Raynaud. Com suas propriedades anti-inflamatórias e desintoxicantes, ele também ameniza a osteoartrite e a artrite reumatoide.

Como tônico reprodutivo, o gengibre tem efeitos afrodisíacos e é excelente para a impotência causada pela deficiência de calor. Ele regula o fluxo de *Apana Vata* e alivia as regras atrasadas, dolorosas e escassas, bem como os coágulos.

Externamente, você pode mascar gengibre fresco no intuito de aliviar a dor de dente, e usar gengibre ralado ou em pó como pasta para cobrir o couro cabeludo e estimular o crescimento do cabelo. Misturado com óleo, ele é útil em caso de lumbago, nevralgia e articulações doloridas agravadas pelo frio.

Advertências: deve ser evitado nos casos de úlceras pépticas, pedras na vesícula biliar e *Pitta* elevado. Evite tomar concomitantemente com anticoagulantes.

Dosagem: de 2 a 5 g de gengibre fresco ou de 2 a 10 ml da tintura diariamente, de 1 a 2 g de gengibre seco ou de 1 a 2 ml da tintura diariamente.

Capítulo 16: Preparados e fórmulas tradicionais

Há uma grande variedade de formas em que as ervas ayurvédicas são tradicionalmente preparadas. O uso dos preparados e das fórmulas encerra muitas vantagens. Elas possibilitam que muitas ervas sejam usadas juntas em uma única receita, estimulam a digestão e absorção do remédio, aumentam sua potência e seu efeito e são uma forma de preservar as ervas a fim de que elas não se deteriorem rapidamente.

Certos preparados são indicados para doenças particulares ou são adequados para plantas específicas. Eles estão geralmente disponíveis por intermédio de fornecedores ayurvédicos e podem ser importados da Índia e do Sri Lanka. Se preferir, você pode preparar a fórmula das receitas de acordo com as suas necessidades.

Os principais preparados e fórmulas fitoterápicos (*Bheshajya kalpana*) são descritos neste capítulo.

As ervas secas e frescas podem ser preparadas de muitas maneiras diferentes no intuito de se adequar às necessidades de cada pessoa.

Pós fitoterápicos (*Churnas*)

As plantas secas são moídas e transformadas em pós que, por sua vez, podem ser transformados em comprimidos, a fim de prolongar a vida útil delas, pois tendem a se deteriorar rapidamente. Existem muitos *Churnas* famosos, entre eles Triphala e Trikatu. Geralmente toma-se de 1/2 a 1 colher de chá no leite, na água ou no mel, dependendo do veículo adequado ao *dosha* que está sendo tratado.

Avipattikar Churna

Ingredientes: gengibre seco, pimenta-do-reino, pimenta-longa, haritaki, bibhitaki, amalaki, musta, bidam, cardamomo, folhas de louro, cravos, trivrut e sharkara (açúcar)

Propriedades: carminativo, antiácido, laxativo, colagogo, antiemético, nervino

Aplicações: um remédio maravilhoso para eliminar o excesso de *Vata*, *Pitta* e *Ama*. Um bom laxante em caso de agravamento de *Pitta*, *Avipattikar* elimina os ácidos inflamatórios do sistema, equilibra o fogo digestivo, acalma a hiperacidez e a azia, redireciona o fluxo de *Apana Vata* para baixo, alivia as dores de

As sementes de cardamomo são usadas em muitas fórmulas diferentes para ajudar a digestão.

cabeça do tipo *Pitta* e os problemas de pele
Dosagem: de 2 a 5 g, três vezes por dia, com água morna, a fim de evitar as dores abdominais causadas por *Vata* agravado
Advertência: deve ser evitado na gravidez

Dashmoola

(10 raízes)
Ingredientes: kantakari, bruhati, shaliparni, pushniparni, gokshura, bilwa, shyonaka, patala, kashmari e agnimantha
Propriedades: expectorante, antiasmático, nervino, febrífugo, analgésico
Aplicações: excelente anti-inflamatório, digestivo, tônico, calmante dos nervos, relaxante, uma combinação de analgésico e antiartrítico, o que o torna uma escolha magnífica nos casos de agravamentos de *Vata*; para espasmos, tremores, lumbago, ciática, artrite, dores nervosas, debilidade, paralisia decorrente da apoplexia, zumbido no ouvido, ansiedade, medo, depressão e velhice.

Tradicionalmente, *Dashmoola* também é usado para enemas fitoterápicos
Dosagem: 50 ml da decocção, duas vezes por dia, com pó de pimenta-longa

Hingwashtaka Churna

(Composto 8 de Assa-fétida)
Ingredientes: assa-fétida, gengibre, pimenta-do-reino, pimenta-longa, sal-gema, cominho, cominho preto, ajwan
Propriedades: carminativo, estimulante, antiespasmódico; diminui *Vata* e *Kapha*, aumenta *Pitta*
Aplicações: distensão abdominal, flatulência, cólicas, indigestão, disbiose, infecções
Dosagem: de 1 a 4 g ou de 2 a 8 comprimidos de duas a três vezes ao dia em água morna

Lavanbhaskar Churna

(Composto de Cinco Sais)
Ingredientes: 5 sais (sal-gema, sal negro, sal marinho, sal sambhar, cloreto de amônio (sal amoníaco), erva-doce, pimenta-longa, raiz de pimenta-longa, cominho-preto, folha de canela, nagakeshar, talisha, raiz de ruibarbo, sementes de romã, canela, cardamomo

O cominho é um excelente tempero para a digestão. Ele estimula a absorção e o metabolismo e elimina toxinas do intestino.

Propriedades: estimulante, carminativo, laxativo; diminui *Vata*, aumenta *Agni* e *Pitta*
Aplicações: perda de apetite, absorção deficiente, prisão de ventre, dores abdominais
Dosagem: de 1 a 4 g ou de 2 a 8 comprimidos de duas a três vezes ao dia, com água ou leitelho mornos

Lavangadi

Ingredientes: cravos, cânfora, cardamomo, canela, noz-moscada, vetiver, gengibre, cominho, ládano de bambu, jatamansi, pimenta-longa, sândalo, cubeba, açúcar bruto
Propriedades: carminativo, digestivo, antimicrobiano, descongestionante; reduz *Vata* e *Kapha*, e aumenta *Agni* e *Pitta*; elimina *Ama*
Aplicações: apetite deficiente, resfriados, tosse, flatulência, cólicas, diarreia, náusea e vômitos
Dosagem: de 2 a 5 g antes das refeições em água morna

Mahasudarshan Churna

Ingredientes: ervas amargas, entre elas chiretta, guduchi, bérberi (uva-espim), gengibre, pimenta-longa, pimenta-do-reino, Triphala
Propriedades: febrífugo, antimicrobiano, tônico amargo, diaforético, diurético, alterativo; reduz *Pitta* e *Ama*
Aplicações: excelente remédio purificador para a prevenção e o trata-

mento de gripe, febres, debilidade depois das febres, náusea, aumento do fígado e do baço. Principalmente anti-*Pitta*, ele ajuda o fígado no seu trabalho de desintoxicação depois da exposição a produtos químicos tóxicos ou da ingestão de alimentos alergênicos. Pode ser usado para acne, furúnculos e erupções cutâneas, sendo excelente durante a temporada das alergias. É recomendado para pessoas sensíveis aos produtos químicos ou com múltiplas alergias alimentares. Meia colher de chá tomada antes do café da manhã com um pouco de mel alivia a ânsia por açúcar ou carboidratos nas pessoas com *Pitta* elevado.

Dosagem: de 1 a 4 g ou de 2 a 8 comprimidos, duas a três vezes por dia, misturados com água

Rasayana Churna

Ingredientes: guduchi, gokshura, amalaki

Propriedades: tônico amargo, demulcente, alterativo, diurético, antiácido

Aplicações: debilidade geral, debilidade sexual, erupções cutâneas, alergias, febres ou infecções crônicas. Bom tônico rejuvenescedor para *Pitta*, particularmente depois de doenças acompanhadas de febre

Dosagem: de 1 a 4 g ou de 2 a 8 comprimidos, duas a três vezes por dia, misturados com açúcar bruto ou *ghee*; ou então com leite

Sitopaladi Churna

Ingredientes: açúcar-cande, ládano de bambu, pimenta-longa, cardamomo, canela

Meia colher de chá de Sitopaladi Churna *em um pouco de mel ou água é um excelente descongestionante.*

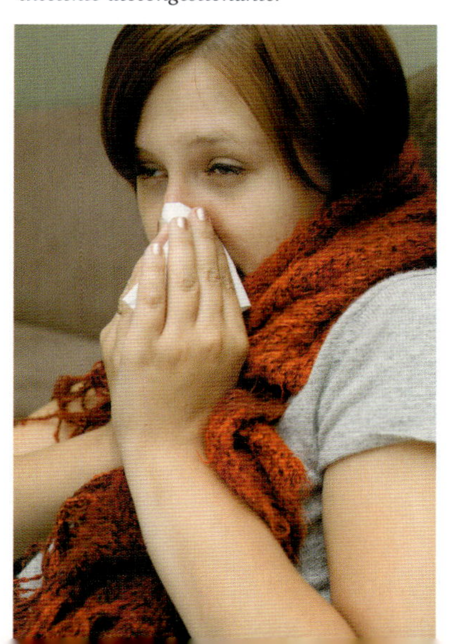

Propriedades: expectorante, antitussígeno, descongestionante; aumenta *Agni*
Aplicações: resfriados, tosse, falta de apetite, febre, debilidade; importante fórmula anti-*Kapha*, que reduz *Vata*
Dosagem: de 1 a 4 g ou de 2 a 8 comprimidos, duas a quatro vezes por dia, com mel ou *ghee*

Talisadi Churna

Ingredientes: talisha, Trikatu, ládano de bambu, cardamomo, canela, açúcar bruto
Propriedades: expectorante, antitussígeno, estimulante, descongestionante; aumenta *Agni* nos distúrbios de *Vata* e *Kapha*
Aplicações: resfriados, gripe, bronquite, perda de apetite, indigestão, febre crônica; principalmente anti-*Kapha*
Dosagem: de 1 a 4 g ou de 2 a 8 comprimidos, duas vezes por dia, com mel ou suco de limão

Trikatu Churna

Ingredientes: pimenta-do-reino, pimenta-longa, gengibre
Propriedades: estimulante, expectorante, descongestionante, digestivo; aumenta *Agni*, elimina *ama*; reduz *Kapha* e *Vata*, aumenta *Pitta*
Aplicações: falta de apetite, indigestão, tosse, congestão; especifico para *Agni* baixo e *Ama* alto
Dosagem: de 1 a 3 g ou de 2 a 6 comprimidos, duas a três vezes por dia, com mel ou água morna

Triphala Churna

Ingredientes: a fruta de três árvores tropicais chamadas "ameixas myrobalan" (*Prunus cerasifera*) – haritaki, amalaki e bibhitaki –, cada uma delas equilibrando um dos três *doshas*
Propriedades: laxativo, tônico, rejuvenescedor, adstringente, alterativo, antioxidante, probiótico, antimicrobiano, tônico ocular; benéfico para os três *doshas*
Aplicações: prisão de ventre crônica, flatulência e distensão abdominal, problemas oculares, diarreia crônicas. O mais famoso composto ayurvédico, Triphala é considerado o melhor e mais seguro purificador intestinal, bem como um tônico e um rejuvenescedor

Amalaki é um dos ingredientes de Triphala e é famoso como um dos melhores remédios curativos e rejuvenescedores do Ayurveda.

(*Rasayana*). Ele melhora o fogo digestivo, estimulando o apetite e a digestão, e tem a reputação de nutrir o sistema nervoso. Ele é benéfico nos casos de prisão de ventre em qualquer um dos *doshas*, embora nem sempre seja eficaz na prisão de ventre aguda. Como regulador metabólico, ajuda a reduzir o peso, ao mesmo tempo que tem um efeito fortalecedor e nutritivo sobre os tecidos mais profundos, entre eles o sanguíneo, o muscular e o nervoso, nas pessoas que estão abaixo do peso. Ele reduz o colesterol, protege o coração, reduz a pressão arterial elevada, melhora a função hepática e possui propriedades anti-inflamatórias e antivirais.

Triphala pode ser tomado com temperos digestivos como Trikatu, combinando assim um purificador intestinal (*Ama pachana*) com remédios a fim de aumentar o fogo digestivo (*Agni deepana*). Ele é útil não apenas para os distúrbios de *Ama*, mas também como parte de uma dieta regular para evitar a acumulação de *Ama*

Dosagem: de 5 a 10 g, uma vez por dia, em água morna, *ghee* ou mel antes de dormir

Outros preparados fitoterápicos

Existem muitas outras formas de preparados fitoterápicos, entre elas decocções e infusões, geleias e gelatinas fitoterápicas, sucos e pastas, vinhos e tinturas, guggulus (pílulas) e *ghees* e óleos medicinais.

Decocções

Na decocção (*Kvatha*), usa-se uma parte de erva seca para 16 de água, e depois reduzindo-se a decocção à quarta parte do volume original em fervura lenta. As raízes, as cascas, os pedúnculos e os frutos são geralmente submetidos à decocção.

Nas decocções de leite (*Ksirapaka kalpana),* mistura-se uma parte de erva a oito partes de leite e 32 partes de água, e ferve-se a mistura lentamente até a água se evaporar. Isso é geralmente recomendado nos tratamentos *Rasayana* (como *Pippali vardhaman*, no qual uma quantidade crescente de frutos da pimenta-longa é usada para tratar a asma), bem como nos componentes lipossolúveis, como as saponinas.

Para caldos fitoterápicos (*Panaka*) ferve-se lentamente uma parte da erva em 64 partes de água e depois reduzi-se a mistura à metade. Sopas de arroz ou hortaliças são preparadas nesse caldo, como parte da terapia *Rasayana*.

Infusões quentes

(*Phantha*)

Geralmente, fazemos uma infusão com as partes mais macias da planta – as folhas, os pedúnculos e as flores. Uma parte da erva é colocada em infusão em um bule em oito partes de água recém-fervida. Essa mistura é deixada macerando por até 12 horas e é tomada quente quando existem problemas de *Vata* e de *Kapha*.

As infusões fitoterápicas são tomadas quentes quando existem problemas de Vata *e de* Kapha.

Infusões frias (*Hima*)

A infusão fria envolve macerar folhas, flores ou sementes, e é geralmente usada para tratar distúrbios de *Pitta*. Uma parte da erva é macerada em seis partes de água durante a noite, quando a energia lunar refrescante está no auge. Preparados bastante conhecidos são feitos com guduchi, semente de coentro (veja abaixo), semente de erva-doce e uva-passa, flores de jasmim e sariva.

Geleias, gelatinas, sucos e pastas fitoterápicos

As geleias e as gelatinas fitoterápicas (*Paka, Leha, Avaleha*) são preparadas com açúcar bruto (jagra), *ghee* ou mel, considerados excelentes tônicos. O açúcar atua como conservante, melhora o sabor do preparado e acentua as suas propriedades tôni-

INFUSÃO DE SEMENTES DE COENTRO

Coloque três colheres de sobremesa de sementes em uma xícara grande e cubra com água fria. Deixe em infusão a noite inteira. Coe e beba assim que acordar pela manhã. Essa infusão é excelente para resfriar o calor e reduzir *Pitta*, particularmente no caso das ondas de calor da menopausa.

Aloe vera *tomado como um suco fresco é excelente para mitigar problemas intestinais inflamatórios.*

cas. As geleias e gelatinas são usadas como tônicos para a debilidade. Chayawanprash é o mais famoso desses preparados, mas existem muitos outros, entre eles *Brahmi Rasayana* para o intelecto, *Agastya Haritaki Leha* para o pulmão e *Bilva Avelaha* para o intestino.

Chayawanprash

Ingredientes: amalaki, pimenta-longa, ládano do bambu, cravos, canela, cardamomo, cubebas, *ghee*, açúcar bruto, óleo de gergelim

Propriedades: tônico nutritivo, rejuvenescedor; voltado a qualquer problema de fraqueza, ou como tônico energético para os três *doshas*, como suplemento multivitamínico e como suplemento mineral

Aplicações: debilidade geral, velhice, anemia, debilidade sexual, tosse, convalescença, debilitação, estresse, baixa imunidade
Dosagem: de 1 a 2 colheres de chá, duas a três vezes por dia, misturadas no leite

Suco fresco (*Svarasa*)

O suco fresco das plantas é a melhor maneira de administrar plantas aromáticas, como *aloe vera*, tulsi (*Ocimum sanctum*), gengibre ou brahmi (*Bacopa monniera*).

Pasta fitoterápica (*Kalka*)

Podemos fazer uma pasta com plantas frescas esmagadas ou com pó misturados com água ou *aloe vera*. As pastas são geralmente usadas em cataplasmas e emplastros aplicados externamente. Entre as ervas vulnerárias que aceleram a cura e trazem alívio à pele estão cúrcuma, *aloe vera*, nim, gotu kola e bringaraj.

Vinhos e tinturas fitoterápicas

Existem dois tipos de vinho fitoterápico tradicional, *Asavas* e *Arishtas*. Eles são fermentações fitoterápicas feitas, como o vinho de uva, em grandes barris de madeira. Eles são considerados mais fáceis de digerir do que outros preparados fitoterápicos, particularmente porque contêm temperos, os quais melhoram não apenas o sabor, como também a digestão e absorção. Eles são geralmente usados como tônicos e também para estimular o fogo digestivo, sendo particularmente benéficos para *Vata*.

Os *Asavas* são preparados com sucos fitoterápicos e os *Arishtas* com decocções de ervas – ou seja, foram fervidos primeiro. Flores dhataki (*Woodfordia fruticosa*) são adicionadas e deixadas para que fermentem por si mesmas.

Embora não sejam tradicionalmente usadas no Ayurveda, as tinturas são comumente empregadas hoje em dia no Ocidente como uma maneira conveniente de ministrar ervas. As ervas são maceradas em água e álcool, geralmente na proporção de uma parte de erva seca para cinco partes de líquido, ou uma parte de erva seca para duas partes de líquido. Elas são deixadas em maceração por um período de pelo menos duas semanas e depois prensadas. As tinturas são particularmente apropriadas para *Vata* e *Kapha*.

Kumariasava

(Vinho Fitoterápico de *Aloe*)

Ingredientes: gel de *aloe vera*, mel de jagra, Triphala e outros temperos

Propriedades: alterativo, tônico, expectorante, refrescante para *Pitta*, laxativo, tônico para o sangue, tônico hepático

Aplicações: anemia, função endócrina deficiente, problemas do fígado, hepatite crônica

Dosagem: de 50 a 125 ml às refeições

Arjunarishta

(Vinho Fitoterápico Arjuna)

Ingredientes: arjuna, uvas-passas, flor madhuka, dhataki, jagra

Propriedades: cardiotônico, estimulante cardíaco, equilibra os três *doshas*

Aplicações: distúrbios cardíacos e pulmonares, problemas com a pressão arterial, colesterol elevado; problemas emocionais dos três *doshas*

Dosagem: de 50 a 125 ml às refeições

Ashokarishta

(Vinho Fitoterápico Ashoka)

Ingredientes: ashoka, dhataki, jagra, cominho, Triphala, gengibre, sândalo

Propriedades: alterativa, adstringente, hemostático

Aplicações: de 50 a 125 ml às refeições

A cúrcuma é respeitada pelas suas propriedades digestivas, desintoxicantes, antioxidantes e anti-inflamatórias.

Ashwagandharishta

(Vinho Fitoterápico *Ashwagandharishta*)

Ingredientes: ashwagandharishta, musali branco, ruiva-dos-tintureiros, alcaçuz, cúrcuma, Trikatu, cálamo, dhataki, jagra

Propriedades: tônico para os nervos, sedativo, tônico nutritivo; acalma *Vata*

Aplicações: debilidade nervosa, estresse, perda de memória, exaustão, insônia, baixa imunidade, problemas de *Vata*

Dosagem: de 50 a 125 ml às refeições

Draksharishta

(Vinho Fitoterápico de Uva)

Propriedades: estimulante, diurético, carminativo, tônico com ferro; reduz *Pitta* e *Vata*

Aplicações: apetite insuficiente, indigestão, debilidade, insônia, tosse; benéfico para problemas digestivos do tipo *Vata*

Dosagem: de 50 a 125 ml às refeições

Guggulus

Os guggulus são pílulas feitas com a resina purificada da erva guggulu (*Commiphora mukul*), parente da mirra e uma importante erva desintoxicante, especialmente benéfica para *Vata*. Purificamos os guggulus fervendo-os com várias decocções fitoterápicas, como a Triphala, e coando a resina purificada.

Uma variedade de diferentes pós ou extratos fitoterápicos são adicionados à resina de guggulu purificada, frequentemente com *ghee*. Por exemplo, *Kaishore Guggulu* é um anti-inflamatório, e é "triturado" no gel de *aloe vera*. (A trituração mói as ervas esfregando-as e socando-as, transformando-as em finas partículas fáceis de digerir. O atrito também ajuda a remover impurezas naturais e químicas.) Essa pasta triturada é então assada no forno, moída e transformada em pó, posteriormente prensado e transformado em pílulas.

Os guggulus são usados no tratamento de artrite, distúrbios nervosos, problemas de pele, colesterol e triglicerídeos altos, bem como da obesidade.

Gokshuradi Guggulu

Ingredientes: guggulu, gokshura, Trikatu, musta

Propriedades: diurético, alterativo, demulcente
Aplicações: dificuldade em urinar, pedras nos rins, artrite e problemas de próstata
Dosagem: de 2 a 5 pílulas, duas a três vezes por dia, no chá de cípero ou de vetiver

Triphala Guggulu

Ingredientes: guggulu, Triphala, pimenta-longa
Propriedades: alterativo, anti-inflamatório, antibiótico, antisséptico
Aplicações: furúnculos, abscessos, úlceras, hemorroidas, pólipos nasais, edema, artrite; purificador e desintoxicante para *Vata*, particularmente nos distúrbios *Sama* ou se *Vata* entrou na linfa ou no sangue
Dosagem: de 2 a 5 pílulas, duas a três vezes por dia

Kanchanar Guggulu

Ingredientes: guggulu, kanchanara, Triphala, Trikatu, cardamomo, canela, *Crataeva religiosa*
Propriedades: alterativo, anti-inflamatório, purificador linfático, antitumoral, diurético, reduz o colesterol, descongestionante, regulador da tireoide; eleva *Agni*, elimina *Ama*, reduz *Kapha*

A raiz musta elimina o calor e as toxinas do corpo e equilibra os três doshas.

Aplicações: tumores como fibroides, cistos, síndrome ovariana policística, endometriose, glândulas intumescidas, colesterol elevado, hipotireoidismo, obesidade, problemas de pele
Dosagem: de 2 a 5 pílulas, duas a três vezes por dia

Kaishore Guggulu

Ingredientes: guggulu, Triphala, guduchi, gengibre, pimenta-do-reino, pippali, *Operculina turpethum*, *Croton tiglium*

Propriedades: alterativo, anti-inflamatório, diurético, antiartrítico, febrífugo, laxativo; elimina *Ama* e *Pitta*
Aplicações: artrite inflamatória, gota, polimialgia, dores musculares, problemas de pele inflamatórios, tumores, infecções do trato urinário, prisão de ventre
Dosagem: de 2 a 5 pílulas, duas a três vezes por dia

Punarnava Guggulu

Ingredientes: guggulu, punarnava, óleo de rícino, gengibre, guduchi, pimenta-do-reino, pippali, Triphala, psílio, sal-gema, *Baliospermum montanum*, *Operculina turpethum*, *Semecarpus anacardium*, Swarna makshik
Propriedades: diurético, alterativo, demulcente
Aplicações: retenção de líquido, artrite do tipo *Kapha*, gota, ciática, problemas urinários, aumento da próstata, obesidade, diabetes, insuficiência cardíaca congestiva
Dosagem: de 2 a 5 pílulas, duas a três vezes por dia

Ghees e óleos medicinais

Os *ghees* medicinais (*Siddha ghrta*) são usados para nutrir os nervos e a mente. Como o *ghee* (manteiga clarificada) é facilmente absorvido pelos tecidos mais profundos, ele é um bom veiculo para conduzir ervas para o corpo. Por ser nutritivo e refrescante,

SHATAVARI *GHEE*

100 g de shatavari

800 ml de água

400 ml de *ghee*

Cozinhe em fogo lento o shatavari e a água até obter uma decocção com 200 ml. Em seguida, adicione o *ghee* e cozinhe em fogo lento até que a água se evapore e a mistura esteja com uma consistência viscosa, como o *ghee*.

o *ghee* medicinal geralmente é usado no caso de doenças de *Vata* e de *Pitta*.

Uma parte da erva é aquecida em quatro partes de *ghee* e 16 partes de água até que a água se evapore. *Brahmi ghrta* e *Panchtikta ghrta* são famosos compostos *ghee*.

Óleos medicinais

Os óleos medicinais (*Siddha taila*) combinam muitas ervas tônicas diferentes, geralmente no óleo de gergelim, e são usados na massagem e na terapia com óleo para nutrição externa. Feitos da mesma maneira que o *ghee* (uma parte da erva para quatro partes de óleo e 16 de água), esses óleos submetidos à decocção são usados em casos de dor, inflamação, artrite, músculos tensos e doloridos, nevralgia, traumatismo, para curar feridas, fortalecer os ossos, e também como tônicos capilares, para tratamentos de pele, enemas medicinais e duchas vaginais. São usados ainda na administração nasal (*Nasya*) a fim de eliminar a congestão catarral e a sinusite. Podem ser tomados internamente, como nos casos em que o óleo Mahanarayan é usado para eliminar a asma.

Bringaraj Taila

(Óleo Eclipta)

Ingredientes: suco de bringaraj, óleo de gergelim

Propriedades: antisséptico, tônico capilar, nervino, anti-inflamatório para a pele

Aplicações: grisalho/calvície precoces, alopecia, pele e couro cabeludo inflamados e prurientes. Excelente condicionador para o cabelo e o couro cabeludo. Também acalma a mente.

Brahmi Taila

(Óleo de Gotu Kola)

Ingredientes: gotu kola, bacopa e outras ervas calmantes dos nervos em óleo de coco

Propriedades: nervino, sedativo, antipirético, vulnerário, anti-inflamatório

Aplicações: insônia, agitação mental, dor de cabeça, dor ocular, grisa-

VEÍCULOS FITOTERÁPICOS

Os remédios fitoterápicos são preparados em diferentes veículos, dependendo do *dosha* predominante que estiver sendo tratado. Esses veículos são conhecidos como *Anupana* ou veículos fitoterápicos e agem para ampliar ou modificar a ação da erva com a qual estão misturados. O leite, a água, o *ghee*, o óleo, os sucos fitoterápicos, o açúcar, o sal e o mel são usados como veículos.

- O **leite** neutraliza *Pitta* e *Vata*, acentuando também o efeito nutritivo de tônicos como ashwagandha (*Withania somnifera*) ou shatavari (*Asparagus racemosus*)
- A **água**, quando quente, intensifica *Agni*, elimina *Ama* e reduz *Vata* e *Kapha*; quando fria, reduz *Pitta*
- O ***ghee*** conduz as ervas para as profundezas dos tecidos, nutre os sistemas nervoso e reprodutivo e melhora a digestão e a absorção do remédio; ele é particularmente benéfico para *Pitta*
- O **mel** elimina *Kapha* devido à sua adstringência que aquece

lho/calvície precoces, problemas de pele, cortes e ferimentos. Ele é um tônico geral para o cérebro.

Mahanarayan Taila

(Óleo Mahanarayan)

Ingredientes: (os principais; ele contém 58 ervas): shatavari, leite de vaca, ashwagandha, óleo de rícino, gokshura, nim, bilva, bala, óleo de gergelim

Propriedades: demulcente, emoliente, analgésico, anti-inflamatório

Aplicações: artrite, gota, tensão e dor muscular, dor nervosa, paralisia. É o óleo mais comumente usado para artrite.

Capítulo 17: *Panchakarma*

Panchakarma é uma purificação profunda e completa dos *srotas*. Requer a orientação adequada de um praticante ayurvédico altamente treinado, de modo que necessita de internação em centros de terapia especiais. Existem alguns centros no Reino Unido, nos Estados Unidos e na Europa, e, de resto, esse tratamento é encontrado em abundância na Índia e no Sri Lanka. Um programa *Panchakarma* específico é idealizado tendo em mente a constituição, os distúrbios ou as necessidades de cada pessoa e requer atenta observação e supervisão.

Panch significa "cinco" e *karma* significa "ações", pois o *Panchakarma* consiste de cinco tipos de tratamento para eliminar os *doshas* excessivos e remover as toxinas. Essas práticas são extremamente proveitosas para aliviar doenças arraigadas, bem como no intuito de manter e melhorar a saúde física e mental:

1 ***Vamana*** (vômito)
2 ***Virechana*** (purgação)
3 ***Basti*** (enema ou irrigação do cólon)
4 ***Nasya*** (limpeza do nariz)
5 ***Raktamokshana*** (purificação do sangue)

Shirodhara envolve derramar óleo morno na testa durante 30 a 40 minutos, sendo um remédio maravilhoso para acalmar Vata.

As três fases

O processo do *Panchakarma* envolve na verdade três componentes integrados: a fase de preparação, os procedimentos principais e a fase pós-procedimentos, como descritos abaixo.

Fase de preparação (*Purvakarma*)

Os tratamentos *Purvakarma* foram concebidos no intuito de relaxar o corpo e a mente, melhorar o fluxo de energia abrindo os *srotas* (canais) e preparar o corpo para eliminar toxinas. Eles incluem um leve jejum, *Snehana* (massagem do corpo com óleos fitoterápicos) e a ingestão de decocções ou óleos fitoterápicos seguida por *Swedana* (terapia de vapor). Eles ajudam a soltar as toxinas acumuladas (*Ama*), que então penetram nos principais canais do corpo para serem eliminadas.

Depois de 4 a 14 dias de *Purvakarma*, os *doshas* geralmente se acomodaram nos seus locais de origem no trato gastrointestinal, e *Ama* está pronto para ser expulso do sistema por meio do tratamento *Panchakarma* adequado.

O *Purvakarma* interno envolve ingerir preparados de *ghee* medicinal em quantidades crescentes durante dois a seis dias, geralmente antes da terapia externacom óleo.

O *Purvakarma* externo envolve o seguinte:

• ***Snehana***: o óleo é massageado no corpo inteiro (empregando-se *Abhyanga, Shirodhara* etc., a duas ou quatro mãos) e pode ser muito relaxante, pois ajuda a reduzir o estresse e nutrir o sistema nervoso. A massagem com óleo ajuda a facilitar a remoção do *Ama* acumulado. O corpo é massageado diariamente durante três a sete dias, de 45 a 60 minutos,

A massagem com óleo não é apenas relaxante, como também ajuda a facilitar a remoção das toxinas acumuladas.

com movimentos que estimulam o deslocamento das toxinas em direção ao trato gastrointestinal.

• ***Swedana***: esta é a aplicação terapêutica de vapor para causar sudorese e é recomendada logo depois da massagem com óleo. Ela se destina a dilatar os *srotas*, liquefazer e remover as impurezas por meio da pele e do trato gastrointestinal, e é acelerada pela adição de preparados fitoterápicos. Depois da *Swedana*, um pó fitoterápico como o de sândalo, rosa ou vacha é frequentemente esfregado na pele, o que ajuda a circulação, remove as toxinas e acalma os *doshas* desequilibrados. Posteriormente, você toma um banho de chuveiro e descansa.

De três a sete dias depois de *Snehana* e *Swedana*, os *doshas* se tornam bem "amadurecidos". O método *Panchakarma* correto é então administrado, de acordo com a sua constituição (*Prakruti*) e o seu distúrbio (*Vikruti*) respectivamente.

Os procedimentos principais (*Pradhanakarma*)

Como mencionado na página 360, existem cinco tipos básicos de tratamento durante essa fase do *Panchakarma*.

1 *Vamana* (vômito terapêutico)

Vamana é o emprego de eméticos no intuito de eliminar o excesso de *Kapha* e de toxinas acumuladas. O tratamento diário envolve soltar e mobilizar as toxinas para possibilitar que elas sejam eliminadas com mais facilidade. De um a três dias antes do *Vamana*, você segue uma dieta para aumentar *Kapha* e geralmente toma uma xícara de um óleo recomendado duas ou três vezes por dia até as fezes ficarem oleosas ou você se sentir nauseado. A massagem com óleo e o vapor são recomendados na noite anterior ao *Vamana*.

Assim que acordar, durante a hora de *Kapha*, você toma três ou quatro copos de água com alcaçuz ou salgada, e em seguida estimula o vômito esfregando a língua, o que desencadeia o reflexo faríngeo. Isso pode frequentemente liberar emoções reprimidas que estavam contidas nas áreas *Kapha* dos pulmões e do estômago, com o *dosha* acumulado. Sintomas *Kapha* como a congestão, o chiado e a falta de ar podem desaparecer com muita rapidez. Em seguida, você geralmente jejua até as 5 horas da tarde e depois come *Kichari* (consulte a receita na p. 215) com *ghee*. Você pode tomar chá de cominho, coentro, gengibre

CONTRAINDICAÇÕES PARA *VAMANA*

***Vamana* deve ser evitado por pessoas com menos de 12 ou mais de 65 anos; uma semana antes e durante a menstruação; durante a gravidez, com *Vata* elevado e na estação de *Vata*; na emaciação, quando a pessoa estiver sentindo medo, pesar ou ansiedade agudos, e na presença de hipoglicemia, doenças cardíacas, diarreia ou febre alta.**

CONTRAINDICAÇÕES PARA *VIRECHANA*

***Agni* baixo, febre aguda, colite ulcerativa, diarreia, prisão de ventre grave, sangramento retal ou pulmonar; depois de enemas, emaciação ou fraqueza, prolapso do reto ou desidratação; na infância e na velhice.**

ou erva-doce, ou água quente com suco fresco de limão com uma colher de chá de mel.

O vômito terapêutico é indicado na asma crônica, diabetes, congestão linfática, indigestão crônica, edema, bronquite, resfriados, tosse, alergias crônicas, febre do feno, vitiligo, psoríase, hiperacidez, congestão nasal crônica, obesidade, distúrbios psicológicos e problemas de pele.

2 *Virechana* (purgação)

Virechana é o uso de purgantes fitoterápicos, entre eles as folhas de sene, ameixa seca, farelo de cereais, a casca da linhaça, sementes de psílio, óleo de rícino, uva-passa, suco de manga e Triphala, em combinações individualmente elaboradas. A intenção de *Virechana* é remover toxinas *Pitta* que se acumulam no fígado, na vesícula biliar e no trato gastrointestinal, causando sintomas como erupções e inflamação da pele, acne, náusea e icterícia. A purgação deve ser usada com a dieta correta para o *dosha* predominante. Embora o chá da folha de sene seja um laxante suave, ele pode fazer com que as pessoas com uma constituição *Vata* elevada sintam uma dor cortante. Um laxante eficaz para as constituições *Vata* ou *Pitta* é um copo de leite quente com duas colheres de chá de *ghee*, tomado à noite.

A purgação é indicada nas febres crônicas, diabetes, asma, problemas de pele como herpes, vitiligo, psoríase, erupções e inflamações alérgicas, acne, eczema, distúrbios digestivos, hiperacidez, dor de cabeça, distúrbios ginecológicos, problemas hepáticos, icterícia, distúrbios urinários, vermes e parasitas, sensações de ardência e inflamação dos olhos, conjuntivite e problemas nas articulações, entre eles a gota.

3 *Basti* (enema ou irrigação do cólon)

Basti usando óleo ou *ghee* medicinal e decocções fitoterápicas é considerado o mais importante tratamento *Panchakarma*, porque elimina dos três *doshas*, por meio do intestino, as toxinas acumuladas, sendo altamente benéfico como tratamento rejuvenescedor. Ele é particularmente indicado para todos os problemas *Vata*, e *Vata* é o principal fator causador na manifestação de todas as doenças. O principal local de *Vata* é o intestino, mas o tecido ósseo (*Asthi dhatu*) é outro local importante, de modo que os enemas são especialmente benéficos para os problemas dos ossos e das articulações. Os enemas são geralmente administrados diariamente durante 8 a 30 dias, dependendo da condição médica do paciente.

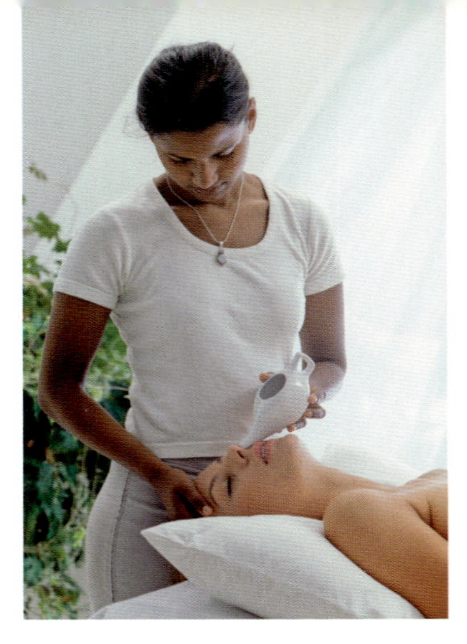

Nasya *é excelente para eliminar toxinas acumuladas da cabeça que bloqueiam o fluxo do* Prana.

CONTRAINDICAÇÕES PARA *BASTI*

Diarreia, sangramento retal, indigestão crônica; febre, falta de ar, diabetes, emaciação, anemia grave, tuberculose pulmonar; velhice e crianças com menos de 7 anos de idade.

CONTRAINDICAÇÕES PARA *NASYA*

Sinusite; gravidez, menstruação; depois de fazer sexo, tomar banho, comer ou beber álcool; velhice e crianças com menos de 7 anos de idade.

Os enemas são indicados nos distúrbios nervosos, colite, convalescença, má circulação, síndrome do intestino irritável, prisão de ventre, flatulência, distensão abdominal, problemas digestivos, obesidade, hemorroidas, debilidade sexual, infertilidade, pedras nos rins, espondilose cervical, artrite, gota, espasmos musculares, dor nas costas e ciática, e dor de cabeça. A hemiplegia (paralisia de um dos lados do corpo) e a paraplegia também são tratadas com enemas.

4 *Nasya* (administração nasal)

Nasya envolve a administração de um óleo medicinal por meio do nariz, para ajudar a eliminar da cabeça e da região do pescoço as toxinas acumuladas. Ele geralmente leva até 30 dias para ser feito, dependendo da condição médica do paciente. O nariz é a via de acesso para o cérebro e, portanto, para a consciência. O *Prana*, a força vital, entra no corpo por meio da respiração. Ele viaja para o cérebro e preserva as funções sensoriais e motoras, as atividades mentais como a memória, a concentração e o intelecto. O *Prana* desequilibrado perturba a mente e pode causar sintomas como dores de cabeça, convulsões, perda de memória e redução da percepção sensorial.

Entre as substâncias utilizadas no *Nasya* estão brahmi, gengibre, *ghee*, óleos, decocções, vacha, pimenta-longa, pimenta-do-reino, rosa e jasmim.

Nasya é indicado para nevralgia do trigêmeo, memória e visão deficientes, insônia, excesso de muco, hiperpigmentação no rosto, agrisalhar prematuro do cabelo, dor de cabeça, perda do olfato e do paladar, ombro congelado, enxaqueca, torcicolo, alergias e pólipos nasais, problemas nervosos e neurológicos, paralisia de Bell, hemiplegia, paraplegia e sinusite.

5 *Raktamokshana* (purificação do sangue)

Raktamokshana envolve extrair uma pequena quantidade de sangue de uma veia para aliviar a tensão causada pelo excesso de *Pitta*. *Pitta* é produzido a partir de células vermelhas do sangue desintegradas no fígado, de modo que *Pitta* e o sangue têm um relacionamento muito próximo. *Pitta* e *Ama* aumentados podem causar problemas de pele como erupções, eczemas e escabiose, bem como problemas no fígado e gota.

Raktamokshana é usado raramente, devido ao risco de infecção. No entanto, existem ervas purificadoras do sangue que podem ser usadas em vez do *Raktamokshana*, como uma dieta redutora de *Pitta* e de *Ama*. Alimentos amargos e adstringentes, e também ervas como o açafrão, guduchi, a rosa, cúrcuma, nim e suco de romã, ajudam a purificar o sangue.

CONTRAINDICAÇÕES PARA *RAKTAMOKSHANA*

Anemia, edema, fraqueza; crianças pequenas e pessoas idosas; durante a gravidez e a menstruação.

Fase pós-procedimento

A terceira etapa, ou pós-desintoxicação, é importante porque é o momento ideal para tomar *Rasayanas* (consulte o Cap. 18) – os elixires ayurvédicos que rejuvenescem o corpo e ajudam a interromper o envelhecimento – como ashwagandha e Chayawanprash.

Recomendações gerais

Durante todos os tratamentos do *Panchakarma* é importante descansar bastante e evitar exercícios vigorosos, fazer sexo, dormir tarde, ouvir música alta, assistir à televisão, excesso de estímulo, bebidas e alimentos frios, cafeína, açúcar branco, drogas recreativas, cigarro, álcool e laticínios. Mantenha-se aquecido e longe do frio e do vento, e observe seus pensamentos e emoções durante esse período.

A fim de descansar o fogo digestivo, recomenda-se uma dieta de *Kichari* e

Pinda Sweda *é usada para massagear o corpo e estimular a sudorese. É excelente para aliviar as dores musculares e das articulações.*

ghee, porque durante o *Panchakarma*, quando as toxinas voltam para o trato gastrointestinal, a nossa força digestiva é reduzida. *Kichari* nutre os tecidos do corpo, é excelente para o rejuvenescimento das células e ajuda o processo de desintoxicação. O arroz basmati e o feijão-mungo ou lentilhas criam uma refeição equilibrada com bastante proteína e são *tridóshicos.*

Recomenda-se alguns dias de *Panchakarma* na mudança das estações. Como as transições sazonais promovem o acúmulo de um *dosha* específico, purificar-se nessas ocasiões pode ser proveitoso para reduzir ou eliminar essas acumulações. *Vata* se acumula no final de um outono frio e seco, no início do inverno. *Kapha* se acumula no final de uma primavera fria e úmida. No final de um verão quente e úmido, *Pitta* terá aumentado. Essas são as épocas ideais para se submeter ao *Panchakarma* e restaurar o equilíbrio do corpo.

Entre outras terapias do *Panchakarma* estão *Shidodhara*, na qual água ou leite medicinais e óleos fitoterápicos são derramados continuamente na testa, por meio de um método especial, de 30 a 45 minutos; e *Pinda Sweda*, quando um saco em forma de bola, aquecido, cheio de grãos, ervas e leite, é usado para massagear firmemente o corpo inteiro e estimular a sudorese, com uma atenção especial às articulações.

Capítulo 18: O conceito de *Rasayana*

Rasayana, ou terapia de rejuvenescimento, é uma das oito principais ramificações do Ayurveda, recomendada para aumentar *Ojas* (força vital) depois dos programas de desintoxicação. Ela também é excelente para idosos, mulheres grávidas, crianças, pessoas com esgotamento nervoso, debilitadas ou emaciadas, na convalescença, depois do parto, e também para anemia e distúrbios de *Vata*.

A terapia *Rasayana* é particularmente benéfica para os tipos *Vata* durante o outono, a fim de conferir peso e força a eles para ajudá-los a suportar o longo e frio inverno. Ela é contraindicada em qualquer distúrbio associado a *Ama* (toxinas), para as pessoas obesas, e na presença de resfriados e da gripe, distúrbios congestivos, febre, doenças infecciosas e alergias.

Durante mais ou menos 5 mil anos, a sabedoria do Ayurveda forneceu orientações para desacelerar o processo de envelhecimento (*Jara*) por meio da intensificação de *Ojas*. A avaliação científica moderna das plantas *Rasayana* e de outros tratamentos usados no Ayurveda confirmaram o fato de os tônicos rejuvenescedores terem a capacidade de proteger o corpo da devastação da idade e dos efeitos nocivos do ambiente em que vivemos, aumentando a capacidade do corpo de rechaçar organismos portadores de doenças e ativando o sistema imunológico de uma maneira não específica.

A flor de lótus é considerada sagrada na Índia, onde é reverenciada como o símbolo da pureza, da paz, da transcendência, da iluminação e do renascimento.

O rejuvenescimento do corpo e da mente

Muitas ervas *Rasayana* possuem propriedades adaptogênicas e aumentam a nossa resiliência ao estresse, quer ele seja físico (na forma de excesso de trabalho, poluição, uso de álcool e drogas, por exemplo), quer ele seja emocional (causado por pesar, ansiedade e assim por diante).

Muitas dessas ervas contêm antioxidantes, que ajudam a evitar o dano causado pelos radicais livres. De acordo com o Ayurveda, os *Rasayanas* promovem a nutrição e o crescimento adequados e intensificam a função dos sete tecidos (*dhatus*).

A terapia de rejuvenescimento afeta simultaneamente o corpo e a mente. Ela evita os efeitos do envelhecimento precoce em ambos e aumenta a resistência do corpo às doenças. De acordo com o Ashtanga Hridarya, *Rasayana* inclui nutrir o corpo com "leite, açúcar bruto, *ghee* e mel, com enemas de óleo, por meio do sono e do descanso abundantes, de banhos e de um estilo de vida confortável". Na realidade, qualquer erva ou alimentação que anime o corpo e a mente e aumente a imunidade é considerada rejuvenescedora.

Na terapia *Rasayana*, recomenda-se que o excesso de trabalho (físico e mental) seja reduzido; você deve ir para a cama cedo, dormir quanto desejar, reduzir a atividade sexual, evitar o estímulo do entretenimento dos meios de comunicação de massa, praticar o *Pranayama* (exercícios respiratórios) e fazer exercícios suaves como yoga ou qi'gong para ter mais energia, e passar algum tempo na natureza, como à beira-mar, em uma cabana nas montanhas ou em um lugar bonito e tranquilo.

Ojas

A substância conhecida como *Ojas* é fundamental para o rejuvenescimento.

Exercícios suaves como yoga e qi'gong são recomendados devido a seus efeitos rejuvenescedores.

Dizem que ele é o oitavo tecido, ou a essência de todos os tecidos corporais. *Ojas* é o produto supremo da digestão e a nutrição dos sete *dhatus*, bem como a reserva de energia primordial de todo o corpo. Ele fornece vitalidade, força física, vigor e a *joie de vivre* que nos conduz ao longo da vida. É a essência sutil de todo o *Kapha* no corpo, e especificamente a essência do fluido reprodutivo. *Ojas* reflete a condição ou excelência do corpo como um todo. A imunidade, a fertilidade, a longevidade, a força e a resistência dependem da qualidade e da quantidade de *Ojas*. A doença e a perda de imunidade são provenientes da depleção de *Ojas*. Todas as terapias de rejuvenescimento, portanto, estão direcionadas para a melhora do nosso *Ojas*.

Alimentos rejuvenescedores

Os alimentos e as ervas tônicos que estimulam *Ojas* tendem a ser pesados e nutritivos, e podem ser difíceis de digerir, de modo que o estado de *Agni* (o fogo digestivo) precisa ser examinado primeiro. Os alimentos tonificantes são semelhantes àqueles que acalmam *Vata,* mas a dieta pode ser modificada de acordo com o equilíbrio dos *doshas* em cada pessoa.

• *Kichari* (ver p. 215) é um dos melhores alimentos básicos para a tonificação, e frequentemente pode ser digerido quando nada mais pode.

• Os laticínios são bons para a debilidade e a convalescença, e acredita-se que fortaleçam *Ojas*. Dizem que o *ghee* é o melhor alimento para restaurar a vitalidade, nutrir os nervos e aumentar *Ojas*.

• As nozes em geral e as sementes fortalecem os nervos, melhoram a vitalidade e são excelentes substitutos para a carne. As manteigas das nozes em geral são boas. Benéficos também são, especificamente, as nozes, o pinhão, o coco, as sementes de gergelim preto e as sementes da flor de lótus.

• Os grãos são fortalecedores, embora não tanto quando as nozes em geral e as sementes. O trigo, a aveia e o arroz integral são os melhores.

• Os feijões são bons substitutos para a carne, porém de difícil digestão para *Vata*, de modo que são melhores para *Pitta* e *Kapha*. O feijão-da-índia, o grão-de-bico, o feijão-mungo e o tofu são os melhores.

• A maioria das frutas e hortaliças é leve demais para conferir força, mas as mais doces podem aumentar a vitalidade e ajudar a reconstruir os tecidos – por exemplo, a tâmara, a uva-passa, o figo, a romã, a uva escura, o quiabo, a batata, a batata-doce, o inhame e a cebola cozida no *ghee*.

• O alho, o gengibre, a canela e a pimenta-longa aquecem e fortalecem, podendo aumentar a energia, especialmente quando combinados com óleos como o *ghee*. Eles ajudam a manter um bom fogo digestivo. Pimenta-do-reino, cardamono, cravo, erva-doce, cominho, coentro, assa-fétida e um pouco de pimenta-de-caiena são benéficas quando cozidas no *ghee* com outros alimentos tônicos.

• O açúcar bruto confere força e ajuda a formar tecidos corporais. Jagra (açúcar de cana puro) é o melhor, pois é rico em minerais e mais

ÓLEOS *RASAYANA*

- **Para *Vata***: angélica, cálamo, *aloe vera*, cedro-do-himalaia, olíbano, gerânio, gengibre, gotu kola, jasmim, jatamansi, flor de lótus, mirra, rosa, açafrão, sândalo e vetiver
- **Para *Pitta***: *aloe vera*, cedro-do-himalaia, gotu kola, jasmim, flor de lótus e açafrão
- ***Para Kapha***: *aloe vera*, angélica, cálamo, cedro-do-himalaia, olíbano, jasmim, flor de lótus, mirra, rosa e açafrão

fácil de digerir. O mel, o açúcar bruto, o xarope de bordo, o açúcar-cande, o melado, a maltose, a lactose e a frutose também são bons.

- A ingestão adequada de sal faz parte de uma dieta tonificante.

Óleos essenciais

Os óleos *Rasayana* têm propriedades que vão além da esfera da cura física. Eles são capazes de curar emoções profundas e melhorar a harmonia da mente. Vasant Lad, um dos mais notáveis especialistas em medicina ayurvédica, diz que eles contêm uma energia espiritual que nos ajuda a libertar-nos do apego ao mundo físico e possibilita uma profunda conexão com o divino e a unicidade.

Rejuvenescimento comportamental

Existem muitas atividades que promovem saúde e felicidade, conhecidas como *Rasayanas* comportamentais (*Achara Rasayanas*). Elas fortalecem nossa força vital estimulando emoções e experiências positivas, que promovem a produção de *Ojas*. Emo-

ERVAS *RASAYANA*

O mundo das ervas está repleto de plantas incríveis que nos nutrem, aumentam a nossa força física e a resistência, e aumentam nossa imunidade. Nessa condição, elas podem avivar tanto a mente quanto o corpo e ajudar a combater os efeitos do envelhecimento. Elas incluem: gotu kola, shatavari, bacopa, amalaki, pippali, bala, guduchi, ashwagandha, cúrcuma, tulsi, *aloe vera*, vidari, gokshura e a fórmula Triphala.

ções edificantes e uma abordagem positiva da vida são qualidades que podem ser engendradas com o tempo. O acionador mais importante é a experiência regular da nossa vida interior, o Eu ou consciência pura. Os textos ayurvédicos mencionam uma série de *Rasayanas* comportamentais:

• Incentive as emoções e experiências positivas, e não conceda muito espaço para as emoções negativas. A pura alegria é a melhor receita para eliminar o *Ama* mental.

• Escolha a companhia de pessoas sábias, que o inspirem a buscar mais conhecimento, sabedoria, amor e consideração pelos outros, compaixão e caridade.

• Seja verdadeiro, mas sempre diga a verdade com delicadeza.

• Mantenha a integridade pessoal, o que aumenta a autoestima.

• Mantenha todas as coisas limpas: mentais, físicas e ambientais. Um ambiente limpo e bonito o enaltecerá, gerando emoções positivas e uma sensação de bem-estar conducente à saúde.

- Seja caridoso e generoso. Dê dinheiro, conhecimento, conselhos e estímulo para os outros.

- Siga suas convicções espirituais, dedicando tempo a práticas espirituais que proporcionem um canal que possibilite que o amor flua.

- Sente-se quieto e observe a respiração, ou escolha seu próprio tipo de meditação ou contemplação.

- Faça o que você adora fazer e vivencie uma pura alegria, sem magoar ninguém – por exemplo, pintando ou observando a natureza.

- Cozinhe para a sua família com amor e respeito. Se você estiver comendo fora de casa, diga orações com a comida a fim de remover qualquer negatividade.

- Observe o silêncio, pois ele é muito reconfortante.

Manter a limpeza é considerado importante para uma vida longa.

Glossário de termos sânscritos

Abhyanga: massagem com óleo morno

Agni: fogo digestivo/enzimas

Ahamkara: ego, ou o sentimento de "seidade", a consciência de que eu sou

Ahararasa: o nutriente quilo

Akasha: éter/espaço

Alochaka Pitta: um dos cinco subtipos de ***Pitta***, que governa a visão

Ama: toxinas/a massa de alimentos não digeridos

Amla: ácido, um dos seis ***Rasas*** ou sabores

Anupana: veículo (como o mel) para levar as ervas até os tecidos

Apana Vata: um dos cinco subtipos de ***Vata***, que governa a eliminação da energia residual e está associado ao cólon e ao abdômen inferior

Arishta: vinho fitoterápico feito com decocções

Artha: prosperidade, uma das quatro metas da vida

Asana: postura yogue

Asava: vinho fitoterápico preparado com suco de ervas

Asthi: tecido ósseo

Atman: eu interior ou superior

Avalambaka Kapha: o principal subtipo de ***Kapha***, que governa o coração e os pulmões

Bala tantra: ginecologia, obstetrícia e pediatria

Basti: enema, uma das cinco terapias do ***Panchakarma***

Bhutagnis: cinco enzimas digestivas que metabolizam os cinco elementos

Bhuta vidya: psiquiatria, o tratamento das doenças mentais

Bodhaka Kapha: um dos cinco subtipos de ***Kapha***, que governa o paladar

Brahma: a realidade absoluta, a consciência pura

Brajaka Pitta: um dos cinco subtipos de ***Pitta***, que governa a tez

Brimhana: terapia tonificante

Buddhi: sabedoria interior dentro da pessoa

Chayawanprash: geleia fitoterápica rejuvenescedora

Chikitsa: tratamento ayurvédico

Chitta: o depósito das nossas experiências

Churna: pó fitoterápico

Dharma: carreira, propósito ou caminho na vida, um das quatro metas da vida

Dhatuagnis: as sete enzimas digestivas que metabolizam os sete tecidos

Dhatus: camadas teciduais

Dinacharya: rotina diária

Doshas: "humores" biológicos, ou forças vitais, que governam a nossa constituição

Draksharishta: vinho fitoterápico feito com uvas e outros temperos

Ghee: manteiga clarificada

Gunas: as três qualidades ou leis fundamentais da natureza

Jagra: uma forma de açúcar de cana

Jala: água/fator coesivo

Jatharagni: enzimas digestivas no trato gastrointestinal/"fogo" digestivo

Jibha pariksha: diagnóstico da língua

Kama: prazer, uma das quatro metas da vida

Kanjee: água de cevada e arroz

Kapha: humor biológico da água, um dos ***doshas***

Karma: ação e reação, causa e efeito

Kasaya: adstringente, um dos seis ***Rasas*** ou sabores

Katu: picante, um dos seis ***Rasas*** ou sabores

Kichari*:* arroz basmati feijão--mungo/lentilha vermelha, ingerido durante o jejum

Kitta: material residual da comida

Kledaka Kapha: um dos cinco subtipos de ***Kapha***, que governa a digestão

Kvatha: decocção fitoterápica

Langhana: terapia de redução ou de tornar mais leve

Lavana: salgado, um dos seis ***Rasas*** ou sabores

Madhura: doce, um dos seis ***Rasas*** ou sabores

Mahat: consciência cósmica

Majja: tecido nervoso e da medula óssea

Malas: produtos residuais (como a urina, o suor e as fezes)

Mamsa: tecido muscular

Manas: a mente inferior/externa

Marma: pontos de energia no corpo

Medas: tecido adiposo

Medhya: a mente, o intelecto

Moksha: autorrealização/liberação/iluminação espiritual, uma das quatro metas da vida

Mutra: urina, um dos três principais materiais residuais do corpo

Nadi: canais nervosos

Nadi pariksha: diagnóstico do pulso

Nasya: aplicação nasal de ervas e óleos, uma das cinco terapias do ***Panchakarma***

Neti: um pequeno pote (pote *neti*) usado na purificação nasal

Nidana: diagnóstico, etiologia, a causa da doença

Ojas: força, a reserva de energia primordial do corpo

Pachaka Pitta: o principal subtipo de ***Pitta***, que governa a digestão

Panchakarma: as cinco práticas de purificação do Ayurveda

Pitta: humor biológico do fogo, um dos ***doshas***

Prakruti: a nossa constituição ou natureza primordial

Prana: força vital, ar que se movimenta para dentro

Prana Vata: o principal vento ou energia no corpo, um dos cinco subtipos de ***Vata***, que governa a cabeça, a mente ou o peito

Pranayama: exercícios respiratórios

Prithvi: terra/massa

Purisha: fezes, um dos três principais materiais residuais do corpo

Purusha: consciência pura, passiva, não manifestada

Purvakarma: terapias preparatórias do ***Panchakarma***

Rajas: a qualidade da energia e da ação, um dos três ***gunas***; agitação

Rakta: tecido sanguíneo

Raktamokshana: purificação do sangue, uma das quatro terapias do ***Panchakarma***

Ranjaka Pitta: um dos cinco subtipos de ***Pitta***, que colore o sangue

Rasa: plasma, um dos sete tecidos/sabores antes da digestão

Rasayana: terapia e tônicos de rejuvenescimento

Roga: doença

Rukshana: terapia de secagem

Sadhaka Pitta: um dos cinco subtipos de ***Pitta***, que governa o coração e o cérebro

Sama: distúrbio *Ama* associado a um dos três ***doshas***

Sama Kapha: distúrbio *Ama* de ***Kapha***

Sama Pitta: distúrbio *Ama* de ***Pitta***

Sama Vata: distúrbio *Ama* de ***Vata***

Samana Vata: um dos subtipos de ***Vata***, que governa a digestão e está associado ao estômago e ao intestino delgado

Samprapti: o curso da doença

Sankhya: sistema de enumerologia, uma das seis escolas clássicas da filosofia indiana

Sara: a parte pura ou nutritiva do alimento; a qualidade dos tecidos

Sattva: a qualidade da clareza e da harmonia, um dos três ***gunas***

Shamana: terapia paliativa desintoxicante

Shodhana: terapia de purificação desintoxicante, ou ***Panchakarma***

Shukra: tecido reprodutivo

Sleshaka Kapha: um dos cinco subtipos de ***Kapha***, uma forma de água que lubrifica as articulações

Snehana: aplicação de óleo

Srotas: os sistemas de canais do corpo

Stambhana: adstringência

Sveda: suor, um dos três principais materiais residuais do corpo

Swasthya: saúde

Swedana: sudorese terapêutica, terapia de vapor

Taila: óleo medicinal, que utiliza principalmente óleo de gergelim

Tamas: a qualidade de deterioração e inércia, um dos três ***gunas***

Tarpaka Kapha: um dos cinco subtipos de ***Kapha***, localizado no coração e no cérebro

Tattva: princípio cósmico

Teja: fogo/energia radiante

Tikta: amargo, um dos seis ***Rasas*** ou sabores

Tridosha: os três ***doshas*** ou forças básicas do universo

Udana Vata: um dos subtipos de ***Vata***, que governa a exalação e está associado à garganta

Unani Tibb: o sistema islâmico de medicina

Upadhatu: tecido secundário

Vamana: vômito terapêutico, uma das cinco terapias do ***Panchakarma***

Vata: humor biológico do ar, um dos ***doshas***

Vayu: ar/vento, movimento

Vedas: antigas escrituras da Índia

Vikruti: desequilíbrio ***dóshico*** vigente de ***Vata/Pitta/Kapha*** em uma pessoa

Vipaka: o efeito pós-digestivo de uma erva

Virechana: purgação, uma das cinco terapias do ***Panchakarma***

Virya: a energia de uma erva, como é experimentada durante a digestão

Vyadhi: enfermidade ou doença

Vyana Vata: um dos cinco subtipos de ***Vata***, que governa a circulação

Glossário de termos ocidentais

Abortivo: causa o aborto

Adaptogênico: ajuda a restaurar o equilíbrio dentro do corpo

Alérgeno: substância que provoca reação alérgica

Alterativo: produz efeitos benéficos por meio da desintoxicação

Anabólico: ajuda nos processos metabólicos construtivos

Analgésico: alivia a dor sem causar perda de consciência

Anódino: alivia a dor

Anorexia: perda de apetite

Antiácido: reduz o ácido estomacal

Antelmíntico: destrutivo para os vermes do intestino

Antialérgico: reduz as reações alérgicas

Antibacteriano: destrói as bactérias ou refreia seu crescimento ou sua reprodução

Anticoagulante: retarda a formação de coágulos sanguíneos

Anticonvulsivo: previne ou alivia as convulsões

Antidepressivo: alivia a depressão

Antidiarreico: alivia a diarreia

Antiemético: evita o vômito

Antifúngico: destrói os fungos ou refreia seu crescimento ou sua reprodução

Anti-hemorrágico: interrompe o sangramento

Anti-histamínico: combate os efeitos da histamina, aliviando as alergias

Anti-hipertensivo: reduz a pressão arterial elevada

Anti-inflamatório: combate o processo inflamatório

Antilítico: evita e dissolve as pedras na vesícula biliar, nos rins e na bexiga

Antimalárico: eficaz contra a malária

Antimicrobiano: mata micro-organismos ou refreia sua multiplicação ou seu crescimento

Antioxidante: retarda significativamente ou evita a oxidação e o processo de envelhecimento

Antiparasitário: destrói ou inibe os parasitas

Antipirético: reduz a febre

Antisséptico: inibe o crescimento e o desenvolvimento de micro-organismos

Antiespasmódico: alivia os espasmos, geralmente da musculatura lisa

Antitumoral: combate a formação de tumores

Antitussígeno: ajuda a acabar com a tosse

Antiviral: destrói os vírus ou reprime sua reprodução

Afrodisíaco: estimula o desejo sexual

Adstringente: causa contração, ressecamento

Autoimune: relacionado com uma reação imunológica do corpo contra suas próprias células ou seus tecidos

Broncodilatador: dilata os brônquios e os pulmões

Carcinogênico: causador de câncer

Cardiotônico: tem efeito tônico no coração

Carminativo: alivia a flatulência e a dor

Colagogo: promove o fluxo da bile para o duodeno

Contraindicado: sugere que um medicamento ou tratamento particular não deve ser aplicado

Decocção: fórmula fitoterápica preparada fervendo-se as partes da planta em água

Descongestionante: reduz a congestão ou o intumescimento

Demulcente: uma fórmula mucilaginosa ou oleosa suavizante que reduz a irritação das superfícies inflamadas

Depurativo: purificador

Desintoxicação: redução ou remoção de toxinas e resíduos

Diaforético: estimula a transpiração

Digestivo: ajuda o processo da digestão

Diurético: promove a excreção da urina

Emético: causa vômito

Emenagogo: provoca o fluxo menstrual

Emoliente: acalma ou suaviza a pele ou membranas mucosas irritadas

Expectorante: solta o muco e torna mais fácil sua expulsão do trato respiratório

Febrífugo: reduz a temperatura do corpo durante a febre

Radical livre: molécula altamente reativa com um elétron desemparelhado que causa dano aos tecidos

Galactagogo: estimula o fluxo de leite

Hematúria: sangue na urina

Hemostático: estanca o sangramento; estíptico

Hepatoprotetor: protege o fígado

Hipoglicêmico: baixa a glicose no sangue

Hipotensivo: baixa a pressão arterial

Imunomodulatório: altera as respostas imunológicas

Imunorregulador: regula as respostas imunológicas

Imunoestimulante: estimula as respostas imunológicas

Imunossupressor: refreia as respostas imunológicas

Inseticida: seletivamente venenoso para insetos

Laxativo: provoca a evacuação

Litotríptico: dissolve pedras nos rins e na vesícula biliar

Linfático: relacionado com o sistema linfático

Nervino: restaurador dos nervos, moderadamente tranquilizante

Nutritivo: nutriente

Facilitadora do parto: substância que facilita o parto

Patogênico: causador de doença

Potencializar: aumentar o poder ou o efeito de alguma coisa

Probiótico: estimula o crescimento de micro-organismos benéficos

Purgativo: estimula uma evacuação intestinal forte

Refrigerante: reduz o calor corporal ou a febre

Rejuvenescedor: promove sentimentos de juventude

Relaxante: reduz a tensão muscular ou nervosa e estimula o relaxamento

Rubefaciente: ruboriza a pele ao aumentar o fluxo sanguíneo

Sedativo: diminui a excitação, reduz o nervosismo e a ansiedade, promove o sono

Espermatogênico: promove a produção de espermatozoides

Estimulante: estimula o sistema nervoso central

Estípitico: estanca o sangramento, aplicado externamente

Termogênico: produz calor

Tônico: restaura o tônus ou a função normal dos tecidos; aumenta a energia e a imunidade, acentua o bem-estar

Untuoso: gorduroso ou oleoso

Tônico uterino: tonifica o útero e o sistema reprodutor feminino

Vasodilatador: dilata os vasos sanguíneos, baixando a pressão arterial

Vermífugo: expele vermes ou parasitas animais intestinais; **antelmíntico**

Vulnerário: promove a cura dos ferimentos

Índice remissivo

Agradecimentos pelas fotos

Alamy/Agencja FREE 181; /Antographer 322; /Arco Images GmbH 296, 307, 316, 337, 338; /Bon Appetit 330; /Chris Rout 183, 254; /Dinodia Photos 30, 310, 311, 328, 349; /Estelle Joeng 329; /Fancy/Marnie Burkhart 253; /Golden Hour/Balan Madhavan 298, 334; /Jochen Tack 225; /mediacolor's 223, 366; /Moment 60; /Nigel Cattlin 308; /OJO Images Ltd./Tom Merton 264; /PhotoAlto/Odilon Dimier 247; /PhotoAlto/Alix Minde 42; /Phototake Inc./Luca Tettoni 280, 340; /Robert Harding Picture Library Ltd./Luca Tettoni 158, 178; /Spice Coast Collection/Balan Madhavan 109; /Tim Hill 211; /tbkmedia.de 356; /The Art Archive/Gianni Dagli Orti 79; /ViewFinder 291; /Westend61 GmbH 369. **Corbis/**Blend Images/Jose Luis Pelaez, Inc. 373; /Historical Picture Archive 25; /In Pictures/Christopher Pillitz 203; /J. James 176; /Luca Tettoni 8; /Westend61 284.

Fotolia/Andres Rodriguez 43; /Anna Kuznetsova 290; /Cogipix 248; /dabjola 288; /Elena Ray 1; /Elena Schweitzer 324; /emer 325; /HLPhoto 352; /istvan 292; /ittipol 300; /Jonathan Lefebvre 314; /leungchopan 317; /Only Fabrizio 319, 341; /photocrew 320; /Piotr Marcinski 154; /R_R 295; /Shariff Che'Lah 313; /Subbotina Anna 131; /Swapan 303, 306; /TheSupe87 184; /Yuri Arcurs 147. **GardenWorld Images/**Jenny Lily 297. **Getty Images/**Adrian Nakic 86; /Alexandra Grablewski 127; /B2M Productions 156; /Caroline von Tuempling 23; /Dex Image 151; /Dinodia Photos 233, 293; /Dougal Waters 272; /Dylan Ellis 75; /esthAlto/Frederic Cirou 36; /FoodPix/Commanding Artists/Ray Kachatorian 228; /ICHIRO 2; /Image Source 122, 377; /Imagemore Co, Ltd. 326; /India Today Group 279; /James and James 213; /James Whitaker 66; /JGI/Jamie Grill 99; /Jill Fromer 336; /Jupiterimages 81, 361; /Martine Mouchy 110; /Matthew Wakem 161, 287; /Nicholas Pitt 95; /PhotoAlto 163; /Photolibrary/AGE Fotostock/Yogesh More 318, 332; /Photolibrary/Garden World Photo/Georgianna Lane 312; /Photolibrary/Mauritius Images/CASH 173; /Photolibrary/Mauritius Images/Tomas Adel 150; /Photolibrary/Phototake/Luca Tettoni 12, 17, 192, 363; /Photolibrary/Stockbyte 243; /Robert Nickelsberg 9, 169, 343; /Ruth Jenkinson 137, 167; /Stuart O'Sullivan 239; /The Trustees of the Chester Beatty Library, Dublin 19; /Tom Le Goff 117; /Valery Rizzo 220. **Glow Images/**Imagebroker RM 4, 7, 26; /Moodboard Premium 238; /Pixtal 269; /Stockfood/Ottmar Diez 302; /Stockfood/Eising 121; /Westend61 RM 20.

Octopus Publishing Group/Emma Neish 137; /Janine Hosegood 70, 133, 187, 207; /Mike Good 61, 232; /Russell Sadur 119, 128, 134, 145, 148, 153, 194, 197, 261, 351; /Ruth Jenkinson 54, 273; /Stephen Conroy 130, 141; /William Reavell 88. **SuperStock/**imagebroker.net 171. **Thinkstock/**Banana Stock 231; /Brand X Pictures 33; /Comstock 48; /Digital Vision/John Howard 49; /George Doyle 101, 113; /Hemera 57, 138, 251, 259, 267, 270, 371; /iStockphoto 6, 10, 29, 35, 41, 47, 125, 142, 188, 216, 218, 301, 304, 309, 344, 346, 347, 354; /Jupiterimages 68, 82, 198, 201, 204, 245, 275; /Pixland 164; /Stockbyte 65, 72, 237, 257;/ULTRA F 116, 208.